Le matériel en électricité

● Aimant et bobine

● Alternateur

● Lampe

● Générateur
continu / alternatif

● Multimètre
continu / alternatif

● Oscilloscope

Le matériel en mécanique

● Fil à plomb

● Masse marquée

● Dynamomètre

● Balance

● Chronomètre

● Règle graduée

Les unités de mesure

Grandeur	Instrument de mesure	Unité légale	Unités usuelles
Longueur	Règle graduée	mètre (m)	• kilomètre (km) 1 km = 10^3 m
Masse	Balance	kilogramme (kg)	• gramme (g) 1 g = 10^{-3} kg • tonne (t) 1 t = 10^3 kg
Poids	Dynamomètre	newton (N)	• décamètre (daN) 1 daN = 10 N
Temps	Chronomètre	seconde (s)	• minute (min) 1 min = 60 s • heure (h) 1 h = 60 min = 3600 s
Fréquence	Multimètre : à la fois un fréquencemètre, un ampèremètre et un voltmètre	hertz (Hz)	• kilohertz (kHz) 1 kHz = 10^3 Hz • mégahertz (MHz) 1 MHz = 10^6 Hz
Intensité		ampère (A)	• milliampère (mA) 1 mA = 10^{-3} A • kiloampère (kA) 1 kA = 10^3 A
Tension		volt (V)	• millivolt (mV) 1 mV = 10^{-3} V • kilovolt (kV) 1 kV = 10^3 V
Puissance	Compteur électrique : à la fois un wattmètre et un joule-mètre	watt (W)	• kilowatt (kW) 1 kW = 10^3 W • gigawatt (GW) 1 GW = 10^9 W
Énergie		joule (J)	• wattheure (Wh) 1 Wh = $3,6.10^3$ J • kilowattheure (kWh) 1 kWh = $3,6.10^6$ J

Physique Chimie

Programme 2008

3e

Sous la direction de
Jean-Marie Parisi

Marie-Pierre Caby
Professeur au collège Hélène-Boucher, Paris 20e

Éric Donadéi
Professeur au collège Théodore-Monod, Villerupt

Jean-Claude Fabre
Professeur au collège Gerson, Paris 16e

Fabienne Foltrauer
Professeur au collège et lycée
Notre-Dame-de-la-Providence, Thionville

Nicolas Riverain
Professeur au collège Marie-Curie, Paris 18e

papier 100 % recyclé

BELIN
s'engage pour l'environnement

8, rue Férou 75278 Paris cedex 06
www.editions-belin.com

Sommaire

© Éditions Belin, 2008   ISBN : 978-2-7011-4730-7

Métiers

En collaboration avec :

ONISEP

D'autres métiers, en relation
avec les grands thèmes du programme,
sont disponibles sur le site :
www.onisep.fr/belin-pc-3e

PARTIE C
La mécanique

En lien avec les autres disciplines, les thèmes de convergence et le B2i

Des outils pour vous aider

L'ouverture du chapitre

- Pour réfléchir et **émettre des hypothèses** sur des situations de la vie courante : les « situations-problèmes ».
- Des **propositions d'activité** à mener pour infirmer/vérifier tes hypothèses.

Les activités

- Des **manipulations** à effectuer.
- Des **photos** d'expériences pour faciliter la compréhension de la manipulation à effectuer.
- Un **guide de travail**.

Les documents

- Des **sujets motivants** pour faire le lien avec les autres disciplines : **Histoire des Sciences, SVT, B2i, EDD, etc.**

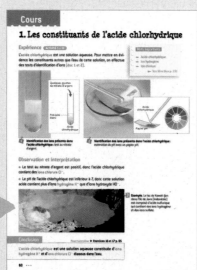

Le cours

- Pour récapituler **les connaissances**.
- Les mots importants sont définis dans le **lexique à la fin du manuel**.

Les exercices

Un exercice mettant en place la **démarche d'investigation**

Une **expérience** à réaliser chez soi

Une lecture d'un **magazine scientifique**

Une révision par le **texte et par l'image**

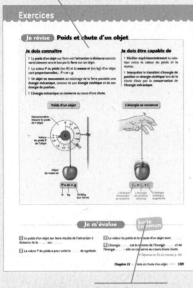

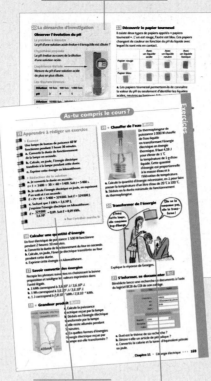

Une évaluation du **Socle Commun**. Les réponses sont données en fin de manuel.

Un **exercice corrigé** suivi d'un exercice du même type pour t'entraîner

Un **exercice ludique**

Les sciences dans notre société

Histoire des sciences en langue étrangère

La Physique (ou chimie) au quotidien

Un **objet de la vie courante** à explorer

Un **métier** en rapport avec le thème du chapitre

Un **défi** pour se creuser les méninges

Les fiches techniques

Les consignes à suivre pour réaliser les **expériences fondamentales**.

À la fin de chaque partie, des exercices de synthèse.

Les réponses sont données en fin de manuel.

Programme 2008

A - La chimie, science de la transformation de la matière

A1 - Métaux, électrons et ions

Connaissances	Capacités
Utilisation des métaux dans la vie quotidienne — Chapitre 1 Quels sont les métaux les plus couramment utilisés ? Quelles sont leurs principales utilisations ? Les métaux les plus couramment utilisés sont le fer, le zinc, l'aluminium, le cuivre, l'argent et l'or. *[Technologie : les matériaux]*	*Reconnaître par quelques tests qualitatifs simples quelques métaux usuels : le fer, le zinc, l'aluminium, le cuivre, l'argent et l'or.*
L'électron : comprendre la conduction électrique dans les métaux — Chapitre 2 Tous les solides conduisent-ils le courant électrique ? Tous les métaux conduisent le courant électrique. *Tous les solides ne conduisent pas le courant électrique.* La conduction du courant électrique dans les métaux s'interprète par un déplacement d'électrons. *[Technologie : environnement et énergie : isolants et conducteurs thermiques et électriques]*	*Comparer le caractère conducteur de différents solides à l'aide d'un circuit électrique.*
L'ion : comprendre la conduction électrique dans les solutions aqueuses Toutes les solutions aqueuses conduisent-elles le courant électrique ? D'où proviennent les électrons et les ions mobiles ? *Toutes les solutions aqueuses ne conduisent pas le courant électrique.* La conduction du courant électrique dans les solutions aqueuses s'interprète par un déplacement d'ions. Constituants de l'atome : noyau et électrons. Les atomes et les molécules sont électriquement neutres : l'électron et les ions sont chargés électriquement. *Le courant électrique est dû à :* *– un déplacement d'électrons dans le sens opposé au sens conventionnel du courant dans un métal ;* *– des déplacements d'ions dans une solution aqueuse.* *[Histoire des sciences : l'atome]*	Comparer (qualitativement) le caractère conducteur de l'eau et de diverses solutions aqueuses à l'aide d'un circuit électrique. Comparer les ordres de grandeur des dimensions du noyau et de l'atome. Comparer les ordres de grandeur des dimensions du noyau et de l'atome.
Tests de reconnaissance de quelques ions — Chapitre 3 Comment reconnaître la présence de certains ions en solution ? Que nous apprend la valeur du pH ? Les formules des ions Na^+, Cl^-, Cu^{2+}, Fe^{2+} et Fe^{3+}. Domaines d'acidité et de basicité en solution aqueuse. *Une solution aqueuse neutre contient autant d'ions hydrogène H^+ que d'ions hydroxyde HO^-.* *Dans une solution acide, il y a plus d'ions hydrogène H^+ que d'ions hydroxyde HO^-.* Les dangers que présentent des produits acides ou basiques concentrés. *[SVT : besoins nutritifs, carences alimentaires, en classe de 5e et de 3e]* *[Thèmes : Sécurité [emploi des solutions acides ou basiques] ; Environnement et développement durable [danger présenté par les solutions trop acides ou trop basiques]]*	Réaliser les tests de reconnaissance des ions Cl^-, Cu^{2+}, Fe^{2+} et Fe^{3+}. Identifier à l'aide d'une sonde ou par une estimation avec un papier pH, les solutions neutres, acides et basiques. *Observer expérimentalement l'augmentation du pH quand on dilue une solution acide.*
Réaction entre l'acide chlorhydrique et le fer — Chapitre 4 Le fer réagit-il avec l'acide chlorhydrique ? Les ions hydrogène et chlorure sont présents dans une solution d'acide chlorhydrique. Critères de reconnaissance d'une transformation chimique : disparition de réactifs et apparition de produits. *[Thème : Sécurité [emploi des solutions acides ou basiques]]* *[Technologie : les matériaux]*	Réaliser les tests de reconnaissance des ions chlorure et des ions hydrogène ; la réaction entre le fer et l'acide chlorhydrique avec mise en évidence des produits. Écrire, avec le nom des espèces en toutes lettres, le bilan de la réaction chimique entre le fer et l'acide chlorhydrique.
Approche de l'énergie chimique : une pile électrochimique — Chapitre 5 Comment une pile peut-elle être une source d'énergie ? Les espèces chimiques présentes dans une pile contiennent de l'énergie chimique dont une partie est transférée sous d'autres formes d'énergie lorsqu'elle fonctionne. L'énergie mise en jeu dans une pile provient d'une réaction chimique : la consommation de réactifs entraîne « l'usure » de la pile. *[Histoire des sciences : piles et ions, en liaison avec la partie A] – [SVT : fonctionnement de l'organisme et besoin en énergie [5e et 3e] ; nécessité d'une alimentation équilibrée [3e]]* *[Thèmes : Santé [apports énergétiques équilibrés], Énergie, EDD] – [Technologie : environnement et énergie]*	Réaliser, décrire et schématiser la réaction entre une solution aqueuse de sulfate de cuivre et de la poudre de zinc ; *Interpréter l'échauffement du milieu réactionnel comme le résultat de la conversion d'une partie de l'énergie chimique des réactifs en énergie thermique.*

A2 - Synthèse d'espèces chimiques

Connaissances	Capacités
Synthèse d'une espèce chimique existant dans la nature — Chapitre 6 Peut-on synthétiser l'arôme de banane ? La synthèse des espèces chimiques déjà existantes dans la nature permet d'en abaisser le coût et/ou la disponibilité.	Respecter le protocole de la synthèse effectuée de manière élémentaire de l'acétate d'isoamyle.
Création d'une espèce chimique n'existant pas dans la nature Peut-on créer de nouvelles espèces chimiques ? La synthèse d'espèces chimiques n'existant pas dans la nature permet d'améliorer les conditions de vie. *Le nylon comme les matières plastiques sont constitués de macromolécules.* *[Thèmes : Santé [distinction entre produit naturel et produit de synthèse] ; Sécurité [emploi des solutions irritantes]] — [SVT : OGM en 3e] — [Technologie : les matériaux]*	*Respecter le protocole permettant de réaliser la synthèse du nylon ou d'un savon.*

B - Énergie électrique et circuits électriques en « alternatif »

B1 - De la centrale électrique à l'utilisateur

Connaissances	Capacités
Des possibilités de production de l'électricité — Chapitre 7 Quel est le point commun des différentes centrales électriques ? L'alternateur est la partie commune à toutes les centrales électriques. L'énergie reçue par l'alternateur est convertie en énergie électrique. Distinction entre les sources d'énergie renouvelables ou non.	Expliquer la production d'énergie électrique par l'alternateur de bicyclette par la transformation de l'énergie mécanique. Expliquer la production d'énergie électrique dans une centrale hydraulique ou éolienne par transformation de l'énergie mécanique. Réaliser un montage permettant d'allumer une lampe ou de faire tourner un moteur à l'aide d'un alternateur. *Traduire les conversions énergétiques dans un diagramme incluant les énergies « perdues ».*

Connaissances	Capacités
L'alternateur Comment produit-il une tension variable dans le temps ? Une tension, variable dans le temps, peut être obtenue par déplacement d'un aimant au voisinage d'une bobine. *[Histoire des sciences et des techniques : production de l'électricité]* *[Thèmes : Énergie, Environnement et développement durable (Énergies renouvelables)]* *[Mathématiques : diagrammes, graphiques] — [Technologie : environnement et énergie]*	Illustrer expérimentalement l'influence du mouvement relatif d'un aimant et d'une bobine pour produire une tension.
Tension continue et tension alternative périodique Chapitre 8 Qu'est-ce qui distingue la tension fournie par le « secteur » de celle fournie par une pile ? Tension continue et tension variable au cours du temps ; tension alternative périodique. Période. Valeurs maximale et minimale d'une tension. *[Technologie : Architecture et cadre de vie (domotique) ; Énergie et environnement]* *[Mathématiques : ordre de grandeur, notation scientifique, représentation graphique]*	Identifier une tension continue et une tension alternative. *Construire une représentation graphique de l'évolution d'une tension alternative périodique ; en décrire l'évolution.* Reconnaître une tension alternative périodique. *Déterminer graphiquement sa valeur maximale et sa période.*
L'oscilloscope et/ou l'interface d'acquisition, instrument de mesures de tension et de durée Chapitre 9 Que signifient les courbes affichées par un oscilloscope ou sur l'écran de l'ordinateur ? La fréquence d'une tension périodique et son unité, le hertz (Hz), dans le Système International (SI). *Relation entre la période et la fréquence.* La tension du secteur est alternative. *Elle est sinusoïdale.* La fréquence de la tension du secteur en France est 50 Hz.	*Reconnaître à l'oscilloscope, ou grâce à une interface d'acquisition, une tension alternative périodique.* Mesurer sur un oscilloscope la valeur maximale et la période.
Le voltmètre en tension sinusoïdale Qu'indique un voltmètre utilisé en position « alternatif » ? Pour une tension sinusoïdale, un voltmètre utilisé en alternatif indique la valeur efficace de cette tension. *Cette valeur efficace est proportionnelle à la valeur maximale.* *[Mathématiques : Proportionnalité]*	Identifier à des valeurs efficaces les valeurs des tensions alternatives indiquées sur les alimentations ou sur les appareils usuels. *Mesurer la valeur d'une tension efficace (très basse tension de sécurité).*

B2 - Puissance et énergie électriques

Connaissances	Capacités
La puissance électrique Chapitre 10 Que signifie la valeur exprimée en watts (W) qui est indiquée sur chaque appareil électrique ? Puissance nominale indiquée sur un appareil. Le watt (W) est l'unité de puissance du Système International (SI). *Énoncé traduisant, pour un dipôle ohmique, la relation P = UI où U et I sont des grandeurs efficaces.* L'intensité du courant électrique qui parcourt un fil conducteur ne doit pas dépasser une valeur déterminée par un critère de sécurité. Le coupe-circuit protège les appareils et les installations contre les surintensités. *[Mathématiques : grandeur produit]* — *[Technologie : Énergie et environnement]* — *[Thème : sécurité]*	Citer quelques ordres de grandeurs de puissances électriques domestiques. *Calculer, à partir de sa puissance et de sa tension nominales, la valeur de l'intensité efficace du courant qui traverse un appareil qui se comporte comme un dipôle ohmique. Exposer le rôle d'un coupe-circuit.* Repérer et identifier les indications de puissance, de tension et d'intensité sur les câbles et sur les prises électriques.
La mesure de l'énergie électrique Chapitre 11 À quoi sert un compteur électrique ? Que nous apprend une facture d'électricité ? L'énergie électrique E transférée pendant une durée t à un appareil de puissance nominale P est donnée par la relation $E = Pt$. Le joule est l'unité d'énergie du système international (SI). *[Thème : Énergie] — [Technologie : Énergie et environnement] — [Mathématiques : grandeur produit]*	Calculer l'énergie électrique transférée à un appareil pendant une durée donnée et l'exprimer en joule (J), *ainsi qu'en kilowattheure (kWh).*

C. De la gravitation... à l'énergie mécanique   Durée conseillée 9 semaines

C1. Interaction gravitationnelle

Connaissances	Capacités
Notion de gravitation Chapitre 12 Pourquoi les planètes gravitent-elles autour du Soleil ? Pourquoi les satellites gravitent-ils autour de la Terre ? Présentation succincte du système solaire. Action attractive à distance exercée par : – le Soleil sur chaque planète ; – une planète sur un objet proche d'elle ; – un objet sur un autre objet du fait de leur masse. La gravitation est une interaction attractive entre deux objets qui ont une masse ; elle dépend de leur distance. *La gravitation gouverne tout l'Univers (système solaire, étoiles et galaxies).*	Comparer, en analysant les analogies et les différences, le mouvement d'une fronde à celui d'une planète autour du Soleil.
Poids et masse d'un corps Chapitre 13 Pourquoi un corps a-t-il un poids ? Quelle est la relation entre le poids et la masse d'un objet ? Action à distance exercée par la Terre sur un objet situé dans son voisinage : poids d'un corps. Le poids P et la masse m d'un objet sont deux grandeurs de nature différente : *elles sont proportionnelles.* L'unité de poids est le newton (N). *La relation de proportionnalité se traduit par P = mg.*	Vérifier expérimentalement la relation entre le poids et la masse.
Pourquoi un objet tombe-t-il sur Terre ? Pourquoi l'eau d'un barrage acquiert-elle de la vitesse au cours de sa chute ? *Un objet possède :* *– une énergie de position au voisinage de la Terre ; – une énergie de mouvement appelée énergie cinétique.* *La somme de ses énergies de position et cinétique constitue son énergie mécanique.* *Conservation d'énergie au cours d'une chute.* *[Thème : sécurité, énergie]*	*Interpréter l'énergie de mouvement acquise par l'eau dans sa chute par une diminution de son énergie de position.*

C2. Énergie cinétique et sécurité routière

Connaissances	Capacités
Approche de l'énergie cinétique Chapitre 14 Qu'est ce que l'énergie cinétique ? *La relation donnant l'énergie cinétique d'un solide en translation est $E_c = 1/2\, mv^2$.* L'énergie cinétique se mesure en joule (J).	*Exploiter la relation $E_c = 1/2\, mv^2$.*
Pourquoi la vitesse est-elle dangereuse ? La distance de freinage croît plus rapidement que la vitesse. *[Mathématiques : grandeur produit, proportionnalité et non proportionnalité] – [SVT : énergie des plaques tectoniques, séismes (classe de 4e)] – [Technologie : les transports, des principes physiques : freinage, guide, propulsion, etc. (classe de 6e)] – [Thème : sécurité, énergie]*	Exploiter les documents relatifs à la sécurité routière.

La chimie, science de de la matière

Analyses de produits d'entretien.

la transformation

Je vérifie mes connaissances de 4ᵉ

La composition de l'air

1 L'air est-il un corps pur ou un mélange ?

2 Donne la composition de l'air.

3 Explique ce que veut dire « air pollué ».

4 Indique dans quel état se trouve l'air.

5 Donne la formule d'une molécule de dioxygène.

Les combustions

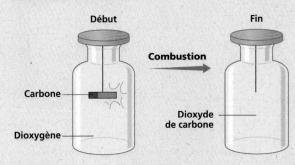

Début — Combustion → Fin

Carbone

Dioxygène

Dioxyde de carbone

6 Cite le(s) réactif(s) de cette combustion.

7 Cite le(s) produit(s) de cette réaction combustion.

8 Écris le bilan de la combustion du carbone en utilisant les symboles + et ⟶.

Les métaux de la vie quotidienne

Objectifs

▶ Connaître les métaux couramment utilisés

▶ Reconnaître par des tests les principaux métaux

Situation **1**

Aujourd'hui, la production mondiale d'aluminium est proche des 3 milliards de tonnes. C'est la plus importante production des métaux non ferreux.

Connais-tu d'autres métaux couramment utilisés ?

Lingots en métal aluminium.

Restauration des angelots du Pont Alexandre III à Paris dans les ateliers de Périgueux (Dordogne).

Situation 2

Certaines statues métalliques subissent les ravages de la pollution atmosphérique et doivent être restaurées.
À ton avis, quels sont les différents tests de reconnaissance d'un métal ?

Je me documente, j'expérimente pour répondre

Quels sont les métaux

1 Toitures en zinc.

Le zinc est un **métal** blanc bleuâtre, de **densité** 7,1. Sa température de fusion est égale à 419 ℃. Il est préparé à partir d'un minerai, la blende. Il résiste à la **corrosion** dans l'air humide car il se recouvre d'une couche protectrice d'oxyde de zinc, imperméable à l'air. Le zinc est utilisé pour fabriquer des plaques de couvertures de toits, des gouttières, etc. Il sert également à recouvrir le fer, le protégeant ainsi de la corrosion. En le mélangeant avec le métal cuivre, on obtient un **alliage**, le laiton, employé pour fabriquer des tubes, des pièces de robinetterie, etc.

2 Rails en acier.

Le fer est un métal blanc-gris, **magnétique**, et de densité 7,9. Sa température de fusion est égale à 1 535 ℃. Il est préparé à partir de minerais comme l'hématite, la magnétite ou la limonite. Associé à moins de 2 % de carbone, il forme un alliage, l'acier, largement utilisé dans la construction métallique : rails, ponts, charpentes, tôles de carrosseries d'automobiles, etc.
Le fer ne résiste pas à la corrosion dans l'air humide. Il se forme de la rouille, de couleur brune (couleur rouille), perméable à l'air.

L'aluminium est un métal blanc, de densité 2,7. Il fond à 660 ℃. Il résiste à la corrosion dans l'air car il se recouvre d'une couche d'oxyde d'aluminium, imperméable à l'air. L'aluminium, préparé à partir d'un minerai, la bauxite, est apprécié pour sa légèreté. Il sert à la fabrication d'ustensiles de cuisine, de carters de moteur, d'emballages alimentaires, d'huisseries métalliques, de bicyclettes, etc.

 3 Papier en aluminium.

Vocabulaire

▶ **Métal** : matériau brillant lorsqu'il est bien décapé, bon conducteur de l'électricité et de la chaleur.

▶ **Alliage** : mélange d'un métal avec une ou plusieurs autres espèces, souvent d'autres métaux.

▶ **Magnétique** : qui peut être attiré par un aimant.

▶ **Densité** (d'un métal) : rapport de la masse d'un certain volume du métal sur celle du même volume d'eau.

▶ **Corrosion (dans l'air)** : altération du métal due à une réaction chimique avec le dioxygène de l'air.

les plus couramment utilisés ?

4 Fil électrique en cuivre.

Le cuivre est un métal rouge-brun, de densité 8,9. Il fond à 1 084 °C. Le cuivre se trouve, en petites quantités, à l'état de métal pur dans certains gisements. Le métal cuivre est préparé principalement à partir d'un minerai, la chalcopyrite. Il est utilisé pour fabriquer des fils électriques car c'est le meilleur conducteur de l'électricité après le métal argent. Il est employé pour produire des conduites d'eau, des chaudières, car il est inaltérable à l'eau.

Le cuivre et ses alliages comme le bronze et le laiton résistent à la corrosion dans l'air car, au contact de l'air, ils se recouvrent d'une couche verte imperméable appelée vert-de-gris.

L'argent est un métal précieux car il est rare dans la nature. Il est blanc, très brillant. Sa densité est égale à 10,5 et il fond à 960 °C. Il ne s'oxyde pas dans l'air sec mais noircit dans l'air humide. Il est utilisé pour la fabrication des circuits électroniques car c'est le meilleur conducteur de l'électricité.

Son alliage avec le métal cuivre lui donne plus de dureté et sert à fabriquer des bijoux, des pièces de monnaies, etc.

5 Bagues en argent.

L'or est un métal très rare dans la nature, ce qui le rend très précieux. Il est jaune, très brillant. Sa densité est égale à 19,3 et il fond à 1 064 °C. Il ne s'oxyde pas dans l'air, sec ou humide. Il est utilisé pour la fabrication de placages en or, de panneaux réfléchissants de modules spatiaux, etc.

Son alliage avec le métal cuivre lui donne plus de dureté ce qui permet de l'employer pour fabriquer des bijoux, des monnaies, etc.

6 Bagues en or.

Guide de travail

1. Donne les caractéristiques d'un **métal** .

2. Indique la différence entre métal et **alliage** .

3. Cite le métal qui résiste très mal à la corrosion dans l'air (doc 1 à 6).

Conclusion Quels sont les métaux les plus couramment utilisés ?

Sois critique Pour quelle raison les lignes haute tension sont-elles essentiellement en métal aluminium alors qu'il est moins bon conducteur que le métal cuivre ?

Comment reconnaître quelques

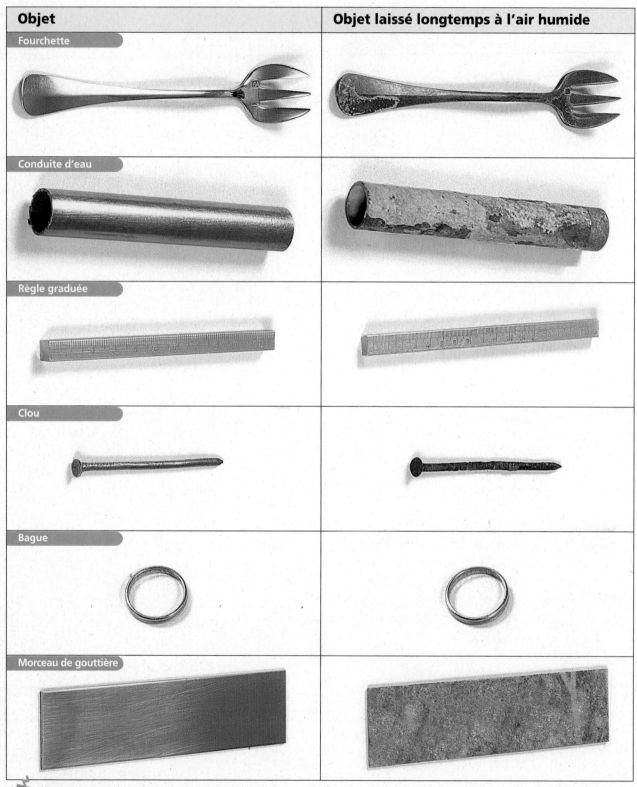

Objet	Objet laissé longtemps à l'air humide
Fourchette	
Conduite d'eau	
Règle graduée	
Clou	
Bague	
Morceau de gouttière	

1 **Différents objets en métal.** Quand on pèse le morceau de gouttière et la règle, qui ont le même volume, c'est la règle qui est la moins lourde. Le clou est attiré par un aimant.

métaux courants?

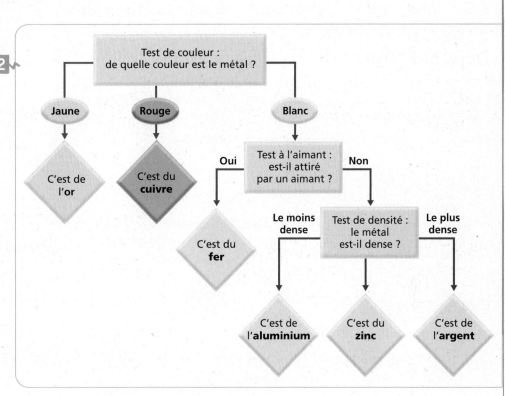

Tests permettant ② **de reconnaître quelques métaux à partir de leurs propriétés physiques.**
Pour le test de densité, on pèse des objets de même volume.

Test de couleur : de quelle couleur est le métal ?

Jaune — C'est de l'**or**

Rouge — C'est du **cuivre**

Blanc — Test à l'aimant : est-il attiré par un aimant ?

Oui — C'est du **fer**

Non — Test de densité : le métal est-il dense ?

Le moins dense — C'est de l'**aluminium**

Le plus dense — C'est de l'**argent**

C'est du **zinc**

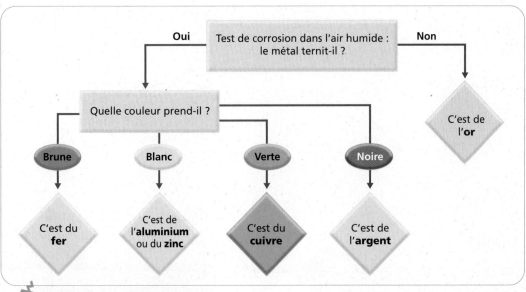

Test de corrosion dans l'air humide : le métal ternit-il ?

Oui — Quelle couleur prend-il ?

Non — C'est de l'**or**

Brune — C'est du **fer**

Blanc — C'est de l'**aluminium** ou du **zinc**

Verte — C'est du **cuivre**

Noire — C'est de l'**argent**

③ **Tests permettant de reconnaître quelques métaux à partir de leurs propriétés chimiques.**

Guide de travail

En exploitant les propriétés physiques et chimiques des métaux (doc 2 et 3), nomme le métal constituant chaque objet du doc 1.

Conclusion Quels tests simples permettent de distinguer les métaux courants ?

Sois critique Le métal nickel est blanc et il est attiré par un aimant. Comment procéder pour le distinguer du métal fer ?

1. Les métaux courants `Activité 1 p. 12`

● Un **métal** est un matériau brillant lorsqu'il est poli. Il est bon conducteur de l'électricité et de la chaleur.

● Les métaux les plus couramment utilisés sont le **fer, le zinc, l'aluminium, le cuivre, l'argent et l'or** (doc 1). Ces métaux sont souvent mélangés à d'autres espèces chimiques, qui peuvent être d'autres métaux, afin d'améliorer leurs propriétés chimiques ou physiques, leur dureté par exemple. Ces mélanges sont appelés alliages.

Métal		Utilisation
	Fer	Construction métallique : rails, ponts, charpentes, tôles de carrosseries automobile
	Zinc	Plaques de couvertures de toits, gouttières
	Aluminium	Ustensiles de cuisine, carters de moteur, emballages alimentaires, huisseries métalliques
	Cuivre	Fils électriques, conduites d'eau, chaudières
	Argent	Circuits électroniques, bijoux
	Or	Bijoux, placages en or, panneaux réfléchissants de modules spatiaux

1 Les métaux courants et leurs utilisations.

Exemple. L'or est le métal le plus recherché. **2**

Conclusion

Pour t'entraîner ▶ **Exercices 5 et 6 p. 20**

Les métaux les plus couramment utilisés sont :

– le fer,
– l'aluminium,
– l'argent,

– le zinc,
– le cuivre,
– l'or.

2. Identification des métaux

Expérience `Activité 2 p. 14`

On réalise quelques tests simples sur des objets métalliques :

– observation de la **couleur**,

– comportement dans l'air humide (**doc 3**) : y a-t-il **corrosion** et si oui, quel est le produit obtenu ?

– **attraction** éventuelle **par un aimant**,

– **densité** (rapport de la masse d'un certain volume du métal avec celle du même volume d'eau).

Mots importants

– Couleur
– Corrosion
– Attraction par un aimant
– Densité

➤ Voir Mini Dico p. 232

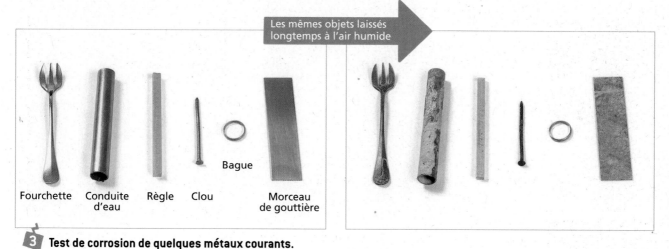

Les mêmes objets laissés longtemps à l'air humide

Fourchette   Conduite d'eau   Règle   Clou   Bague   Morceau de gouttière

3 **Test de corrosion de quelques métaux courants.**

Observation et interprétation

● La fourchette est blanche et devient noire à l'air humide : elle est donc en argent.

● La conduite d'eau est rouge et se recouvre de vert-de-gris à l'air humide : elle est donc en cuivre.

● La règle reste blanche à l'air humide. Elle est moins lourde que le morceau de gouttière blanc, qui est de même volume : la règle est en aluminium et la gouttière en zinc.

● Le clou est gris-blanc, il est attiré par un aimant et devient brun rouille à l'air humide : c'est donc du fer.

● La bague est jaune et ne s'altère pas à l'air : elle est donc en or.

Conclusion

Pour t'entraîner ▶ **Exercices 15 et 18 p. 21**

On peut reconnaître les métaux courants par quelques tests simples : couleur, corrosion dans l'air, attraction ou non par un aimant, densité.

4 **Exemple.** Exposé à l'air humide, ce bateau s'est recouvert de rouille : il est en fer.

Documents

Les âges des métaux

À la fin du Néolithique, l'Homme commence à se sédentariser, il sait fabriquer des outils en pierre et maîtrise l'agriculture. Le début de l'Histoire est symboliquement marqué par l'invention de l'écriture. Entre les deux, il existe une période charnière : la protohistoire ou « les âges des métaux ». La connaissance de la métallurgie révolutionne les outils et les armes, entraînant la naissance des premières grandes civilisations.

✔ Comment s'appellent les trois âges des métaux qui forment la protohistoire ? Dans quel ordre apparaissent-ils ?

✔ Qu'est-ce que la métallurgie ?

✔ Pourquoi l'âge du fer marque-t-il le début des grands conflits armés ?

internet

● **Cherche une encyclopédie en ligne** ou un site dédié à l'Histoire.

● **Vérifie les résultats** de tes recherches sur un autre site. Sur internet, s'assurer du sérieux des informations est indispensable !

● **Note le nom des deux sites** que tu as visités.

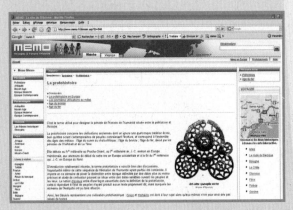

Voyage à travers l'Histoire sur www.memo.fr

Le recyclage des métaux, un nouvel enjeu

Ces métaux seront recyclés une fois triés.

La récupération, le tri et le recyclage des métaux constituent une démarche écologique. En plus d'éliminer des déchets, le recyclage permet d'économiser des ressources naturelles et de diminuer la consommation d'énergie nécessaire à la fabrication des métaux. Par exemple, en recyclant 1 kg d'aluminium, on économise 8 kg de minerai, 4 kg de produits de traitement et 95 % de l'énergie nécessaire à l'obtention de ce métal à partir de minerai.

Le rôle économique du recyclage grandit avec le développement de pays comme l'Inde ou la Chine : la demande en métaux augmente, faisant baisser leurs stocks et monter leurs prix. En France, 40 % des métaux sont issus du recyclage.

Une fois récupérés, les métaux sont triés mécaniquement. Les métaux ferreux sont attirés par de gros aimants et les métaux non ferreux (aluminium, cuivre, plomb, etc.) sont séparés du reste des déchets manuellement ou par des machines qui les distinguent par leurs propriétés.

Questions

1. Quels sont les trois avantages du recyclage des métaux pour un développement durable ?

2. La filière récupération-tri-recyclage, qui crée de plus en plus d'emplois, est-elle rentable économiquement ?

3. Grâce à quelle propriété, l'acier, composé de fer et de carbone, est-il séparé des autres métaux ?

Je révise Les métaux

Je dois connaître

▶ Les **métaux** les plus couramment utilisés **le fer, le zinc,** l'aluminium, le cuivre, l'argent et l'or.

Je dois être capable de

▶ **Reconnaître les métaux courants** par quelques tests simples : couleur, corrosion dans l'air, attraction ou non par un aimant, densité.

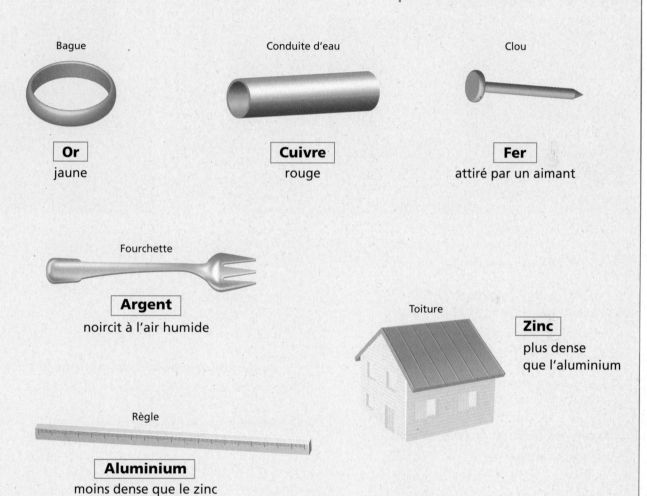

Bague

Or
jaune

Conduite d'eau

Cuivre
rouge

Clou

Fer
attiré par un aimant

Fourchette

Argent
noircit à l'air humide

Toiture

Zinc
plus dense
que l'aluminium

Règle

Aluminium
moins dense que le zinc

Je m'évalue   Socle commun

1 Les six métaux courants sont ....

2 Le métal .... est jaune et le métal .... est rouge.

3 L'aluminium est un métal .... que le zinc.

4 Le métal fer .... par un aimant.

▶ Réponses en fin de manuel, p. 236

Connais-tu le cours ?

5 Connaître les métaux courants

Parmi les métaux suivants, indique les six métaux les plus couramment utilisés :
plomb, nickel, fer, or, cobalt, chrome, cuivre, platine, argent, titane, aluminium, étain, mercure, zinc.

6 Citer les métaux courants

Les canettes de boissons et boîtes de conserves sont en métal fer ou en métal aluminium. Cite les autres métaux courants.

7 Connaître les caractéristiques des métaux courants. Vrai ou Faux ?

a. Tous les métaux polis brillent.
b. Seuls l'or et l'argent ne s'altèrent pas à l'air humide.
c. Tous les métaux sont blancs.
d. Seuls certains métaux conduisent bien l'électricité et la chaleur.

8 Relier les métaux à leurs utilisations

Recopie et relie chaque métal à son utilisation.

Fer •   • Papier d'emballage
Or •   • Conduite d'eau
Zinc •   • Poutre
Aluminium •   • Toiture
Argent •   • Bijou
Cuivre •

9 Reconnaître des métaux par leur couleur

Quelle est la monnaie en or ? En cuivre ? En argent ?

10 Reconnaître des métaux par la corrosion

Ces objets ont séjourné longtemps à l'extérieur.
Quel est celui qui est en fer ? en cuivre ? en argent ?

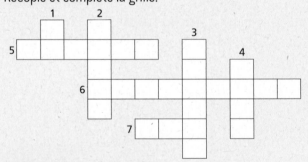

11 Tester des métaux. QCM

Recopie la bonne proposition.
Parmi les métaux courants :
a. tous sont attirés par un aimant ;
b. seuls le fer et l'aluminium sont attirés par un aimant ;
c. seul le fer est attiré par un aimant.

12 Reconnaître des métaux par leur densité

Je suis le métal courant le moins dense. Qui suis-je ?

13 Trouver les mots-clés du chapitre

Recopie et complète la grille.

1. Métal précieux inaltérable.
2. Bon conducteur de l'électricité et de la chaleur.
3. Métal rouge.
4. Métal souvent utilisé pour les gouttières.
5. Métal précieux qui noircit.
6. Métal courant très peu dense.
7. Métal attiré par un aimant.

14 Apprendre à rédiger un exercice

> **Énoncé**

Identifie le métal utilisé pour la fabrication de chacun de ces objets.

❶

❷

❸

> **Rédaction de la solution**

Le métal du bracelet est jaune, c'est donc de l'or.
Le fil métallique est rouge, il est donc en cuivre.
La bille est blanche et attirée par un aimant, elle est donc en fer.

▶ Pour t'entraîner : exercice 15

15 Identifier des métaux

❶

❷

❸

Identifie le métal utilisé pour la fabrication de chacun de ces objets.

16 La toxicité du vert-de-gris `Santé`

Le vert-de-gris est extrêmement toxique. Il se forme à partir d'un métal laissé dans un air pollué. Quel est ce métal ?

17 Connaître l'utilisation des métaux

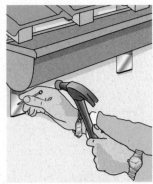

Observe ces scènes et cite un objet constitué de métal :
a. fer ; **b.** zinc ; **c.** aluminium ; **d.** cuivre ; **e.** argent ; **f.** or.

18 Observer la statue de la liberté

La statue de la liberté, à New York, achevée en 1886, est construite avec deux métaux. La robe de la statue est constituée de 300 plaques de métal cuivre rivées sur une armature en métal fer.
a. Cite les deux métaux utilisés pour fabriquer la statue de la liberté.
b. La statue de la liberté a-t-elle toujours été verte ? Justifie ta réponse.
c. Pourquoi est-elle verte aujourd'hui ?

19 Repeindre la tour Eiffel

La tour Eiffel, symbole de Paris, a été édifiée pour l'exposition universelle de 1889 sous la conduite de l'ingénieur Gustave Eiffel. Elle possède une structure entièrement métallique.
a. Recherche le métal avec lequel la Tour Eiffel est construite.
b. Pourquoi est-elle repeinte très régulièrement ?

20 Les matériaux métalliques `Technologie`

Les aciers inoxydables jouent un grand rôle dans de très nombreux domaines : vie quotidienne, industrie mécanique, agroalimentaire, chimie, transports, médecine et chirurgie, etc. Ce sont des aciers auxquels on ajoute du métal chrome. Ils sont résistants à la corrosion. Les métaux nickel et molybdène peuvent également être ajoutés pour améliorer leur résistance.
a. Recherche quel est le métal majoritairement présent dans tous les aciers.
b. Quel est l'intérêt de l'ajout de métal chrome ?
c. Recherche deux exemples d'objets fabriqués en acier inoxydable.

21 ★ La démarche d'investigation

Reconnaître des métaux

Thomas veut savoir en quel métal sa règle est constituée.

L'hypothèse proposée

Thomas n'a pas d'aimant et constate que sa règle est blanche : il pense alors qu'elle est en aluminium.

L'expérience réalisée

Thomas mesure les dimensions et la masse de la règle.

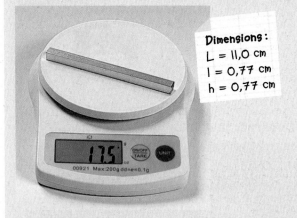

Dimensions :
L = 11,0 cm
l = 0,77 cm
h = 0,77 cm

Interprète les résultats

a. Calcule la densité du métal en divisant la masse en gramme de la règle par son volume en cm³.

b. Consulte les données du tableau et conclus en donnant le nom du métal.

c. À l'aide du doc. 2, p. 15, indique si ce métal est attiré par un aimant.

Métal	Fer	Zinc	Aluminium	Cuivre	Argent	Or
Densité	7,9	7,1	2,7	8,9	10,5	19,3

💡 **Coup de pouce :** volume d'un parallélépipède rectangle :
$$V = L \times l \times h$$

22 S'informer, se documenter B2i

Laeticia effectue des recherches sur Internet. Voici ce qu'elle obtient :

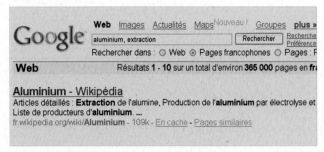

a. Quel est le moteur de recherche utilisé ?
b. Quels sont les mots clés utilisés ?
c. Effectue à ton tour cette même recherche. Qu'extrait-on de la bauxite ? Comment obtient-on ensuite l'aluminium ?

23 Deviner la nature d'un métal

As-tu deviné toi aussi le métal utilisé pour ce bracelet ?

24 ★ Connaître la pureté de l'or

Le carat est une mesure de pureté de métaux précieux tel que l'or. Un carat représente 1/24ᵉ de la masse totale d'un alliage. Par exemple, de l'or à 18 carats signifie que dans 24 grammes de l'alliage, il y a 18 grammes d'or pur. La tête d'aigle est le poinçon obligatoire en France pour les bijoux en or 18 carats.

a. Que signifie de l'or à 14 carats ?
b. Quel est le nombre de carats de l'or pur ?
c. Quel est le nombre de carats d'un alliage constitué de 37,5 % d'or ?

25 Interpréter un logo

Que signifient ces logos inscrits sur certains emballages métalliques ?

26 Décaper une pièce de monnaie

Observe cette ancienne pièce de monnaie avant (1) et après (2) décapage.

a. À ton avis, en quel métal est faite cette pièce ?
b. Dans quelles conditions cette pièce a-t-elle noirci ?

Sciences et culture

27 Visite d'un Musée

Reichshoffen

Au musée du fer de Reichshoffen, pars à la découverte des trois étapes essentielles de l'histoire de la sidérurgie : la période de l'extraction directe du fer de son minerai, puis l'apparition du haut-fourneau et de la fonte et enfin la révolution industrielle et l'acier. Tu pourras même y apprendre à fabriquer la fonte et à préparer un moulage.

1. Qu'appelle-t-on la sidérurgie ?

2. Quel est le point commun entre le fer, la fonte et l'acier ?

3. Dans quel type de fourneau la fonte est-elle obtenue ?

29 Problème de Société

Les métaux lourds présentent un danger pour notre environnement et notre santé. L'utilisation de certains d'entre eux est donc réglementée : cadmium, chrome, cuivre, mercure, nickel, plomb, sélénium et zinc. Le rejet dans l'environnement d'objets qui contiennent ces métaux est interdit. C'est le cas, par exemple, de cette batterie de voiture, qui contient du plomb.

1. Parmi les métaux lourds cités dans le texte, quels sont ceux couramment utilisés ?

2. Donne deux exemples d'utilisation de ces métaux.

28 Expérience à la Maison

Dresse une liste d'objets métalliques utilisés dans une cuisine.

▶ Quel test permet de distinguer ceux qui sont fabriqués en fer ?

30 Science in English

Harry Brearley, who was born in Sheffield, England, in 1871, is the inventor of stainless steel. In 1912, at the request of an arms manufacturer, he started working on steel that could be more resistant to corrosion. In his laboratory he experimented with steel that contained chromium which, he noticied, was more resistant to corrosion : stainless steel was born in 1913. It contains 0.24 % of carbon and 12.8 % of chromium.

1. Why can we say that Harry Brearley discovered stainless steel by chance ?

2. Find out the main components of steel.

3. What makes steel rustproof ?

La canette de soda

Capacité
✔ Reconnaître des métaux usuels

La canette de soda a fêté ses 70 ans.

Chaque année, 225 milliards de canettes sont consommées dans le monde dont plus de 3 milliards en France. Fabriquée en métal, une canette met entre 100 et 500 ans à disparaître dans la nature ! La canette est recyclable à 100 % mais encore faut-il qu'elle soit triée du reste des emballages…

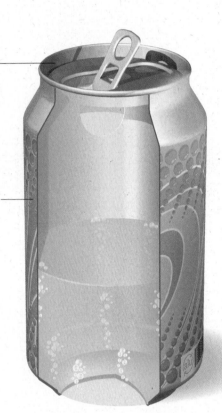

Le couvercle et la base de la canette. Ils sont constitués d'un métal épais pour rigidifier la canette.

Le corps de la canette. Sa paroi est fine pour économiser le métal.

Protège la planète

670 canettes en alu recyclées permettent de fabriquer un vélo.

Mène ton enquête

Matériel :
✔ Différentes canettes de boissons
✔ Un aimant de cuisine

1. Approche un aimant du corps de différentes canettes. Qu'observes-tu ?

2. Cite les métaux composant chaque canette.

3. Recherche, sur les canettes, un logo qui confirme tes observations.

4. Le couvercle et la base sont-ils toujours constitués du même métal que le corps de la canette ?

💡 Coup de pouce

L'acier est attiré par un aimant, contrairement à l'aluminium.

Bijoutier(ère)-joaillier(ère)

Le bijoutier-joaillier crée, fabrique ou répare des objets en métal précieux (or, argent, platine...), parfois ornés de pierres précieuses, pour concevoir des colliers, des bagues, des bracelets. À l'aide de sa sensibilité artistique, de son sens des volumes et des formes, il imagine un bijou puis le confectionne en fonction des souhaits de ses clients et de leurs contraintes financières, dessins et calculs à l'appui. Il est salarié dans un atelier ou une entreprise. Il peut aussi s'installer à son compte et posséder son magasin.

Conseils : il faut être habile de ses mains et minutieux pour travailler de très petites parties de métal, et avoir une bonne connaissance de la physique pour travailler les métaux.

Quelle orientation après la 3e ?

▶ **CAP Art et Technologie de la bijou-terie-joaillerie** proposé dans une vingtaine de **lycées professionnels** (LP) ou dans les **centres de formation d'apprentis** (CFA). Mais une poursuite d'études sera nécessaire pour trouver un emploi.

Comment en savoir plus sur ce métier ?

ONISEP

www.onisep.fr/belin-pc-3e

Es-tu aussi astucieux qu'Archimède ?

La couronne en or du roi de Syracuse était superbe, mais ce dernier avait un doute sur la pureté du métal. Certains escrocs n'hésitaient pas à remplacer une partie de l'or par de l'argent, moins dense. Pourtant, la masse de la couronne correspondait bien à celle de l'or confié à l'orfèvre. La légende raconte que le roi aurait demandé conseil à son ami Archimède, qui aurait trouvé le moyen de vérifier si la couronne était vraiment en or alors qu'il était au bain public. Il serait alors sorti en s'écriant le célèbre « Euréka ».

Tu as à ta disposition la couronne, des pièces en or pur, une balance, deux récipients gradués et de l'eau, comme Archimède. Comment pourrais-tu aider le roi de Syracuse ?

EURÉKA

Courant électrique et structure de la matière

Objectifs

▶ Savoir comment les métaux conduisent le courant électrique

▶ Savoir comment certaines solutions conduisent le courant électrique

▶ Connaître les constituants de l'atome

Situation **1**

Chaque année, en France, environ 200 personnes trouvent la mort par électrocution. À ton avis, pour quelle raison est-il très dangereux d'utiliser un appareil électrique à proximité d'une baignoire ?

Pierre dans sa salle de bains.

Zoom sur la structure microscopique de l'or. Chaque tache jaune correspond à un atome.

Le Pont Alexandre III et les Invalides à Paris.

Situation ②

C'est seulement depuis 1981 que les physiciens savent « visualiser » les atomes. Par exemple, le métal or est un empilement régulier d'atomes d'or. Selon toi, de quoi est constitué un atome d'or ?

J'expérimente pour répondre

Activité 1

Montrer le caractère conducteur de quelques solides et solutions   p. 28

Activité 2

Découvrir la structure des atomes   p. 30

Les solides et les solutions aqueuses

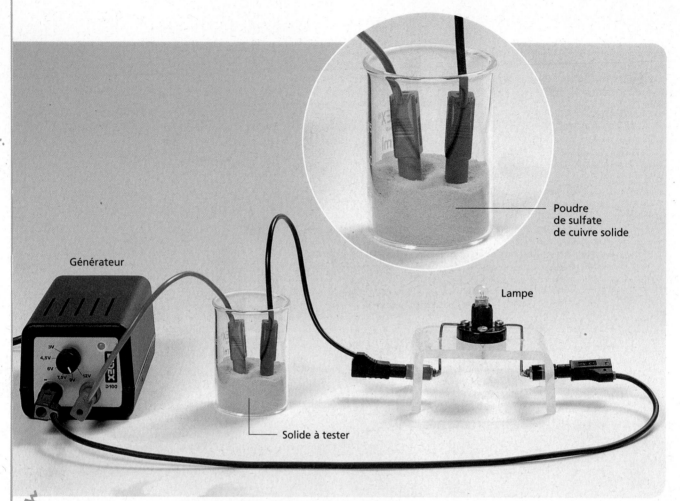

Poudre de sulfate de cuivre solide

Générateur

Lampe

Solide à tester

1 **Circuit électrique permettant d'étudier le caractère conducteur ou non d'un solide.**
Si la lampe brille, alors le solide est conducteur d'électricité.

Solide testé	État de la lampe
Métal cuivre	Brille
Métal fer	Brille
Saccharose (sucre de table)	Ne brille pas
Chlorure de sodium (sel de table)	Ne brille pas
Sulfate de cuivre	Ne brille pas

2 **Les résultats des tests.**

Le courant électrique est un déplacement de particules chargées électriquement. Dans un métal, ces particules mobiles sont des électrons. Un matériau qui ne contient pas de particules chargées ou qui contient des particules chargées non mobiles ne peut pas conduire le courant électrique.
C'est grâce au générateur que les particules chargées sont mises en mouvement.

3 **La nature du courant électrique.**

conduisent-ils le courant électrique ?

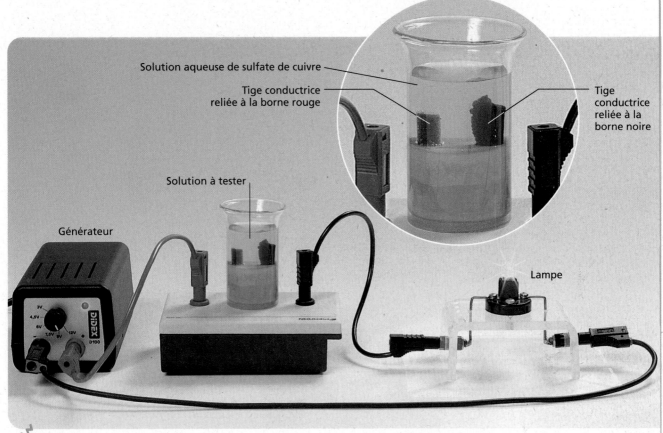

Solution aqueuse de sulfate de cuivre

Tige conductrice reliée à la borne rouge

Tige conductrice reliée à la borne noire

Solution à tester

Générateur

Lampe

4 **Circuit électrique permettant d'étudier le caractère conducteur d'une** solution aqueuse .
La solution aqueuse de sulfate de cuivre est réalisée en dissolvant du sulfate de cuivre solide dans de l'eau.

Solution aqueuse testée	État de la lampe
Eau minérale	Brille
Solution de saccharose	Ne brille pas
Solution de chlorure de sodium	Brille
Solution de sulfate de cuivre	Brille

5 **Les résultats des tests.**

Vocabulaire

▶ **Solution aqueuse** : solution dont le solvant est l'eau.

▶ **Solution** : mélange homogène de soluté (qui est dissous) et de solvant (qui dissout).

▶ **Solution aqueuse ionique** : solution aqueuse contenant des ions dissous.

▶ **Ion** : espèce chimique chargée électriquement.

Guide de travail

1. Indique si tous les solides testés sont conducteurs (doc 1 et 2). Comment interprète-t-on la conduction du courant électrique dans les métaux (doc 3) ?

2. Indique si toutes les solutions aqueuses testées sont conductrices (doc 4 et 5). Comment interprète-t-on la conduction du courant électrique dans les solutions aqueuses ioniques ?

Conclusion **Tous les solides et toutes les solutions aqueuses sont-ils conducteurs ?**

Sois critique Explique pourquoi le sulfate de cuivre solide n'est pas conducteur contrairement à sa solution aqueuse.

D'où proviennent les électrons

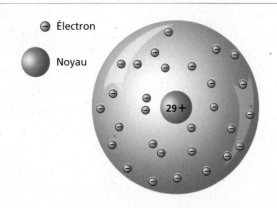

Modèle de l'atome de cuivre, de symbole Cu
Il y a 29 électrons autour du noyau, qui contient 29 charges positives.

Depuis les découvertes d'Ernest Rutherford (1871-1937), nous savons qu'un atome est constitué d'un noyau autour duquel se déplacent un ou plusieurs électrons.

La masse du noyau est pratiquement égale à celle de l'atome car la masse des électrons est négligeable devant celle du noyau. La taille d'un atome est d'environ 10^{-10} m, celle du noyau est environ 100 000 fois inférieure et les électrons sont encore plus petits : l'atome est constitué d'au moins 99,99999 % de vide !

Les électrons tous identiques portent une charge négative. Le noyau est chargé positivement. La charge totale de l'atome (noyau + électrons) est nulle : l'atome est neutre.

1 **Le modèle de l'atome.**

Structure microscopique du métal cuivre Cu

Un métal est un assemblage ordonné d'atomes métalliques. Les noyaux de ces atomes sont fixes, mais les atomes ont libéré des électrons qui peuvent se déplacer librement dans le métal permettant le passage du courant électrique. Ces électrons sont dits « mobiles ».

2 **La structure microscopique d'un métal.**

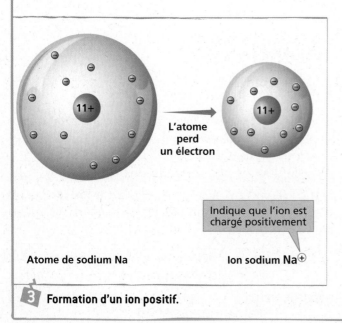

Atome de sodium Na　　　　　**Ion sodium Na⊕**

L'atome perd un électron

Indique que l'ion est chargé positivement

3 **Formation d'un ion positif.**

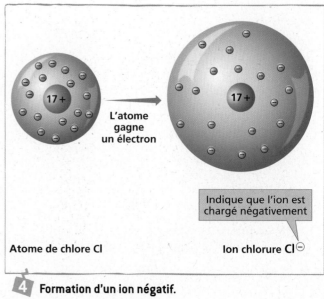

Atome de chlore Cl　　　　　**Ion chlorure Cl⊖**

L'atome gagne un électron

Indique que l'ion est chargé négativement

4 **Formation d'un ion négatif.**

et les ions mobiles ?

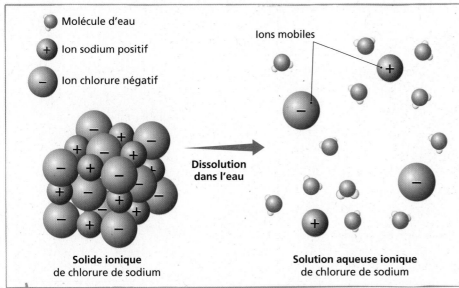

Molécule d'eau

(+) Ion sodium positif

(−) Ion chlorure négatif

Ions mobiles

Dissolution dans l'eau

Solide ionique
de chlorure de sodium

Solution aqueuse ionique
de chlorure de sodium

Un solide ionique est un assemblage ordonné d'ions positifs et d'ions négatifs. Ces ions ne sont pas mobiles. Toutefois, si on place un solide ionique soluble dans l'eau, on obtient une solution ionique : les ions positifs et négatifs se séparent puis se dispersent au milieu des molécules d'eau. Ils peuvent alors se déplacer librement dans la solution : ce sont des ions dits « mobiles ».

5 La structure microscopique d'un solide ionique et sa dissolution dans l'eau.

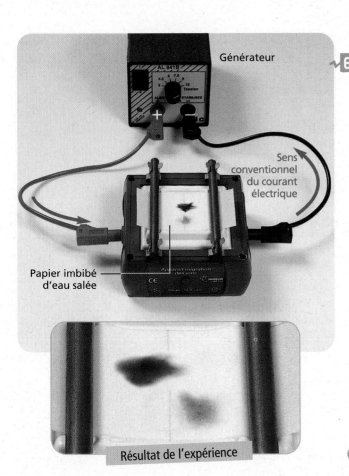

Générateur

Sens conventionnel du courant électrique

Papier imbibé d'eau salée

Résultat de l'expérience

6 **Expérience de migration d'ions.** On dépose, sur la ligne centrale d'un papier imbibé d'eau salée, une solution aqueuse contenant des ions cuivre (II) bleus Cu^{2+} et des ions permanganate violets MnO_4^-.
On fait passer du courant électrique dans le papier et on observe le sens de déplacement des ions.

Guide de travail

1. Indique d'où proviennent les électrons mobiles dans les métaux (doc 1 et 2).

2. Indique d'où proviennent les ions mobiles dans les solutions ioniques (doc 3, 4 et 5).

3. Les atomes sont-ils électriquement neutres ou chargés ? Justifie tes réponses.

4. Indique dans quel sens circulent les ions de charge négative et ceux de charge positive par rapport au sens conventionnel du courant (doc 6).

Conclusion **D'où proviennent les électrons et les ions mobiles responsables du courant électrique ?**

Sois critique Pour quelle raison imbibe-t-on le papier d'eau salée dans l'expérience de migration d'ions ?

1. La nature du courant électrique

Le **courant électrique** est un déplacement de particules chargées électriquement. Dans un **métal**, ces particules mobiles sont des **électrons**. Dans une **solution ionique**, ce sont des **ions**. C'est grâce au générateur que ces particules sont en mouvement. Un matériau qui contient des particules chargées non mobiles ne peut pas conduire le courant électrique.

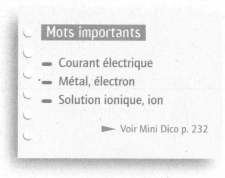

Mots importants

- Courant électrique
- Métal, électron
- Solution ionique, ion

➤ Voir Mini Dico p. 232

Expérience `Activité 1 p. 28`

On réalise un circuit électrique simple pour tester le caractère conducteur de quelques solides et de quelques solutions aqueuses (**doc 1**).

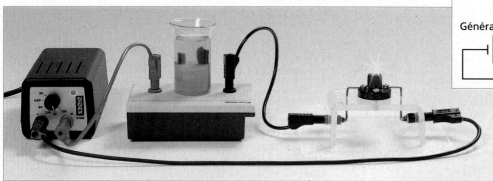

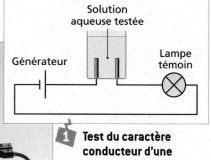

1 Test du caractère conducteur d'une solution aqueuse.

Observation et interprétation

Solides et solutions testés	Observation	Interprétation
Métal cuivre	La lampe témoin brille	Le solide contient des électrons mobiles
Saccharose solide	La lampe témoin ne brille pas	Le solide ne contient pas d'électrons mobiles
Solution de sulfate de cuivre	La lampe témoin brille	La solution contient des ions
Solution de saccharose	La lampe témoin ne brille pas	La solution ne contient pas d'ions

Conclusion

Pour t'entraîner ▶ **Exercices 21 et 26 p. 38**

■ Les solides ne conduisent pas tous le courant électrique mais tous les métaux le conduisent. Dans les **métaux**, le courant est dû à un **déplacement d'électrons** du métal.

■ Les solutions ne conduisent pas toutes le courant électrique mais toutes les **solutions ioniques** le conduisent : le courant est dû à un **déplacement des ions** de la solution ionique.

2 Exemple. L'eau de mer, qui contient du sel dissous, est ionique : elle conduit le courant électrique.

2. Matière et courant électrique

Cours

● Les **atomes** constituent la matière. Ils sont **électriquement neutres** et constitués d'un **noyau** central chargé positivement et d'**électrons** chargés négativement. Le rayon d'un atome est environ égal à 0,1 nm (soit 10^{-10} m), celui d'un noyau est 100 000 fois plus petit. La masse d'un atome est presque égale à celle de son noyau.

● Si un atome ou un groupe d'atomes perd (ou gagne) un ou plusieurs électrons, on obtient un **ion** chargé positivement (ou négativement). Les **molécules**, constituées d'atomes, sont électriquement neutres.

Mots importants

— Atome, noyau, électron
— Électriquement neutre
— Molécule, ion
— Sens conventionnel du courant

► Voir Mini Dico p. 232

Expérience `Activité 2 p. 30`

On fait passer du courant électrique dans du papier imbibé d'eau salée sur lequel sont déposés des ions cuivre bleus Cu^{2+} et des ions permanganate violets MnO_4^- **(doc 3)**.

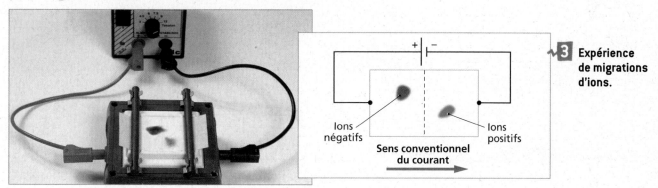

Ions négatifs — Ions positifs

Sens conventionnel du courant

3 **Expérience de migrations d'ions.**

Observation et interprétation

● Les ions cuivre **chargés positivement** se déplacent dans le **sens conventionnel du courant**, tandis que les ions permanganate **chargés négativement** se déplacent en sens inverse.

● Dans les métaux, les **électrons** étant **chargés négativement**, ils se déplacent donc dans le sens opposé au sens conventionnel du courant.

Atome de carbone

Conclusion

Pour t'entraîner ► **Exercices 18 et 19 p. 37**

■ Un **atome** est constitué d'**un noyau et d'électrons**. Les atomes et les molécules sont **électriquement neutres** ; l'électron et les ions sont **chargés électriquement**.

■ Le courant électrique est dû à :
– un **déplacement d'électrons dans le sens opposé** au sens conventionnel du courant électrique dans un métal ;
– des **déplacements d'ions** dans une solution aqueuse.

4 **Exemple.** Image d'atomes de carbone obtenue au microscope électronique.

Documents

B2i

La démarche dans la recherche scientifique

Les chercheurs, pour démontrer la validité d'une théorie, proposent des expériences qui mettent en jeu des cas particuliers. Après les avoir réalisées, ils analysent leurs données. Si tout se passe comme prévu, la théorie de départ est renforcée. Mais si les résultats sont inattendus, les chercheurs doivent proposer des améliorations ou même parfois revoir totalement l'idée de départ. C'est ce qui a conduit le physicien Ernest Rutherford à prouver l'existence du noyau de l'atome.

✔ Quelle était l'hypothèse de départ de Rutherford ?

✔ Les résultats étaient-ils ceux qui étaient prédits ?

✔ Propose une conclusion pour cette expérience et accompagne-la d'un schéma explicatif.

● Connecte-toi à l'adresse :

http://cpep.lal.in2p3.fr/exp_start.html

● Adapte ta lecture

Même si tu ne connais pas encore certaines notions scientifiques abordées, tu peux très bien comprendre cette partie du site.

internet

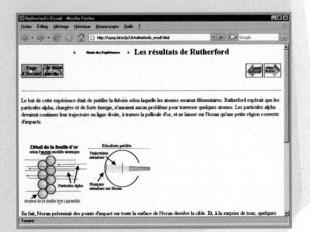

Histoire des sciences

L'atome n'est pas une particule élémentaire !

En 1913, Niels Bohr (à gauche), en compagnie d'Albert Einstein.

Certains philosophes de l'Antiquité grecque, comme Leucippe et Démocrite, refusaient l'idée que la matière puisse se partager à l'infini : ils pensaient, sans preuve, qu'il existait de minuscules grains de matière indivisibles, « atomos » en grec. Presque oubliée, cette théorie réapparaît au début du XIXᵉ siècle. En utilisant les toutes nouvelles lois de la chimie relatives aux réactions chimiques, John Dalton explique la conservation de la matière par l'existence de particules indivisibles : il distingue les atomes simples et les atomes composés (les molécules). À la fin de ce siècle toutefois, on sait que l'atome n'est pas réellement indivisible : d'après J.J. Thomson, il est constitué entre autres d'électrons. En 1907 par ailleurs, E. Rutherford découvre le noyau atomique. En 1913, Niels Bohr propose un modèle révolutionnaire pour l'atome d'hydrogène. Les bases de la recherche sur le noyau (le domaine de la physique nucléaire) et sur les électrons (les domaines de la chimie et de l'électronique entre autres) sont posées.

Questions

1. Leucippe et Démocrite avaient-ils une démarche scientifique ?

2. Quelle loi de la chimie, qui concerne les atomes et qui fut utilisée par Dalton, as-tu appris en 4ᵉ ?

3. Quelles découvertes ont prouvé que l'atome n'était pas une particule élémentaire ?

4. Comment s'appelle la partie de la physique qui étudie le noyau atomique ?

Exercices

Je dois connaître

▶ Les solides ne conduisent pas tous le **courant électrique** mais tous les **métaux** le conduisent : il est alors dû au **déplacement d'électrons** du métal dans le sens opposé au sens **conventionnel du courant**.

▶ Les **solutions aqueuses** ne conduisent pas toutes le courant électrique mais toutes les **solutions ioniques** le conduisent. Il est dû au **déplacement des ions** de la solution : les ions positifs dans le sens conventionnel du courant, et les ions négatifs dans le sens opposé.

▶ Le **noyau** et les **électrons** sont les constituants de l'**atome**. Les atomes et les **molécules** sont **électriquement neutres** ; l'électron et les **ions** sont chargés électriquement.

Je dois être capable de

▶ Comparer le caractère conducteur de différents solides, de l'eau pure et de diverses solutions aqueuses à l'aide d'un circuit électrique.

▶ Comparer les ordres de grandeur des dimensions du noyau et de l'atome.

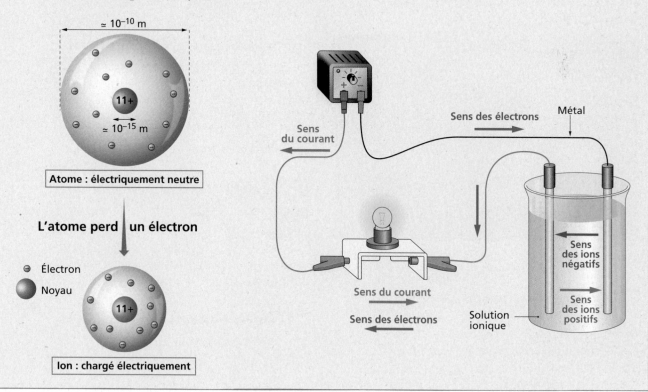

Je m'évalue — Socle commun

1 Tous les .... conduisent le courant électrique qui est alors dû à un déplacement d'électrons.

2 La conduction électrique dans les solutions aqueuses est due à un déplacement .... Les .... chargés électriquement se déplacent dans le même .... que le sens conventionnel du ....

3 Le .... et les .... sont les constituants de l'atome.

4 Les atomes et les molécules sont électriquement .... Les électrons et les ions sont électriquement ....

5 Un .... permet de comparer le caractère conducteur de différents solides, de l'eau et diverses solutions aqueuses.

6 Le noyau est environ .... plus petit que l'atome.

▶ *Réponses en fin de manuel, p. 236*

Exercices

Connais-tu le cours ?

7 Connaître les conducteurs. Vrai ou Faux ?

a. Tous les solides conduisent le courant électrique.
b. Certains métaux ne conduisent pas le courant électrique.
c. Certaines solutions ne conduisent pas le courant électrique.
d. Toutes les solutions ioniques conduisent le courant électrique.

8 Tester la conductivité

Les aquariophiles utilisent un conductimètre pour mesurer le caractère conducteur de l'eau de leur aquarium.

Que contient une « eau » conductrice ? Est-elle pure ?

9 Connaître la nature du courant électrique. QCM

Le courant électrique est dû à un mouvement :
a. d'électrons dans une solution ;
b. d'électrons dans les métaux ;
c. d'ions dans les métaux ;
d. d'ions dans une solution.

10 Connaître le sens de déplacement des ions

Complète les légendes 1, 2 et 3 du schéma.

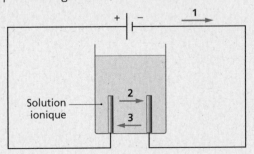

11 Connaître les constituants de l'atome

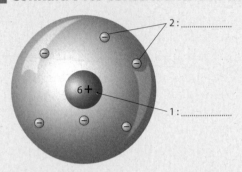

Complète les légendes du schéma représentant l'atome de carbone.

12 Comparer les tailles dans l'atome

Recopie les phrases en choisissant les bonnes propositions.
a. Les dimensions de l'atome sont de l'ordre de 10^{-1} m / 10^{-5} m / 10^{-10} m.
b. Le noyau est environ 100 / $1\,000$ / $100\,000$ fois plus petit que l'atome.

13 Connaître les charges électriques

Recopie et relie chaque particule à son type de charge.

Atome •   • Charge positive
Électron •   • Charge négative
Noyau •   • Charge nulle
Molécule •

14 Trouver les mots-clés du chapitre

Recopie et complète la grille.
Donne la définition du mot caché.

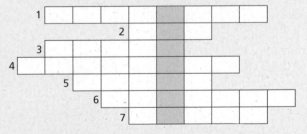

1. Constituée d'atomes.
2. Chargé et formé à partir d'un ou plusieurs atomes.
3. Constituant de l'atome chargé positivement.
4. Chargé négativement et tournant autour du noyau.
5. Conducteur possédant des électrons mobiles.
6. Qualifie une solution conductrice.
7. Constitué d'un noyau et d'un ou plusieurs électrons.

15 Apprendre à rédiger un exercice

> **Énoncé**

Au centre d'un morceau de papier imbibé d'eau salée, on a déposé quelques gouttes d'une solution de sulfate de cuivre et d'une autre solution de permanganate de potassium. Après quelques minutes de passage d'un courant électrique provoqué par un générateur, voici ce que l'on observe :

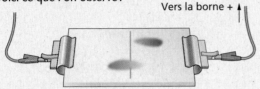

Vers la borne +

a. Pourquoi le passage d'un courant électrique dans le papier est-il possible ?

b. Sachant que la tache bleue est due à la présence d'ions cuivre (II) et que la tache violette est due à la présence d'ions permanganate, indique dans quel sens se déplacent ces ions.

> **Rédaction de la solution**

a. Le papier est imbibé d'une solution ionique, l'eau salée, donc il est conducteur.

b. Les ions cuivre (II) se déplacent dans le sens conventionnel du courant, tandis que les ions permanganate se déplacent dans le sens inverse du sens conventionnel du courant.

▶ Pour t'entraîner : exercice 17

16 ★ Tester la conductivité du sel

Je veux savoir si le sel contient des ions.

T'as qu'à dissoudre le sel dans l'eau !

Explique la réponse de Pierre.

17 ★ Réaliser une expérience

L'expérience de migration des ions schématisée ci-dessous est réalisée avec les solutions ioniques suivantes : acide sulfurique (1), solution de sulfate de cuivre et de dichromate de potassium (2).

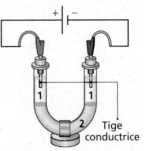
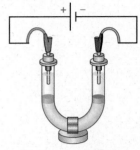

Tige conductrice

1 Avant le passage d'un courant électrique

2 Après le passage d'un courant électrique

a. Quels sont les ions présents en grande quantité dans la zone orange et dans la zone bleue ? Justifier.

b. Comment ces zones colorées se sont-elles formées ?

c. Déduis-en le signe de la charge des ions cités en a.

💡 <u>Coup de pouce</u> : les ions cuivre (II) donnent une couleur bleue à la solution, les ions dichromate lui donnent une couleur orange.

18 Décrire la constitution d'atomes

Recopie et complète le tableau.

Nom de l'atome	Fer	Hydrogène
Nombre de charges du noyau	26	....
Nombre d'électrons	....	1
Charge totale	....	....

19 Indiquer le sens de déplacement des ions

- ○ Ion négatif
- ○ Ion positif

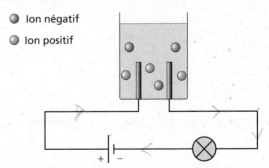

Recopie et complète le schéma en ajoutant une flèche :

a. rouge pour représenter le sens conventionnel du courant électrique ;

b. noire pour représenter le sens de déplacement des électrons ;

c. bleue pour représenter le sens de déplacement des ions positifs.

d. verte pour représenter le sens de déplacement des ions négatifs.

20 La démarche d'investigation

Tester la conductivité de solutions

Le problème à résoudre

Toutes les solutions sont-elles ioniques ?

L'hypothèse proposée

Toutes les solutions sont ioniques.

L'expérience réalisée

Tests de conductivité de quelques solutions.

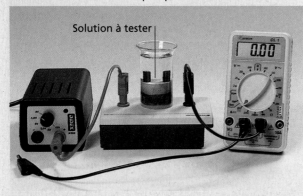

Solution à tester

Les résultats de l'expérience

Solutions testées	Eau sucrée	Eau salée	Acide chlorhydrique
Intensité du courant	nulle	non nulle	non nulle

Interprète les résultats

a. Toutes les solutions testées sont-elles conductrices ? Justifie.

b. Toutes les solutions contiennent-elles des ions ?

21 Tester une eau minérale

Justine réalise le test de conductivité sur une eau minérale. Voici son résultat :

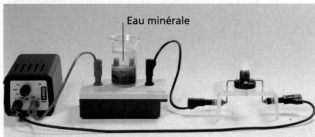

Eau minérale

a. L'eau minérale testée est-elle conductrice ?

b. Quelle conclusion Justine peut-elle faire quant à la composition de cette eau minérale ?

22 ★ Comparer des masses d'atomes [Maths]

a. Sachant qu'un atome de fer a une masse de $9,3.10^{-23}$ g, calcule le nombre d'atomes de fer contenus dans 1,0 g de fer.

b. Sachant que 3,6 g d'or contiennent autant d'atomes d'or qu'il y a d'atomes de fer dans 1,0 g de fer, calcule la masse d'un atome d'or.

23 ★ Changer d'échelle [Maths]

Le rayon du noyau est environ 100 000 fois plus petit que celui de l'atome. Pour mieux se rendre compte de ces dimensions, imaginons que le noyau d'un atome ait la taille d'une balle de tennis dont le rayon est à peu près égal à 3 cm.

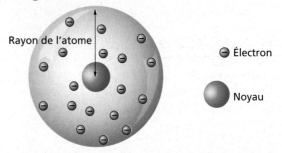

Rayon de l'atome

⊖ Électron

● Noyau

a. Calcule le rayon de l'atome dans cette nouvelle échelle.

b. Sachant que les électrons sont en nombre limité et qu'ils sont nettement plus petits que le noyau, déduis-en de quoi est essentiellement constitué un atome.

24 Décrire la constitution d'ions

Recopie et complète le tableau.

Nom	Ion chlorure	Ion cuivre
Nombre de charges du noyau	....	29
Nombre d'électrons	18	27
Charge de l'ion	1 charge négative	....

25 Communiquer, échanger [B2i]

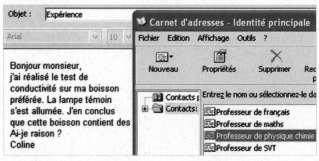

a. Qui est le destinataire du message ?

b. Où se trouve l'adresse du destinataire ?

c. Quel mot manque-t-il dans le message ?

26 Conducteurs électriques [Technologie]

Les fils électriques ou les câbles électriques utilisés pour le transport de l'électricité sont fabriqués en cuivre, en aluminium, en argent ou en or.

a. À quelle famille ces matériaux appartiennent-ils ?

b. Quelle propriété est recherchée dans ces matériaux ?

c. Comment s'explique cette propriété caractéristique de ces matériaux ?

Sciences et culture

27 Visite d'un Musée

Paris

À la Cité des sciences et de l'industrie de Paris, tu peux tester la conductivité électrique de quelques échantillons comme du cuivre, de l'aluminium, du zinc, du fer, du plomb, du titane, du graphite, du bois, du verre et repérer le meilleur conducteur.

1. Quels sont les échantillons conducteurs d'électricité ?

2. À ton avis, quel est le meilleur conducteur ?

3. Comment expliquer cette conductivité ?

29 Problème de Société

Les semi-conducteurs sont utilisés dans de très nombreux domaines. Dans les panneaux solaires, par exemple, l'éclairement du semi-conducteur provoque l'apparition et le déplacement de particules chargées. L'énergie solaire est ainsi convertie en énergie électrique.

1. À quelle condition le semi-conducteur des panneaux solaires est-il conducteur d'électricité ?

2. Comment s'interprète le passage du courant électrique dans les semi-conducteurs ?

28 Expérience à la Maison

Place ta langue entre les deux lames d'une pile plate de 4,5 V.

Sens le picotement : il est provoqué par le courant électrique très faible qui s'établit.

1. Déduis-en la nature des espèces chimiques présentes dans la salive et qui sont mises en évidence par cette expérience.

2. Recherche le nom de quelques-unes d'entre elles.

30 Science in English

In 1911, Ernest Rutherford, an English physicist (1871-1937), bombarded a very thin gold sheet with helium ions He^{2+}. He established that atoms are made up of at least 99.99999 % of vacuum.

Rutherford (right) in his laboratory

1. What is an ion ?

2. What is the remaining 0.00001 % of matter composed of ?

La bouteille d'eau minérale

Les Français sont parmi les plus grands consommateurs d'eau minérale au monde. Ils en boivent plus de 150 L par personne et par an ce qui représente plus de 6 milliards de bouteilles !
Que contient une eau minérale ?

Connaissance

✔ Les atomes et les molécules sont électriquement neutres; les ions sont chargés électriquement

L'étiquette.
Elle nous renseigne sur la nature et la quantité d'ions présents dans l'eau minérale.

Calcium Ca^{2+}	11,5 mg/L
Magnésium Mg^{2+}	8 mg/L
Sodium Na^+	11,6 mg/L
Potassium K^+	6,2 mg/L
Chlorures Cl^-	13,5 mg/L
Nitrates NO_3^-	6,3 mg/L
Hydrogénocarbonates HCO_3^-	71,0 mg/L
Sulfates SO_4^{2-}	8,1 mg/L

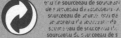

eau de sourceeau de sourceau de sourceau de sourceau de sourceeau de sourceeau de sourceau de sourceeau de source eau de sourceeau de sourceau de s

1L

MINÉRALE NATURELLE 1L

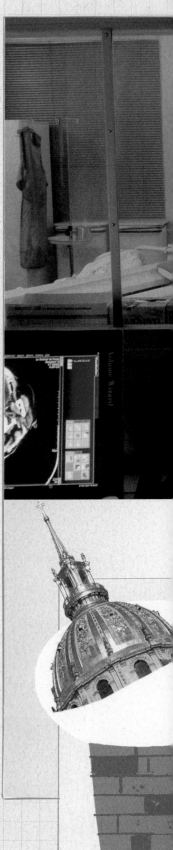

Protège la planète

♥ Une bouteille en plastique met plusieurs siècles pour se dégrader. Alors trie tes déchets et pense au recyclage.

Mène ton enquête

1. Quelle est l'espèce chimique qui se trouve en plus grande quantité dans une eau minérale ?

2. Est-ce un ion ? une molécule ? un atome ? Est-elle chargée électriquement ?

3. Identifie les ions chargés négativement et les ions chargés positivement.

4. À ton avis, l'eau minérale est-elle conductrice de l'électricité ? Pourquoi ?

💡 **Coup de pouce**

Les solutions ne conduisent pas toutes le courant électrique, mais toutes les solutions ioniques le conduisent.

Manipulateur(trice) en électroradiologie médicale

Le manipulateur en électroradiologie médicale participe à l'établissement des diagnostics médicaux en réalisant des examens (radiographies, scanner, IRM, etc.). Maîtrise technique et rigueur sont requises lors de l'utilisation des techniques de pointe exploitant les propriétés des molécules, des ions, des électrons (mobiles ou non), du noyau de l'atome. Les prescriptions doivent être suivies à la lettre, les dosages respectés, les appareils réglés avec une très grande précision.

Conseils : en relation directe avec les patients, le sens de l'écoute, la capacité à expliquer, à rassurer et à mettre en confiance font partie des compétences appréciées et nécessaires.

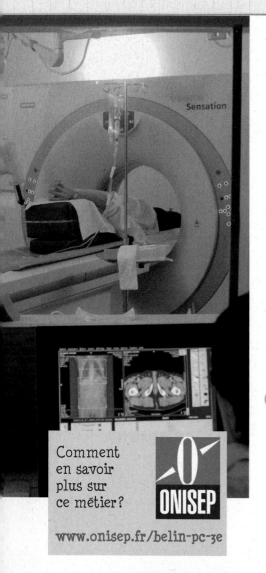

Comment en savoir plus sur ce métier?

ONISEP

www.onisep.fr/belin-pc-3e

Quelle orientation après la 3ᵉ ?

▶ Dans certains **lycées généraux et technologiques** découvre la physique-chimie expérimentale dans les enseignements de détermination de 2ᵉ : Biologie de laboratoire et paramédi-cale (BLP) ou **Physique chimie de laboratoire (PCL)**. Le diplôme d'État de manipulateur se prépare en trois ans après le bac.

Calcule la masse d'or du dôme des Invalides

Eddy Jefauchetout croit préparer le vol du siècle. En vacances à Paris, il a appris que lors de la rénovation du dôme des Invalides en 1989, ce dernier a été recouvert d'or ! Pour restaurer le monument, il a fallu 550 000 feuilles d'or fin de forme carrée, de 84 mm de côté, d'une épaisseur environ égale 600 fois le diamètre d'un atome d'or.

Eddy est nul en maths et il ne sait pas si c'est une si bonne idée...

Aide Eddy à calculer le volume puis la masse de l'or utilisé.

Tests de quelques ions.
pH d'une solution

Objectifs

▶ Connaître les formules de quelques ions et savoir en identifier certains

▶ Savoir mesurer le pH d'une solution aqueuse et savoir l'interpréter

▶ Connaître les dangers des produits acides et basiques concentrés

Situation 1

Quarante-huit paramètres réglementent la qualité d'une eau. Par exemple, une eau dont la teneur en ions nitrate (NO_3^-) dépasse 50 mg/L est officiellement non potable.

Comment reconnaître la présence de certains ions ?

Contrôle de la qualité de l'eau.

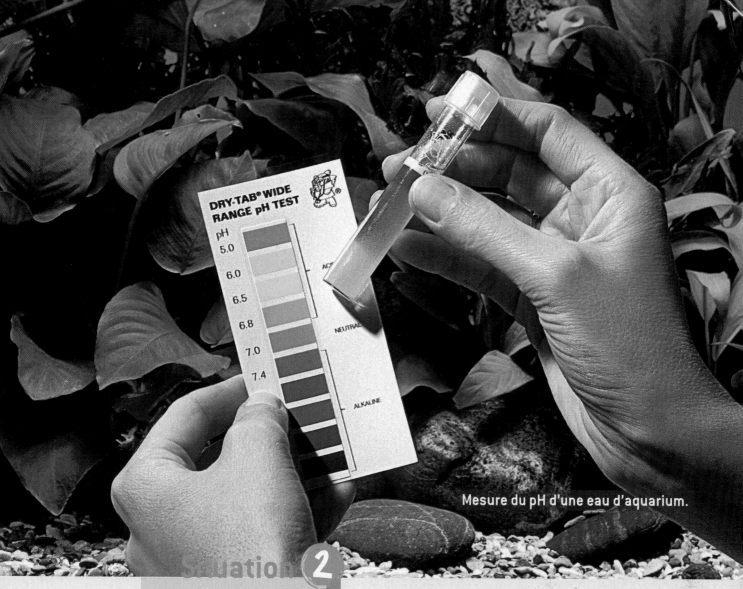

DRY-TAB® WIDE
RANGE pH TEST ®

pH
5.0

6.0

6.5

6.8

7.0

7.4

ACID

NEUTRAL

ALKALINE

Mesure du pH d'une eau d'aquarium.

Situation 2

La plupart des poissons apprécient un pH compris entre 6,5 et 7,5. Il est donc important de mesurer régulièrement le pH de l'eau d'un aquarium.

À ton avis, que nous apprend la valeur du pH ?

J'expérimente pour répondre

Activité 1

Réaliser le test d'identification de quelques ions   p. 44

Activité 2

Mesurer l'acidité d'une solution   p. 45

Comment identifier certains ions dans une solution ?

Pour identifier certains ions, aide-toi de la fiche technique 2, p. 224.

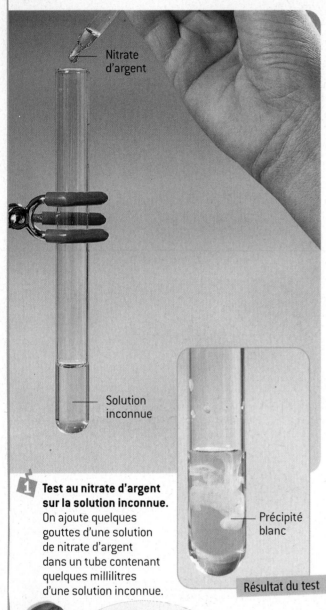

Nitrate d'argent

Solution inconnue

1 **Test au nitrate d'argent sur la solution inconnue.** On ajoute quelques gouttes d'une solution de nitrate d'argent dans un tube contenant quelques millilitres d'une solution inconnue.

Précipité blanc

Résultat du test

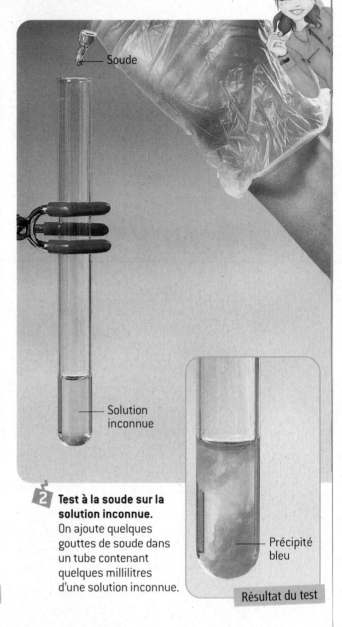

Soude

Solution inconnue

2 **Test à la soude sur la solution inconnue.** On ajoute quelques gouttes de soude dans un tube contenant quelques millilitres d'une solution inconnue.

Précipité bleu

Résultat du test

Pour identifier un pictogramme de sécurité, aide-toi de la fiche technique 1, p. 222.

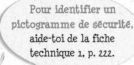

⚠ **Attention**

● **Solutions corrosives** **Sécurité**

La soude est corrosive. Il faut **porter des gants et des lunettes** de protection pour manipuler.

Guide de travail

1. Les ions chlorures Cl^- sont-ils présents dans la solution inconnue (doc 1) ?

2. Parmi les ions métalliques cuivre (II) Cu^{2+}, fer (II) Fe^{2+} et fer (III) Fe^{3+} lesquels sont présents dans la solution inconnue (doc 2) ?

Conclusion **Comment identifier certains ions dans une solution ?**

Sois critique Comment montrer la présence d'ions chlorure dans le sel de table ?

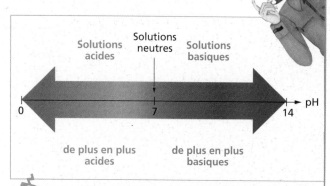

Pour mesurer le pH d'une solution, aide-toi de la fiche technique 3, p. 225.

Comment distinguer une solution acide et une solution basique ?

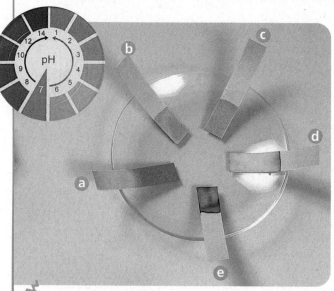

1 Estimation du pH de quelques boissons et produits d'entretien à l'aide d'un papier pH :
(a) détartrant dilué ; (b) boisson au cola ; (c) limonade ; (d) eau minérale ; (e) déboucheur.

Solutions acides — Solutions neutres — Solutions basiques

0 ← ———————— 7 ———————— → 14 pH

de plus en plus acides — de plus en plus basiques

2 **Lien entre le caractère acide ou basique d'une solution et son pH.** Le pH est une mesure de l'acidité d'une solution. Une solution aqueuse est :
– acide si son pH < 7 ;
– basique si son pH > 7 ;
– neutre si son pH = 7.

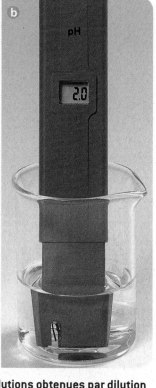

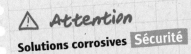

⚠ **Attention**

Solutions corrosives Sécurité

Les solutions très acides ou très basiques sont corrosives. Il faut **porter des gants et des lunettes** de protection pour les manipuler.

3 **Mesure du pH de deux solutions obtenues par dilution d'un détartrant.** (a) : détartrant dilué 100 fois ; (b) : détartrant dilué 1 000 fois.

Guide de travail

1. Parmi les solutions testées, identifie celles qui sont acides, basiques ou neutres (doc 1 et 2).

2. Cite la solution la plus acide et la solution la plus basique (doc 2). Pourquoi sont-elles dangereuses ?

3. Comment varie le pH quand on dilue une solution acide (doc 3) ?

Conclusion **Comment identifier une solution acide et une solution basique ?**

Sois critique À ton avis, comment varie le pH d'une solution basique quand on la dilue ?

1. Quelques ions à connaître

● En classe de troisième, les formules des **ions** suivants sont à connaître : les ions sodium **Na⁺**, cuivre (II) **Cu²⁺**, fer (II) **Fe²⁺**, fe (III) **Fe³⁺**, hydrogène **H⁺** qui sont chargés positivement, et les ions chlorure **Cl⁻**, hydroxyde **HO⁻** qui sont chargés négativement.

● L'ion Cl⁻ s'identifie grâce au **test au nitrate d'argent**. Les ions métalliques Cu²⁺, Fe²⁺ et Fe³⁺ s'identifient grâce au **test à la soude**. Ces tests sont décrits dans la fiche technique 2 p. 224.

Mots importants

- Ions Na⁺, Cl⁻ Cu²⁺, Fe²⁺, Fe³⁺, H⁺, HO⁻
- Test au nitrate d'argent
- Test à la soude
- Précipité

➤ Voir Mini Dico p. 232

Expérience Activité 1 p. 44

On souhaite rechercher la présence d'ions Cl⁻, Cu²⁺, Fe²⁺ et Fe³⁺ dans une solution aqueuse inconnue. Pour cela, on réalise les tests au nitrate d'argent et à la soude (**doc 1**).

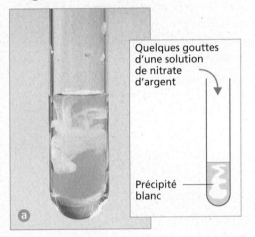

Quelques gouttes d'une solution de nitrate d'argent

Précipité blanc

a

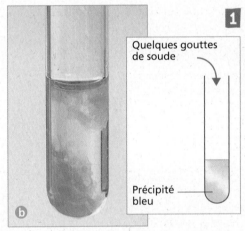

Quelques gouttes de soude

Précipité bleu

b

1 Identification des ions présents dans une solution inconnue : (a) test au nitrate d'argent ; (b) test à la soude.

Observation et interprétation

● Le test au nitrate d'argent sur la solution inconnue donne un **précipité** blanc, donc la solution contient des ions chlorure Cl⁻.

● Le test à la soude sur la solution inconnue donne un précipité bleu, donc la solution contient des ions cuivre (II), Cu²⁺.

Conclusion

Pour t'entraîner ▶ Exercices 17 et 18 p. 51

■ **Les ions à connaître** sont les ions sodium Na⁺, chlorure Cl⁻, cuivre (II) Cu²⁺, fer (II) Fe²⁺, fer (III) Fe³⁺, hydrogène H⁺ et hydroxyde HO⁻.

■ L'ion Cl⁻ s'identifie grâce au test au nitrate d'argent : il se forme un précipité blanc qui noircit à la lumière. Les ions métalliques Cu²⁺, Fe²⁺ et Fe³⁺ s'identifient grâce au test à la soude : il se forme respectivement un précipité bleu, un précipité verdâtre et un précipité brun-rouille.

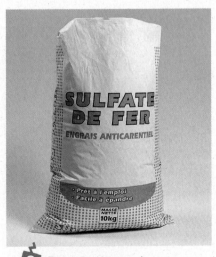

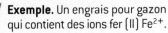

2 **Exemple.** Un engrais pour gazon qui contient des ions fer (II) Fe²⁺.

2. Le pH d'une solution

● Le **pH** est un nombre décimal positif, qui renseigne sur le caractère **acide, basique** ou **neutre** d'une solution aqueuse. Il se mesure avec une sonde de pH ou s'estime avec du papier indicateur de pH : voir la fiche technique 3 p. 225. Le pH des solutions aqueuses est compris entre 0 et 14.

● Toute solution aqueuse contient des **ions hydrogène H⁺** et des **ions hydroxyde HO⁻**. Une solution aqueuse est :
– acide si son pH < 7. Elle contient plus d'ions hydrogène H^+ que d'ions hydroxyde HO^- ;
– neutre si son pH = 7. Elle contient autant d'ions hydrogène H^+ que d'ions hydroxyde HO^- ;
– basique si son pH > 7. Elle contient moins d'ions hydrogène H^+ que d'ions hydroxyde HO^- (doc 3).

● Attention, les solutions acides ou basiques concentrées présentent un danger car elles sont **corrosives** : voir fiche technique 1 p. 222.

► Voir Mini Dico p. 232

Mots importants
- pH
- Acide, neutre, basique
- Ion hydrogène H⁺, ion hydroxyde HO⁻
- Corrosif

14
Solutions
basiques
7 ← Solutions
neutres
Solutions
acides
0

3 Échelle de pH.

Expérience   Activité 2 p. 45

On mesure le pH de quelques boissons et de produits d'entretien dont un détartrant de plus en plus dilué (doc 4).

Observation et interprétation

Lorsqu'on dilue le détartrant, son pH augmente. Plus on dilue une solution acide, plus son pH augmente. Il ne dépasse toutefois jamais 7, qui est la valeur du pH de l'eau pure.

4 Mesure du pH du détartrant dilué.

Conclusion

Pour t'entraîner ► Exercices 19 et 22 p. 51 et 52

■ Le **pH est une mesure de l'acidité** d'une solution aqueuse. Une solution aqueuse est **acide** si son pH est inférieur à 7, **neutre** si son pH est égal à 7, **basique** si son pH est supérieur à 7.

■ Une solution aqueuse neutre contient autant d'**ions hydrogène H⁺** que d'**ions hydroxyde HO⁻**. Dans une solution acide, il y a plus d'ions hydrogène H^+ que d'ions hydroxyde HO^-.
Dans une solution basique, il y a moins d'ions hydrogène H^+ que d'ions hydroxyde HO^-.

■ Les solutions **acides ou basiques concentrées** présentent un **danger** car elles sont **corrosives**.

shampooing douceur totale

purifie le cuir chevelu cheveux doux et brillants, dès la racine

USAGE FRÉQUENT

Hypo-allergénique
• pur, sans colorant
• actif anti-calcaire
• pH neutre

5 Exemple. Le pH de ce shampoing est dit neutre.

Documents

B2i Sécurité

Attention, brûlures chimiques !

Les produits corrosifs, qu'ils soient très acides (pH < 2) ou très basiques (pH > 12), et les produits irritants provoquent des brûlures par simple contact. Les acides attaquent les protéines des cellules de la surface de la peau, celles-ci coagulent en formant une cloque. Quant aux liquides basiques, ils pénètrent dans les chairs profondément, détruisant les cellules de l'intérieur : les lésions cutanées qui en découlent guérissent difficilement.

✔ Donne une définition d'une brûlure chimique.

✔ Quels pictogrammes portent les produits qui peuvent provoquer ces brûlures ?

✔ Que doit-on faire si l'on est entré en contact avec de tels produits (peau, œil et bouche) ?

Connecte-toi sur un moteur de recherche comme Yahoo ou Google. Choisis attentivement les mots-clés qui vont guider ta recherche.

Si tu cherches une expression exacte, mets cette expression entre guillemets, par exemple «brûlure chimique».

Si tu veux ajouter ou enlever un mot-clé, utilise les signes + et −, par exemple :
«brûlure chimique» +acide −chaleur.

internet

YAHOO! SEARCH
FRANCE

Web | Images | Vidéo | Local | Shopping | suite »

"brûlure chimique" + acide - chaleur

Recherche avancée
Préférences
Outils de traduction

[Rechercher]

○ tout le Web ● en français ○ en France

Mon Web BÉTA - Trouvez. Archivez. Retrouvez.

Mail : Ouvrir une session Nouvel utilisateur : Créez votre compte

SVT

Les sels minéraux dans l'alimentation

Une alimentation variée permet d'éviter toute carence en sels minéraux.

Le corps humain contient des ions, nommés usuellement « sels minéraux », qui constituent 4 % de notre masse corporelle. Ils se trouvent dans les os, les dents, dans les cellules et le sang. Ces ions sont apportés par notre alimentation. Le foie et les reins régulent très précisément leur quantité dans l'organisme. L'excès de ces ions est évacué par l'intermédiaire de l'urine et de la sueur, leur apport doit donc être régulier et quotidien.

Comme les vitamines, ils ne sont pas une source d'énergie mais ils participent à la constitution des tissus, tel le calcium pour les os, à la fabrication d'enzymes, d'hormones et à de nombreux processus biologiques : la contraction musculaire et la coagulation du sang (Ca^{2+}), la formation de messages nerveux (Mg^{2+}, Na^+ et K^+). D'autres ions, ceux des oligo-éléments, sont présents en infimes quantités mais ils sont essentiels.

Si on connaît l'importance des ions Fe^{2+} dans le transport des gaz par les globules rouges (ou hématies), le rôle d'autres oligo-éléments est encore mal connu.

Questions

1. Retrouve le nom des ions cités dans le texte.

2. Pourquoi un adolescent doit-il absorber beaucoup de produits laitiers riches en ion calcium ?

3. Les grands sportifs ont besoin d'oxygéner abondamment leurs muscles. En quel ion leur alimentation doit-elle être riche ?

4. Pourquoi le courant électrique peut-il traverser le corps humain ?

Je révise · Tests de quelques ions. pH d'une solution

Je dois connaître

▶ Les formules des ions Na^+, Cl^-, Cu^{2+}, Fe^{2+}, Fe^{3+}, H^+, HO^-.

▶ Les domaines d'**acidité** et de **basicité**.

▶ Une solution neutre contient autant d'**ions hydrogène** H^+ que d'**ions hydroxyde** HO^-.
Dans une solution acide, il y a plus d'ions hydrogène H^+ que d'ions hydroxyde HO^-.

▶ Les **dangers** que présentent des produits acides ou basiques concentrés.

Je dois être capable de

▶ **Réaliser les tests** de reconnaissance des ions Cl^-, Cu^{2+}, Fe^{2+}, Fe^{3+}.

▶ **Identifier**, à l'aide d'une sonde ou par estimation avec un papier pH, les solutions neutres, acides et basiques.

▶ **Observer** expérimentalement l'augmentation du pH quand on dilue une solution acide.

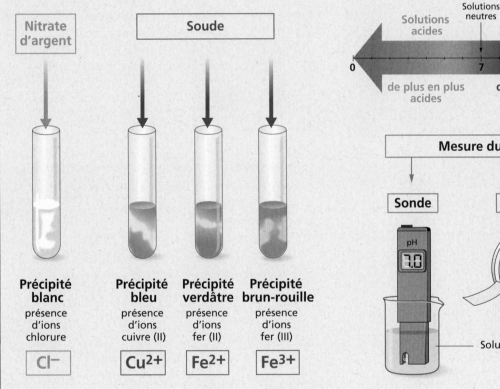

Nitrate d'argent · Soude

Précipité blanc — présence d'ions chlorure — Cl^-

Précipité bleu — présence d'ions cuivre (II) — Cu^{2+}

Précipité verdâtre — présence d'ions fer (II) — Fe^{2+}

Précipité brun-rouille — présence d'ions fer (III) — Fe^{3+}

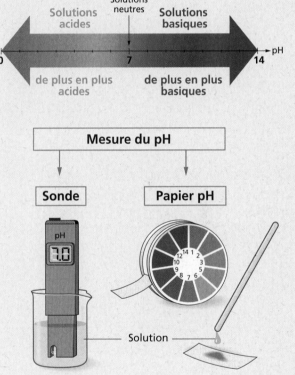

Solutions acides — Solutions neutres — Solutions basiques — pH — de plus en plus acides — de plus en plus basiques

Mesure du pH — Sonde — Papier pH — Solution

Je m'évalue — Socle commun

1 Les formules des sept ions à connaître sont ....

2 L'ion Cl^- s'identifie grâce au test ....
Les ions métalliques Cu^{2+}, Fe^{2+} et Fe^{3+} s'identifient grâce au test ....

3 Une solution aqueuse est :
a. .... si son pH < 7 ;   **b.** .... si son pH = 7 ;
c. .... si son pH > 7.

4 Les solutions acides ou basiques .... présentent un danger.

▶ Réponses en fin de manuel, p. 236

Exercices

5 Connaître la formule des ions

Recopie et relie chaque nom d'ion à sa formule.

Ion sodium • • Cu^{2+}
Ion chlorure • • Fe^{3+}
Ion cuivre (II) • • Na^+
Ion fer (II) • • Cl^-
Ion fer (III) • • Fe^{2+}

6 Identifier les ions Cl^-

Une solution de nitrate d'argent est versée dans deux solutions aqueuses différentes. Observe ce que l'on obtient :

Laquelle de ces solutions contient des ions Cl^- ? Justifie.

7 Identifier les ions Cu^{2+}, Fe^{2+} et Fe^{3+}

Le test à la soude est réalisé sur trois solutions différentes. Observe les résultats :

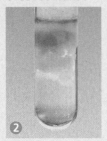

Indique dans chaque cas quel ion est mis en évidence.

8 Identifier les solutions neutres, acides ou basiques

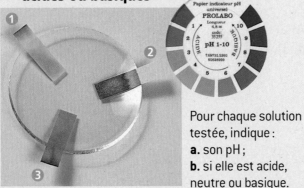

Pour chaque solution testée, indique :
a. son pH ;
b. si elle est acide, neutre ou basique.

9 Connaître l'évolution du pH lors d'une dilution. QCM

Quand on dilue une solution acide, son pH :
a. augmente ; **b.** reste constant ; **c.** diminue.

10 Connaître les domaines de pH

Recopie et complète les phrases suivantes :
a. Si le pH est .... à 7, alors la solution est acide.
b. Une solution basique a un pH .... à 7.
c. Une solution de pH .... à 7 est neutre.

11 Lire un pictogramme de sécurité

Quel danger est signalé par ce pictogramme de sécurité placé sur l'étiquette d'un produit anti-tartre ?

12 Connaître les dangers. Vrai ou Faux ?

Les produits acides ou basiques concentrés :
a. peuvent détruire les tissus vivants ;
b. ne sont pas corrosifs ;
c. peuvent provoquer de graves brûlures.

13 Trouver les mots-clés du chapitre

Recopie et complète la grille.

1. Solution permettant de réaliser le test des ions Cl^-.
2. Se dit d'une solution dont le pH est supérieur à 7.
3. Se dit d'une solution très acide ou très basique.
4. Trouble obtenu avec la soude et les ions Fe^{2+}.
5. Sa mesure permet de connaître l'acidité d'une solution.
6. Se dit d'une solution dont le pH est inférieur à 7.
7. Solution permettant de réaliser le test des ions Cu^{2+}.
8. Se dit d'une solution dont le pH est égal à 7.

14 Apprendre à rédiger un exercice

> **Énoncé**

Lise réalise le test au nitrate d'argent (1) et le test à la soude (2) sur une solution inconnue. Voici ce qu'elle obtient :

❶ ❷

Quelles sont ses observations et ses conclusions ?

> **Rédaction de la solution**

❶ Après l'ajout du nitrate d'argent dans la solution, aucun précipité n'est observé. La solution ne contient donc pas d'ions chlorure.

❷ Après l'ajout de soude dans la solution, un précipité brun rouille est observé. La solution contient donc des ions fer (III).

▶ Pour t'entraîner : exercice 15

15 Identifier des ions

Voici les résultats du test au nitrate d'argent (1) et du test à la soude (2) réalisés sur une même solution.

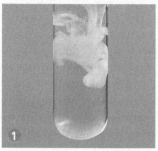 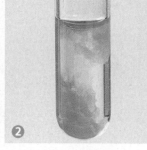

① ②

Note ce que tu observes et rédige tes conclusions.

16 Mettre en forme des caractères B2i

« Je dois connaître la formule des ions sodium Na^+, des ions chlorure Cl^-, des ions cuivre (II) Cu^{2+}, des ions fer (II) Fe^{2+}, des ions fer (III) Fe^{3+}, des ions hydrogène H^+ et des ions hydroxyde HO^-. »

Dans un logiciel de traitement de texte, saisis la phrase ci-dessus en police Arial en appliquant la taille 12 pour les caractères. N'oublie pas de mettre les charges des ions en exposant dans la formule.

17 ★ Rechercher des ions

Vendu sous forme de poudre, le fongicide appelé bouillie bordelaise contient des ions cuivre (II).
a. Recherche dans un dictionnaire la définition du mot fongicide.
b. Donne la formule des ions cuivre (II).
c. Propose une expérience permettant de mettre en évidence les ions cuivre (II) dans la bouillie bordelaise.
d. Qu'observerais-tu ?

18 Les carences alimentaires SVT

L'absence ou l'insuffisance d'ions minéraux dans l'alimentation peuvent être à l'origine de maladies par carence. C'est le cas de la carence, rare, en ions sodium. Ils sont souvent associés aux ions chlorure car tous deux sont apportés par le sel de table.

a. Recherche la définition du mot carence.
b. Donne la formule des ions sodium et des ions chlorure.
c. Comment met-on en évidence les ions chlorure ?

19 Exploiter des valeurs de pH

Voici le pH de produits du commerce :

Produits	pH
Vinaigre	3
Déboucheur de WC	14
Jus de citron	2,5
Produit de rinçage pour lave-vaisselle	1
Produit javellisé pour les sols	9

a. Identifie les produits acides et les produits basiques. Justifie ta réponse en utilisant la conjonction « donc ».
b. Classe les produits acides du plus acide au moins acide, et les produits basiques du plus basique au moins basique.
c. Lesquels de ces produits contiennent plus d'ions hydrogène que d'ions hydroxyde ? Lesquels contiennent plus d'ions hydroxyde que d'ions hydrogène ? Justifie ta réponse.

20 La démarche d'investigation

Observer l'évolution du pH

Le problème à résoudre

Le pH d'une solution acide évolue-t-il lorsqu'elle est diluée ?

L'hypothèse proposée

Le pH évolue au cours de la dilution d'une solution acide.

L'expérience réalisée

Mesure du pH d'une solution acide de plus en plus diluée.

Les résultats obtenus :

Dilution	10 fois	100 fois	1 000 fois
pH	3	4	5

Dilution	10 000 fois	100 000 fois	1 000 000 fois
pH	6	7	7

Interprète les résultats

a. Le pH évolue-t-il lors de la dilution ? Si oui, comment ?

b. La solution reste-t-elle acide ?

21 ★ Déterminer des domaines d'acidité

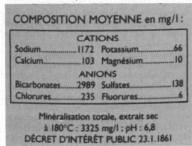

Les hortensias sont des fleurs dont la couleur dépend de l'acidité du sol. Elles sont roses dans un sol acide, bleues dans un sol plutôt basique et peuvent être mauves dans un sol neutre.

a. Que peux-tu dire du pH du sol pour chacune des couleurs des hortensias ?

b. Que peux-tu dire du pH du sol dans lequel ont poussé les hortensias de la photographie ? Justifie.

22 Interpréter le pH d'une eau minérale

Observe l'étiquette d'une eau minérale :

```
COMPOSITION MOYENNE en mg/l :
          CATIONS
Sodium..........1172   Potassium.........66
Calcium..........103   Magnésium.........10
          ANIONS
Bicarbonates...2989   Sulfates.........138
Chlorures.......235   Fluorures..........6

  Minéralisation totale, extrait sec
  à 180°C : 3325 mg/l ; pH : 6,8
  DÉCRET D'INTÉRÊT PUBLIC 23.1.1861
```

a. Quel est le pH de cette eau ?

b. Est-elle acide, neutre ou basique ?

c. Compare les quantités d'ions hydrogène et d'ions hydroxyde présents dans cette eau.

23 Découvrir le papier tournesol

Il existe deux types de papiers appelés « papiers tournesol ». L'un est rouge, l'autre est bleu. Ces papiers changent de couleur en fonction du pH du liquide avec lequel ils sont mis en contact.

	Avec un liquide acide	Avec un liquide neutre	Avec un liquide basique
Papier rouge			
Papier bleu			

a. Les papiers tournesol permettent-ils de connaître la valeur du pH ou seulement d'identifier les liquides acides, neutres ou basiques ? Pourquoi ?

b. Quel papier faut-il utiliser pour vérifier si un liquide est acide ?

c. Un seul type de papier suffit-il pour identifier un liquide neutre ?

24 Diluer une solution acide

Qui a raison ? Pourquoi ?

25 Les pictogrammes de sécurité `Sécurité`

Les produits d'entretien présentent souvent des dangers. Les pictogrammes de sécurité présents sur les flacons renseignent sur la conduite à tenir lors de leur utilisation.

a. Cite le produit corrosif.

b. Quelles sont les précautions à prendre lors de son utilisation ?

c. Propose une expérience pour vérifier si ce produit est acide ou basique.

📎 <u>Coup de pouce :</u> aide-toi de la fiche technique 1 p. 222.

26 Visite d'une Station de potabilisation

L'eau est traitée dans une station de potabilisation pour la rendre potable. Elle est testée en continu : mesure du pH, contrôle de la nature et de la quantité des ions par des tests, présence de polluants, etc.

1. Comment mesures-tu le pH ?

2. Quels sont les tests chimiques que tu connais pour identifier des ions ?

27 Expérience à la Maison

Pour préparer ton indicateur de pH, laisse tremper pendant environ 10 minutes quelques feuilles de chou rouge dans un saladier à moitié rempli d'eau chaude. Retire les feuilles. Ton indicateur de pH est prêt. Il contient des substances chimiques qui se trouvaient dans le chou rouge, les anthocyanes. Ces substances changent de couleur en fonction du pH :

pH	De 0 à 4	De 4 à 7	De 7 à 9	De 9 à 12	De 12 à 14
Couleur	Rouge	Violet	Bleu	Vert	Jaune

Pour mesurer le pH d'un produit de ton choix, mélange-le à ton indicateur dans un verre et observe la couleur.

Attention, demande l'avis d'un adulte avant de tester un produit.

28 Problème de Société

Les pluies acides sont une conséquence de la pollution atmosphérique. Elles attaquent les monuments et provoquent le dépérissement de la faune et de la flore.

1. Émets une hypothèse sur le pH des pluies acides.

2. Vérifie ton hypothèse en effectuant une recherche au CDI ou sur Internet.

3. Recherche l'origine des pluies acides.

29 Wissenschaft auf Deutsch

Für die Franzosen heisst das atom mit dem symbol Na « atome de sodium », während die Deutschen dieses « Natriumatom » nennen. Aber es handelt sich um das gleiche atom.

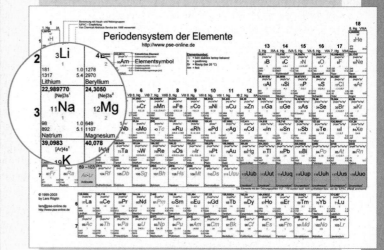

1. Ist das Natriumion positiv oder negativ ?

2. Gib die Formel des Natriumions an.

L'eau d'une piscine

La valeur idéale du pH de l'eau d'une piscine se situe entre 7,0 et 7,4. Cela permet à la fois de satisfaire le confort du baigneur et de préserver les matériaux de la piscine. Comment contrôler cette valeur ?

Capacité

✓ Identifier, par une estimation avec un papier pH, des solutions neutres, acides et basiques

L'eau de la piscine. Elle est continuellement contrôlée par des analyses : pH, température de l'eau, taux de chlore, etc.

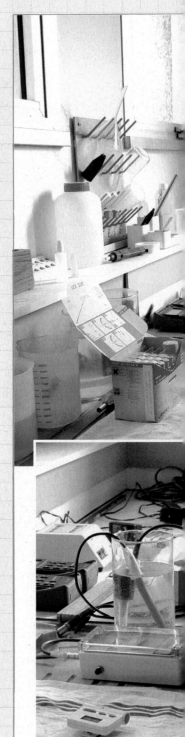

protège la planète

Pour ne pas gaspiller trop d'eau, l'eau de ta piscine municipale est filtrée et recyclée.

Mène ton enquête

Matériel :
✓ Un bocal
✓ Un morceau de papier pH que tu auras demandé à ton professeur

1. À la piscine, prélève un peu d'eau dans un bocal.

2. Estime la valeur du pH de l'eau de la piscine à l'aide d'un morceau de papier pH.

3. Le pH est-il situé dans le domaine idéal d'acidité ? L'eau de la piscine est-elle une solution neutre, acide ou basique ?

4. À ton avis, pourquoi le pH de l'eau doit-il être proche de 7 ?

Technicien(ne) de laboratoire d'analyse de l'eau

Au laboratoire, le technicien assure la conduite d'analyses et de contrôles de la qualité de l'eau : identifier les ions, les bactéries ou les polluants, ainsi que leur quantité. Ses missions sont très différentes selon le type de secteur pour lequel il travaille mais les méthodes d'analyse sont semblables : précipitation des ions, mesure de pH, etc. Les eaux qu'il analyse peuvent avoir différentes origines : eaux de consommation, de milieu naturel, usées ou de piscine.

Conseils : tout au long de ta carrière, tu devras être capable de t'adapter à l'évolution des technologies qui améliorent le fonctionnement des appareils de mesure. C'est pour cette raison que la qualification demandée pour ce métier est de plus en plus élevée.

Comment en savoir plus sur ce métier ?

ONISEP

www.onisep.fr/belin-pc-3e

Quelle orientation après la ?

▶ Un **CAP** permet de devenir aide de laboratoire : ce dernier suit les consignes du technicien, il entretient le matériel, manipule et analyse. Une poursuite d'étude est conseillée vers un **bac pro ou un bac STL**.

▶ En 2e générale, dans un **lycée général et technologique** (LGT), choisi l'enseignement de détermination **Biologie de laboratoire et paramédicale** (BLP). Il te préparera au **bac Scientifique** (S) ou au **bac Technologie de Laboratoire** (STL).

Un défi

Analyse l'eau du robinet avec du savon !

Reproduis l'expérience ci-contre avec l'eau du robinet de ta région et estime si elle est dure ou douce.

Matériel :
- Savon liquide
- Eau de Contrex (très dure) très riche en ions calcium Ca^{2+} et magnesium Mg^{2+}
- Eau de Volvic (très douce) pauvre en Ca^{2+} et Mg^{2+}.

Protocole :
- Verse une seule goutte de savon dans chaque bouteille d'eau.
- Agite énergiquement.
- Observe attentivement le liquide.

Dans quelle eau le savon mousse-t-il le plus ?

Volvic   Contrex

Réaction entre l'acide chlorhydrique et le fer

Situation 1

L'acide chlorhydrique est utilisé à la maison pour des activités d'entretien et de bricolage, mais il doit être manipulé dans des conditions de sécurité bien précises.

Sais-tu ce que contient l'acide chlorhydrique ?

Des bouteilles d'acide chlorhydrique du commerce.

Remise en place de la statue *la Fontaine des mers*, après restauration.

Constituée d'un corps en fonte (fer) recouvert de cuivre, la statue a été attaquée par les pluies acides.

Situation 2

Les pluies sont dites acides lorsque leur pH est inférieur à 5,6. Elles dégradent voire détruisent les monuments fragiles.

Selon toi, le fer est-il attaqué par les pluies acides ?

J'expérimente pour répondre

Activité 1

Analyser l'acide chlorhydrique   p. 58

Activité 2

Faire réagir le fer et l'acide chlorhydrique   p. 59

Quels sont les constituants de l'acide chlorhydrique ?

Pour mesurer le pH d'une solution, aide-toi de la fiche technique 3, p. 225.

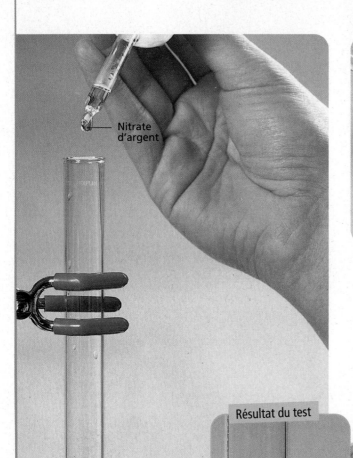

Nitrate d'argent

Acide chlorhydrique

Acide chlorhydrique

2 **Estimation du pH de l'acide chlorhydrique** à l'aide d'un papier indicateur de pH. On a versé quelques gouttes d'acide chlorhydrique sur la bande de papier pH.

Résultat du test

Précipité blanc

Pour identifier certains ions, aide-toi de la fiche technique 2, p. 224.

1 **Test au nitrate d'argent sur l'acide chlorhydrique.** On ajoute quelques gouttes d'une solution de nitrate d'argent dans un tube contenant de l'acide chlorhydrique.

⚠ **Attention**

Acide chlorhydrique | Sécurité

L'acide chlorhydrique est corrosif. Il faut **protéger tes yeux** avec des lunettes de sécurité et **porter des gants.**

Guide de travail

1. Identifie l'ion présent dans l'acide chlorhydrique (doc 1).

2. Identifie l'autre ion présent dans l'acide chlorhydrique (doc 2).

Conclusion **Quels ions contient l'acide chlorhydrique ?**

Sois critique L'acide chlorhydrique est une solution aqueuse ionique. Quelles autres espèces constituent cette solution ?

Pour identifier certains ions, aide-toi de la fiche technique 2, p. 224.

Quel est le bilan de la réaction entre le fer et l'acide chlorhydrique ?

Test au nitrate d'argent

Test à la soude

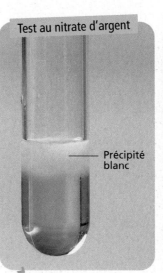

Précipité blanc

Précipité verdâtre

3 **Tests au nitrate d'argent et à la soude** à la fin de la réaction. On a filtré le mélange obtenu après réaction et on a réparti le filtrat dans deux tubes à essai.

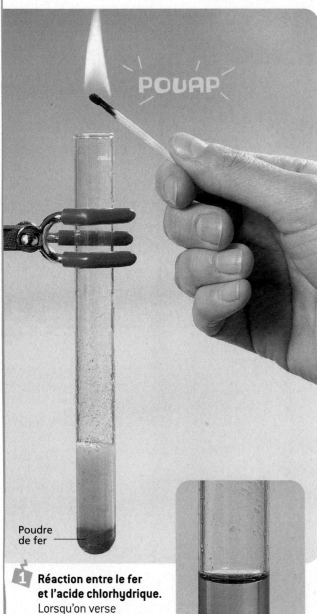

POUAP

⚠ **Attention**

Solutions corrosives Sécurité

L'acide chlorhydrique et la soude sont corrosifs. Il faut les manipuler en **portant des gants** et des **lunettes de protection**.

Poudre de fer

Guide de travail

1. Nomme le gaz formé lors de la réaction entre le fer et l'acide chlorhydrique (doc 1).

2. Montre que du fer et de l'acide chlorhydrique sont consommés (doc 2).

3. Quels sont les ions présents dans la solution obtenue après la réaction chimique (doc 3) ?

1 **Réaction entre le fer et l'acide chlorhydrique.** Lorsqu'on verse de l'acide chlorhydrique sur de la poudre de fer, on observe une effervescence. Une petite détonation se produit lorsqu'on approche une flamme, indiquant la présence du gaz dihydrogène.

2 **Observation du tube après quelques jours.** Si on ajoute un peu d'acide chlorhydrique, l'effervescence reprend.

Conclusion **Quel est le bilan de la réaction entre le fer et l'acide chlorhydrique ? Écris le nom des différentes espèces en toutes lettres et utilise les symboles + et ⟶ .**

Sois critique Si on avait utilisé une grande quantité d'acide et peu de poudre de fer, qu'aurait-il fallu ajouter dans le tube après la réaction pour que l'effervescence recommence ?

1. Les constituants de l'acide chlorhydrique

Expérience Activité 1 p. 58

L'**acide chlorhydrique** est une solution aqueuse. Pour mettre en évidence les constituants autres que l'eau de cette solution, on effectue des tests d'identification d'ions (**doc 1 et 2**).

Mots importants

- Acide chlorhydrique
- Ion hydrogène
- Ion chlorure

➤ Voir Mini Dico p. 232

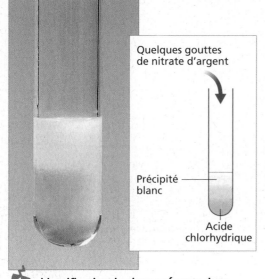

Quelques gouttes de nitrate d'argent

Précipité blanc

Acide chlorhydrique

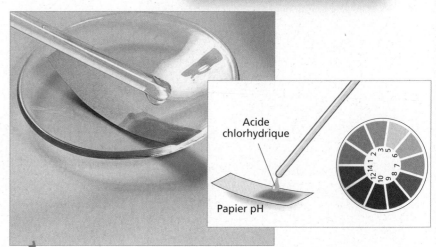

Acide chlorhydrique

Papier pH

1 **Identification des ions présents dans l'acide chlorhydrique :** test au nitrate d'argent.

2 **Identification des ions présents dans l'acide chlorhydrique :** estimation du pH avec un papier pH.

Observation et interprétation

● Le test au nitrate d'argent est positif, donc l'acide chlorhydrique contient des **ions chlorure Cl⁻**.

● Le pH de l'acide chlorhydrique est inférieur à 7, donc cette solution acide contient plus d'ions **hydrogène H⁺** que d'ions hydroxyde HO⁻.

3 **Exemple.** Le lac de Kawah Ijen dans l'île de Java (Indonésie) est composé d'acide sulfurique qui contient des ions hydrogène et des ions sulfate.

Conclusion

Pour t'entraîner ▶ Exercices 16 et 17 p. 65

L'**acide chlorhydrique** est une solution aqueuse constituée d'**ions hydrogène H⁺** et d'**ions chlorure Cl⁻** dissous dans l'eau.

2. Bilan de la réaction entre le fer et l'acide chlorhydrique

Expérience Activité 2 p. 59

On fait réagir de la poudre de **fer** et l'**acide chlorhydrique**. On effectue ensuite des tests d'identification sur les produits formés **(doc 4)**.

Mots importants

- Fer
- Acide chlorhydrique
- Réaction chimique, réactif, produit

➤ Voir Mini Dico p. 232

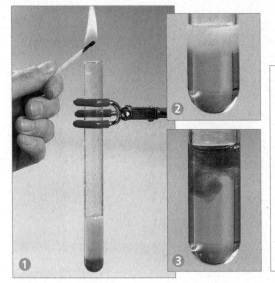

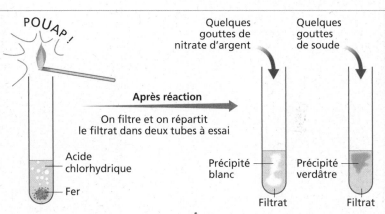

POUAP !

Après réaction

On filtre et on répartit le filtrat dans deux tubes à essai

Acide chlorhydrique

Fer

Quelques gouttes de nitrate d'argent

Quelques gouttes de soude

Précipité blanc

Précipité verdâtre

Filtrat

Filtrat

4 **Étude de la réaction entre le fer et l'acide chlorhydrique.**
On met en évidence les produits de la réaction : le dihydrogène par le test à la flamme (1) ; les ions chlorure par le test au nitrate d'argent (2) et les ions fer (II) par le test à la soude (3).

Observation et interprétation

● Une effervescence apparaît. Elle montre la formation d'un gaz, donc une **réaction chimique** a lieu. En présence d'une flamme, ce gaz détone : c'est du dihydrogène.

À la fin de la réaction, la quantité de fer a diminué et l'ajout d'acide provoque à nouveau l'effervescence. Le fer et l'acide chlorhydrique sont donc consommés lors de la réaction : ce sont les **réactifs**.

● Les tests au nitrate d'argent et à la soude effectués sur la solution après la réaction donnent respectivement un précipité blanc et un précipité verdâtre. La solution testée contient donc des ions chlorure et des ions fer (II) : c'est une solution de chlorure de fer (II). Le dihydrogène et le chlorure de fer (II) sont formés lors de la réaction : ce sont les **produits**.

Conclusion

Pour t'entraîner ▶ **Exercices 19 et 26 p. 65 et 66**

■ Le **fer réagit avec l'acide chlorhydrique** pour former du dihydrogène et du chlorure de fer (II).

■ Le bilan de la réaction s'écrit :

fer + acide chlorhydrique ⟶ **dihydrogène + chlorure de fer (II)**

5 **Exemple.** Une cuillère en fer serait attaquée par les aliments acides, on la fabrique donc en acier inoxydable.

Documents

Crée une étiquette normalisée

À la maison, de nombreux accidents domestiques sont le fait de produits chimiques dangereux utilisés sans précaution, par exemple lorsqu'ils sont transvasés dans des bouteilles sans étiquette. Des normes précises imposent en effet d'indiquer sur l'emballage d'un produit chimique son nom, sa formule chimique, le nom du fabricant, le(s) pictogramme(s) de sécurité, les risques encourus (repérés par un R) et les conseils de prudence (repérés par un S).

✓ À l'aide d'un traitement de texte, crée l'étiquette normalisée de l'acide chlorhydrique à 25 % vendu dans le commerce comme puissant détartrant.

●Connecte-toi sur le site

www.ac-nancy-metz.fr/enseign /physique/Securite/sommaire.htm

Copie le pictogramme associé à cet acide dangereux. Note les recommandations données dans « *la liste des produits avec R et S* » puis trouve leur signification.

●Crée l'étiquette à l'aide d'un traitement de texte. Insère le pictogramme à côté du texte.

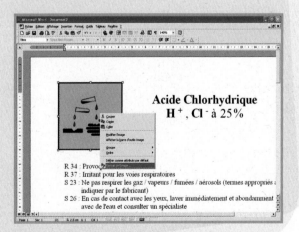

Environnement et développement durable

La valorisation d'un déchet de l'industrie chimique

95 à 99 % de l'acide chlorhydrique gazeux rejeté lors de l'incinération des ordures est récupéré.

En faisant agir du vitriol sur du sel (comme le sel de table), l'alchimiste Jabir ibn Hayyan découvre au début du IXe siècle l'acide muriatique (ou esprit-de-sel). Cet acide portera longtemps ce nom avant que H. Davy, en 1818, découvre qu'il était constitué de chlore et d'hydrogène et le renomme « acide chlorhydrique ». Au XIXe, durant la révolution industrielle, c'est un déchet des usines de lessive, des industries du verre et du papier. Les effets désastreux de son rejet dans la nature poussent le parlement de Grande-Bretagne à voter dès 1863 une des premières lois protégeant l'environnement. L'acide chlorhydrique est alors récupéré en quantité industrielle. Son utilisation devient peu à peu incontournable. Aujourd'hui, 90 % de la production mondiale de cet acide provient de sa récupération lors de la fabrication de plastiques contenant du chlore (PVC, polyuréthane, téflon, etc.), car c'est l'un des produits secondaires des réactions mises en jeu.

Questions

1. Pour quelle raison l'acide chlorhydrique est-il parfois vendu sous le nom d'« esprit-de-sel » ?

2. À quelle époque sa formule chimique est-elle déterminée ?

3. Quel événement a conduit à l'utilisation de cet acide en grande quantité ?

4. L'acide chlorhydrique est un produit secondaire de la fabrication du PVC : qu'est-ce que cela signifie ?

Je révise **Réaction entre l'acide chlorhydrique et le fer**

Je dois connaître

▶ Les ions **hydrogène** H⁺ et **chlorure** Cl⁻ sont présents dans l'acide chlorhydrique.

▶ **Dans** une **transformation chimique** il y a disparition des **réactifs** et apparition des **produits**.

Je dois être capable de

▶ **Réaliser :**
– les **tests de reconnaissance** des ions chlorure et hydrogène ;
– la **réaction entre le fer et l'acide chlorhydrique** avec mise en évidence des produits : dihydrogène et chlorure de fer (II).

▶ **Écrire le bilan de la réaction chimique** entre le fer et l'acide chlorhydrique

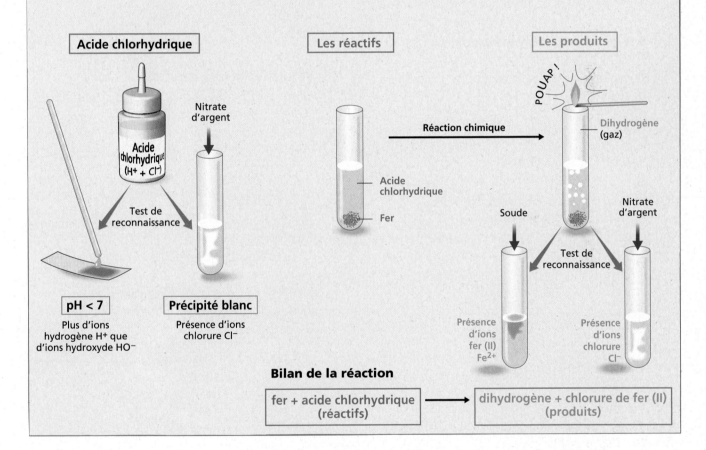

Bilan de la réaction

| fer + acide chlorhydrique (réactifs) | ⟶ | dihydrogène + chlorure de fer (II) (produits) |

Je m'évalue · **Socle commun**

1 Les ions présents dans l'acide chlorhydrique sont les ions .... et ....

2 La mesure du .... permet de savoir si une solution contient plus d'ions hydrogène que d'ions hydroxyde.

3 L'ion chlorure est mis en évidence avec le test au ....

4 Le bilan de la réaction entre le fer et chlorhydrique s'écrit : fer + ... ⟶ dihydrogène + ...

5 Le dihydrogène détone en présence d' .... et l'ion fer (II) est mis en évidence avec le test à ....

▶ Réponses en fin de manuel, p. 236

Connais-tu le cours ?

6 Citer les constituants de l'acide chlorhydrique

a. Quels sont les deux ions présents dans l'acide chlorhydrique ?
b. Donne leur formule.

7 Identifier les ions chlorure

Recopie et complète les phrases suivantes.
a. Les ions chlorure sont mis en évidence grâce à une solution de ....
b. La couleur du précipité obtenu lors de ce test est ....

8 Identifier les ions hydrogène. Vrai ou Faux ?

a. Le test à la soude permet de mettre en évidence les ions hydrogène.
b. Les ions hydrogène sont moins nombreux que les ions hydroxyde dans une solution basique.
c. Une solution de pH inférieur à 7 contient plus d'ions hydrogène que d'ions hydroxyde.

9 Connaître la réaction entre le fer et l'acide chlorhydrique

L'acide chlorhydrique peut-il être stocké dans des bouteilles en fer ? Pourquoi ?

10 Reconnaître une transformation chimique

Recopie en choisissant les bonnes propositions.
Une réaction chimique se reconnaît par :
a. la consommation de *réactifs / produits* ;
b. la formation de *réactifs / produits*.

11 Réaliser la réaction entre le fer et l'acide chlorhydrique

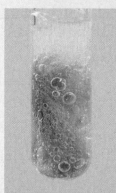

Recopie en choisissant les bonnes propositions.
Lorsque le fer est mis en contact avec l'acide chlorhydrique :
a. le fer *réagit/ne réagit pas*.
b. une réaction chimique *a lieu/ n'a pas lieu*.
c. un gaz *se forme / ne se forme pas*.

12 Identifier le dihydrogène. QCM

Lorsqu'on approche une allumette enflammée d'un tube contenant du dihydrogène, on constate :
a. une fumée ;
b. des étincelles ;
c. une détonation.

13 Écrire un bilan

Recopie et complète le bilan de la réaction entre le fer et l'acide chlorhydrique.
fer + acide chlorhydrique ⟶ .... + chlorure de ....

14 Trouver les mots-clés du chapitre

Recopie et complète la grille.

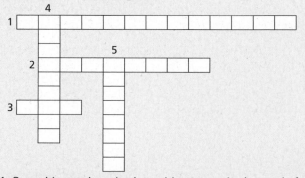

1. Cet acide contient des ions chlorure et réagit avec le fer.
2. Elle se traduit par la consommation de réactifs et la formation de produits.
3. L'acide chlorhydrique réagit avec ce métal en donnant, entre autres, des ions Fe^{2+}.
4. Ces ions, présents dans l'acide chlorhydrique, sont mis en évidence par une mesure de pH.
5. Au contact d'une solution de nitrate d'argent, ces ions forment un précipité blanc.

15 Apprendre à rédiger un exercice

> **Énoncé**

On mesure le pH d'une solution d'acide chlorhydrique.
a. Quelle est la valeur du pH ?
b. Que peut-on conclure ?
c. Quel est l'autre ion présent dans l'acide chlorhydrique ?

> **Rédaction de la solution**

a. Le pH vaut 1,0.
b. Les ions hydrogène sont plus nombreux que les ions hydroxyde.
c. Les ions chlorure sont présents dans l'acide chlorhydrique.

▶ Pour t'entraîner : exercice 16

16 Réaliser le test au nitrate d'argent

On réalise le test au nitrate d'argent sur une solution d'acide chlorhydrique.

a. Qu'observe-t-on ?
b. Que peut-on conclure ?
c. Quel est l'autre ion présent dans l'acide chlorhydrique ?

17 Rechercher un constituant

Quel constituant Eméric recherche-t-il ?
Ce constituant est-il présent dans l'acide chlorhydrique ?

18 Communiquer, échanger B2i

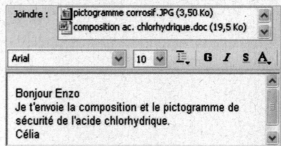

a. Combien y a-t-il de fichiers joints ?
b. Quel est le type de ces fichiers ?
c. Quelle est la composition de l'acide chlorhydrique ? Quel danger présente-t-il ?

19 Écrire le bilan

Le fer réagit avec l'acide chlorhydrique pour former du dihydrogène et du chlorure de fer (II).
a. Écris le bilan de la réaction chimique citée ci-dessus.
b. Indique les réactifs puis les produits.

20 ★ Interpréter deux expériences

Expérience 1. Un gros morceau de paille de fer est plongé dans l'acide chlorhydrique. Après quelques jours, l'effervescence cesse et il reste de la paille de fer.
Expérience 2. Un petit morceau de paille de fer est plongé dans l'acide chlorhydrique. Après quelques jours, l'effervescence cesse et il ne reste plus de paille de fer.
a. Pour chaque expérience, indique s'il faut ajouter du fer ou de l'acide chlorhydrique pour relancer l'effervescence.
b. Cite l'expérience qui montre que le fer est un réactif. Quelle est celle qui montre que l'acide chlorhydrique est également un réactif ?

21 ★ Identifier le gaz formé

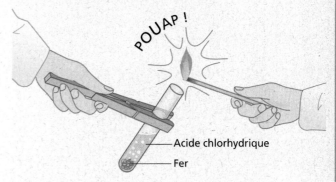

Lorsque du fer est mis en contact avec de l'acide chlorhydrique, on observe une effervescence.
a. Explique si cette effervescence suffit pour affirmer qu'une transformation chimique a lieu.
b. Quel est le gaz qui est formé ? Justifie.

22 La démarche d'investigation

Repérer des réactifs

Le problème à résoudre

Yann se demande si les ions hydrogène de l'acide chlorhydrique réagissent avec le métal fer.

L'hypothèse proposée

Yann pense que les ions hydrogène sont consommés.

L'expérience proposée

Yann mesure le pH avant et après la réaction chimique entre le métal fer et l'acide chlorhydrique.

Les résultats obtenus :

Après réaction

pH avant la réaction	pH après la réaction
1,0	....

Interprète les résultats

a. Quel est le pH de la solution obtenue après la réaction ?

b. Comment évolue la quantité d'ions hydrogène au cours de la réaction chimique ?

c. Précise si l'hypothèse de Yann est vérifiée.

23 Découvrir des ions spectateurs

Jeanne réalise l'attaque du fer par l'acide chlorhydrique. Elle effectue ensuite le test au nitrate d'argent sur l'acide chlorhydrique utilisé pour cette attaque (1) et sur la solution finale obtenue (2). Voici ce qu'elle observe :

a. Qu'observe-t-on dans chacun des cas ?

b. Quels sont les ions mis en évidence ?

c. Ces ions sont-ils des réactifs, des produits ou des ions spectateurs ?

🔍 **Coup de pouce :** des ions qui ne subissent pas de transformation chimique au cours d'une réaction sont dits spectateurs.

24 Tester les ions fer (II)

Vyncianne a effectué le test à la soude sur de l'acide chlorhydrique (1). Elle fait ensuite réagir cet acide chlorhydrique avec du fer. Elle effectue alors le test à la soude sur la solution obtenue (2). Voici ce qu'elle observe :

a. Qu'observe-t-on dans chacun des cas ?

b. Quels sont les ions mis en évidence ?

c. Ces ions sont-ils des réactifs ou des produits ? Justifie ta réponse.

25 Les matériaux Technologie

Les couverts en acier inoxydable sont constitués d'un alliage de 71,98 % de fer, 18 % de chrome, 10 % de nickel et 0,02 % de carbone. Ils ne sont pas attaqués par les aliments acides.

a. Rappelle si le métal fer est attaqué par les acides.

b. Déduis-en l'intérêt d'ajouter du chrome et du nickel au fer pour la fabrication des couverts.

26 Décrire l'évolution de la réaction

Voici les formules des substances consommées ou formées lors de la réaction entre le fer et l'acide chlorhydrique : H^+, H_2, Fe, Fe^{2+} et Cl^-.

a. Indique le nom de chaque substance.

b. Précise, pour chacune d'elles, si sa quantité augmente, diminue ou reste la même au cours de la réaction.

27 Contrôler l'acidité de l'eau

Le pH de l'eau du robinet doit être compris entre 6,5 et 8,5. Une eau de pH inférieur à 6,5 peut attaquer les tuyauteries métalliques, notamment celles contenant du fer. Plus le pH diminue, plus la corrosion est importante.

a. Quels sont les ions responsables de cette attaque ?

b. Que deviennent les atomes de fer lors de cette attaque ?

Sciences et culture

28 Lecture d'un Magazine

3 Les pluies acides

Il pleut de l'acide ! Oui, le truc que votre père utilise pour décaper les marches dans le jardin. Eh bien, parfois, il tombe du ciel. Heureusement, il est très dilué, ce qui évite de nous dissoudre à la première averse. Mais le phénomène est tout de même préoccupant. Tout ça, c'est la faute notamment des fumées d'usine : elles crachent de l'acide en kit ! Plus exactement, des oxydes de soufre et d'azote et du chlorure d'hydrogène qui se dissolvent dans l'air humide pour donner des acides sulfurique, nitrique et chlorhydrique. Un sinistre cocktail qui retombe sous forme de pluie, acidifiant au final la terre. Ce qui a des conséquences dramatiques pour la végétation. On le constate surtout dans les zones montagneuses (Centre et Sud de l'Allemagne ou certains secteurs des Vosges en France) où les sols, déjà pauvres, n'ont vraiment pas besoin de ça ! Les espèces les plus touchées sont les conifères et les résineux (voir photo), qui commencent par perdre leurs aiguilles. Et si l'acidité persiste, l'arbre meurt. Le bois n'est pas le seul à trinquer. Lorsque les pluies tombent dans les mares ou les étangs, ce n'est guère mieux. Première victime : les micro-organismes (algues, crustacés) à la base de la chaîne alimentaire. Sans eux, c'est tout l'écosystème aquatique qui péréclite, faute de nourriture. L'acide paralyse également les branchies des poissons, qui meurent asphyxiés. Un désastre qu'il est pourtant possible de limiter. La solution (partielle) s'appelle « filtres à particules ». Ils bloquent certains des éléments qui forment le « kit » de pollution, comme le dioxyde de soufre. Depuis les années 1990, les pays industrialisés équipent notamment les pots d'échappement des bus des transports en commun de tels filtres. Bon début, mais il faudrait aussi en installer sur les cheminées des usines. Et ça, ça coûte très cher.

Les conifères sont les plus touchées comme ici, dans les montagnes tchèques.

[SV]-SEPTEMBRE/07] **51**

Dans le magazine *Science et Vie Junior* de septembre 2007, tu peux découvrir les raisons pour lesquelles l'atmosphère souffre de la pollution. Par exemple, certaines usines rejettent du chlorure d'hydrogène.
Ce gaz se dissout dans l'eau de l'air humide pour donner de l'acide chlorhydrique, rendant ainsi les pluies acides.

1. Quel est le constituant de l'acide chlorhydrique responsable de son acidité ?

2. Que peut-il se passer si des pluies acides tombent sur un monument ou une structure en fer non protégé ?

29 Expérience à la Maison

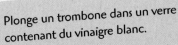

Plonge un trombone dans un verre contenant du vinaigre blanc.

1. Explique ce que met en évidence le dégagement gazeux observé.

2. Sachant que le vinaigre est une solution aqueuse acide, compare les quantités d'ions hydrogène et hydroxyde dans le vinaigre.

3. Sachant que le trombone est en fer galvanisé, c'est-à-dire recouvert d'une fine couche de zinc, déduis-en si le zinc tout comme le fer est attaqué par les solutions acides.

30 Problème de Société

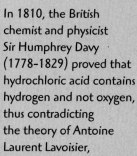

À la maison, l'acide chlorhydrique est un liquide corrosif très utilisé. Pourtant, il est toxique, irritant et peut provoquer de graves brûlures. Il est non combustible, mais la formation de dihydrogène en cas de contact avec certains métaux peut rendre l'atmosphère explosive.

1. Du dihydrogène se forme-t-il quand l'acide chlorhydrique réagit avec le fer ?

2. Quelles précautions faut-il prendre pour manipuler cet acide ?

31 Science in English

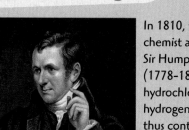

In 1810, the British chemist and physicist Sir Humphrey Davy (1778-1829) proved that hydrochloric acid contains hydrogen and not oxygen, thus contradicting the theory of Antoine Laurent Lavoisier, a famous French chimist.

1. In what form does hydrogen occurs in hydrochloric acid?

2. What is the other component of hydrochloric acid?

La boîte de conserve

Certains aliments, mis en conserve, baignent dans des solutions acides. Cela nécessite une protection particulière des boîtes de conserve. C'est ainsi que leur partie intérieure comporte un revêtement protecteur pour éviter l'attaque des acides sur l'acier de la boîte.

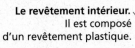

Le revêtement intérieur.
Il est composé d'un revêtement plastique.

Les aliments.
Ils baignent dans des conservateurs acides.

L'acier.
C'est un alliage de fer et de carbone.

Protège la planète

Une boîte de conserve met 50 à 100 ans pour se dégrader. Alors trie tes déchets et pense au recyclage !

Mène ton enquête

Matériel :

✓ Une solution d'acide chlorhydrique diluée
✓ Des gants et des lunettes
✓ Une boîte de conserve en acier
✓ Une pince coupante
✓ Un bocal en verre
✓ Du papier de verre

1. Découpe un morceau de la boîte de conserve.

2. Décape une partie du revêtement intérieur de la boîte.

3. Avec l'aide d'un adulte, verse l'acide chlorhydrique dans un bocal en verre. Plonge le morceau de boîte de conserve décapé dans l'acide.

4. Laisse agir quelques heures. Qu'observes-tu ?

5. Quelle est la partie attaquée par l'acide ? Quelle est la couleur de la solution ?

6. Quel est donc le rôle du revêtement plastique ?

💡 Coup de pouce

Les ions fer (II) donnent une légère couleur verte à la solution.

Technicien(ne) en traitement des matériaux

Le technicien en traitement des matériaux est chargé d'améliorer la résistance à l'usure des métaux utilisés dans la fabrication industrielle. Par exemple, dans l'industrie automobile, l'acier des carrosseries des voitures doit être protégé des attaques des acides ou de l'air par des traitements chimiques. On dépose dans ce but un revêtement (un autre métal, une peinture ou un vernis) sur la carrosserie. Une fine couche de quelques micromètres d'épaisseur suffit parfois !

La mission du technicien est de participer à l'élaboration et à la mise au point de traitements des matériaux. L'opérateur, lui, les met en œuvre.

Conseils : de solides bases en chimie et en métallurgie sont nécessaires ainsi que de la rigueur et l'amour de la précision. Les techniques et produits chimiques employés sont dangereux : il est impératif de respecter les règles de sécurité pour éviter les accidents !

Comment en savoir plus sur ce métier ?

ONISEP

www.onisep.fr/belin-pc-3e

Quelle orientation après la 3ᵉ ?

▶ Il est conseillé d'obtenir un **bac pro** en **lycée professionnel** ou en **Centre de formation d'apprentis** pour devenir opérateur. Un BEP des secteurs de la **chimie**, du **génie des matériaux** ou des **industries de procédés** est également possible.

▶ Pour être technicien, tu devras passer par un **bac (S ou STI)** en **lycée général et technologique**, ou alors continuer tes études après le bac pro.

Deviens géologue !

En visite à la Cité des sciences et de l'industrie à Paris, Sophie observe l'animateur de géologie qui fait réagir quelques gouttes d'acide chlorhydrique sur une roche calcaire : des bulles apparaissent. Ce test permet de reconnaître simplement les roches calcaires. Elle lui demande si le gaz formé est le même que celui produit lors de la réaction de l'acide chlorhydrique sur le fer. L'animateur lui propose alors de réaliser une expérience avec le matériel à sa disposition pour répondre elle-même à la question.

Peux-tu aider Sophie ?
Détaille ta méthode et donne le résultat attendu.

5

Objectifs

▶ Réaliser, décrire et schématiser la réaction entre le sulfate de cuivre et le zinc

▶ Savoir qu'une pile convertit de l'énergie chimique en énergie électrique

Pile électrochimique et énergie chimique

Situation 1

Un feu de cheminée libère de l'énergie, nous permettant de nous réchauffer.

Selon toi, d'où provient cette énergie ?

Simone se réchauffe près d'un feu de cheminée.

Des piles usagées.

Situation **2**

Les fabricants et importateurs de piles ont l'obligation de récupérer les piles et accumulateurs usés, c'est-à-dire qui ne fournissent plus d'énergie électrique.

Selon toi, comment une pile s'use-t-elle ?

J'expérimente pour répondre

Activité 1

Plonger du zinc dans une solution de sulfate de cuivre   p. 72

Activité 2

Réaliser une pile   p. 73

Une réaction chimique transforme-t-elle de l'énergie ?

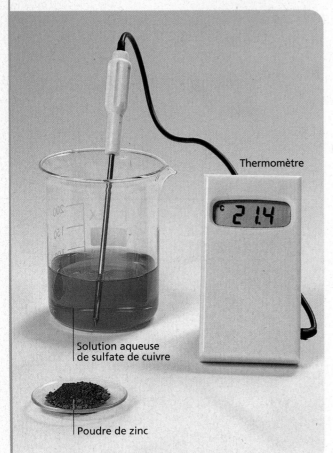

Thermomètre

Solution aqueuse de sulfate de cuivre

Poudre de zinc

On a versé la poudre de zinc dans le becher

 Mesure de la température lors de la mise en contact du métal zinc avec une solution aqueuse de sulfate de cuivre. Ce sont les ions cuivre (II) qui rendent la solution bleue.

Dépôt rouge

 Observation du mélange après quelques minutes.

Guide de travail

1. Quelles observations montrent qu'une réaction chimique a lieu entre le métal zinc et les ions cuivre (II) (doc 1 et 2).

2. Écris le bilan de la réaction chimique qui a eu lieu.

3. Quelle forme d'énergie est libérée lors de cette réaction chimique (doc 1) ?

4. Selon toi, d'où provient cette énergie ?

Conclusion **Une réaction chimique transforme-t-elle de l'énergie ?**

Sois critique Pour quelle raison le mélange de métal zinc et de solution de sulfate de cuivre finit par ne plus libérer d'énergie ?

D'où provient l'énergie d'une pile électrochimique ?

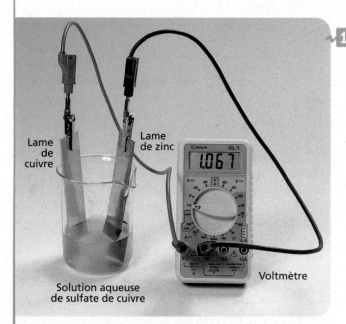

1 **Mesure de la tension** aux bornes d'une pile électrochimique cuivre/zinc. Cette pile est constituée d'une lame de cuivre et d'une lame de zinc plongées dans une solution aqueuse de sulfate de cuivre.

Lame de cuivre

Lame de zinc

Voltmètre

Solution aqueuse de sulfate de cuivre

Au bout de quelques heures

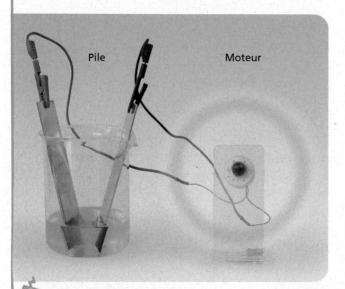

Pile

Moteur

2 **Moteur branché aux bornes d'une pile cuivre/zinc.**
Une réaction chimique a lieu :
les réactifs de cette pile sont
le métal zinc et les ions cuivre (II)
de la solution bleue.

Guide de travail

1. Existe-t-il une tension électrique entre la lame de cuivre et la lame de zinc plongées dans la solution de sulfate de cuivre (doc 1) ?

2. Quelle forme d'énergie reçoit le moteur (doc 2) ?

3. Selon toi, d'où provient cette énergie ?

4. Explique pourquoi la pile cesse de fonctionner (doc 2).

Conclusion **D'où provient l'énergie d'une pile ?**

Sois critique Selon toi, que faut-il faire pour que le moteur tourne plus longtemps ?

1. Réaction chimique et transformation d'énergie

L'**énergie chimique** contenue dans les **réactifs** peut se transformer en d'autres formes d'énergie lors d'une **réaction chimique**.

Expérience Activité 1 p. 72

On met en contact de la poudre de **zinc** et une solution aqueuse de **sulfate de cuivre**. On mesure l'évolution de la température du mélange (**doc 1**).

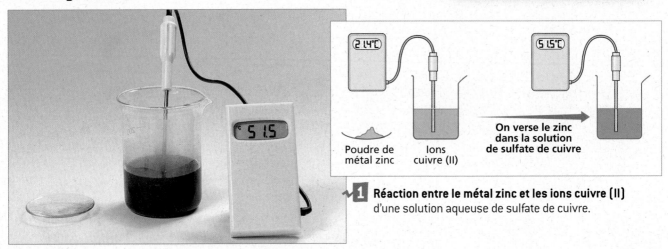

1 **Réaction entre le métal zinc et les ions cuivre (II)** d'une solution aqueuse de sulfate de cuivre.

Observation et interprétation

● À la fin de la réaction, on observe une nette atténuation de la couleur bleue de la solution de sulfate de cuivre et un dépôt rouge : des ions cuivre (II) ont été consommés et du métal cuivre a été formé. Une transformation chimique a eu lieu.

● La température augmente lors de la réaction donc de l'**énergie thermique** est libérée. Elle provient de la transformation de l'énergie chimique contenue dans les réactifs.

Conclusion

Pour t'entraîner ▶ **Exercices 13 et 14 p. 79**

■ L'**énergie chimique** contenue dans les **réactifs** peut se transformer en d'autres formes d'énergie.

■ La **réaction chimique** entre de la poudre de zinc et une solution aqueuse de sulfate de cuivre transforme l'**énergie chimique** de ces réactifs en **énergie thermique**.

2 **Exemple.** Lors de cette combustion du méthane, l'énergie chimique est transformée en énergie thermique, mise à profit pour le chauffage.

2. La pile électrochimique

Une **pile électrochimique** est un appareil qui transforme une partie de l'**énergie chimique** des réactifs en **énergie électrique** lors d'une **réaction chimique**.

Mots importants

- Pile électrochimique, réaction chimique
- Énergie chimique, énergie électrique
- Réactif, usure

➤ Voir Mini Dico p. 232

Expérience `Activité 2 p. 73`

On réalise une pile électrochimique cuivre/zinc. Dans une première expérience, on branche un voltmètre aux bornes de la pile. Dans une seconde expérience, on branche un moteur aux bornes de la pile (**doc 3**).

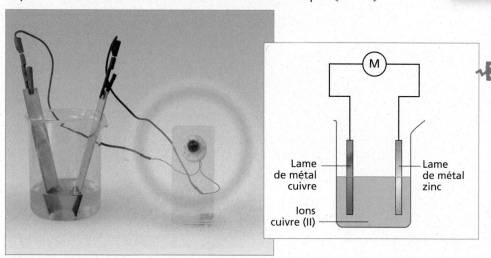

3 Moteur branché aux bornes de la pile cuivre/zinc.

M

Lame de métal cuivre

Lame de métal zinc

Ions cuivre (II)

Observation et interprétation

● Le voltmètre indique une tension entre les deux lames métalliques donc on a fabriqué une pile électrochimique.

● Le moteur tourne donc il reçoit de l'énergie électrique. Cette énergie provient de la transformation de l'énergie chimique contenue dans les réactifs de la pile électrochimique. Quand un des **réactifs** de la pile est entièrement consommé, la tension entre les deux lames devient nulle : la pile est **usée**.

Conclusion

Pour t'entraîner ▶ Exercices 15 et 20 p. 79 et 80

■ **Dans une pile électrochimique, l'énergie électrique libérée résulte d'une réaction chimique.**

■ **La consommation des réactifs d'une pile électrochimique entraîne son usure.**

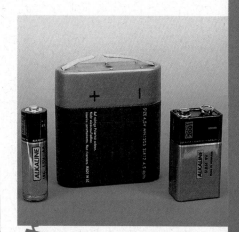

4 **Exemple.** Ces piles, lorsqu'elles fonctionnent, transforment une partie de l'énergie chimique en énergie électrique.

Documents

Piles salines ou alcalines ?

En 1867, Georges Leclanché conçoit une pile en utilisant deux réactifs solides plongeant dans une solution « saline », c'est-à-dire contenant des ions. Vingt ans plus tard, la pile sèche voit le jour : la solution saline est gélifiée et il n'y a pas de liquide dans cette pile.

Les piles salines sont aujourd'hui concurrencées par les piles alcalines qui s'usent moins vite et sont plus adaptées aux besoins actuels.

✔ Construis un tableau comparatif de deux piles LR6 saline et alcaline. Fais-y figurer : nom ou formule des réactifs, nom ou formule de l'électrolyte, tension délivrée, durée d'utilisation, prix à l'unité.

✔ La réaction chimique est-elle différente dans ces deux piles ?

✔ Laquelle présente le meilleur rapport qualité/prix ?

● **Pour trouver tes réponses.**
Recherche les informations sur des encyclopédies et sur www.corepile.fr, les schémas de ces piles peuvent t'aider.

● **Présente tes résultats.** Insère un tableau de 3 colonnes et 6 lignes dans un document texte.

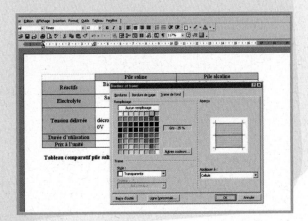

Technologie

Les accumulateurs

En chargeant l'accumulateur d'un portable, on provoque des transformations chimiques.

Les accumulateurs, appelés habituellement « batteries » ou « piles rechargeables », fournissent de l'énergie comme les piles : des réactions transforment l'énergie chimique de leurs constituants en énergie électrique quand ils sont branchés dans un circuit. Si une pile est usée et doit être remplacée lorsque tous les réactifs ont réagi, l'accumulateur, lui, peut être « rechargé » et réutilisé. Lors de sa recharge, les espèces chimiques de départ se reconstituent et l'énergie électrique fournie par le chargeur se transforme en énergie chimique. Les accumulateurs peuvent donc stocker de l'énergie. Ils sont utilisés par exemple pour accumuler l'énergie électrique de capteurs solaires le jour et la restituer de nuit. Ils servent également de générateurs transportables dans les voitures électriques ou les téléphones portables.

Questions

1. Un accumulateur est-il un dispositif électrochimique ?

2. Quelle est la différence entre les piles et les accumulateurs ?

3. Durant la charge d'une « batterie », cette dernière fonctionne-t-elle en générateur ou en récepteur ?

4. À quoi sert l'accumulateur équipant les bornes de secours d'autoroute, qui utilisent pourtant des capteurs solaires ?

Je révise **Pile électrochimique et énergie chimique**

Je dois connaître

▌ Les **espèces chimiques** présentes dans une pile contiennent de **l'énergie chimique** dont une partie est transformée en d'autres formes d'énergie lorsqu'elle fonctionne.

▌ L'**énergie** mise en jeu dans une **pile** provient d'une **réaction chimique** : la **consommation des réactifs** entraîne l'**usure** de la pile.

Je dois être capable de

▌ **Réaliser, décrire et schématiser** la réaction entre une solution aqueuse de sulfate de cuivre et de la poudre de zinc.

▌ **Interpréter l'échauffement** du milieu réactionnel comme le résultat de la conversion d'une partie de l'énergie chimique des réactifs en énergie thermique.

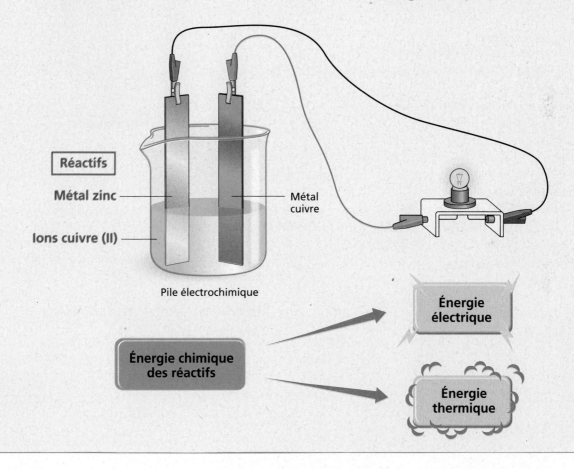

Réactifs

Métal zinc

Métal cuivre

Ions cuivre (II)

Pile électrochimique

Énergie chimique des réactifs

Énergie électrique

Énergie thermique

Je m'évalue **Socle commun**

1 La réaction chimique entre de la poudre de zinc et une solution aqueuse de sulfate de cuivre transforme l'énergie .... de ces réactifs en énergie ....

2 Les espèces chimiques présentes dans une pile contiennent de l'énergie .... dont une partie est transformée en d'autres .... d'énergie lorsqu'elle fonctionne.

3 L'énergie mise en jeu dans une pile provient d'une réaction .... : la consommation des réactifs entraîne .... de la pile.

▶ Réponses en fin de manuel, p. 236

Exercices

4 Réaliser la réaction entre les ions cuivre et le zinc

Retrouve l'ordre chronologique des étapes illustrant la réaction entre les ions cuivre (II) et le zinc.

5 Décrire la réaction entre les ions cuivre et le zinc

Recopie les phrases suivantes en choisissant les bonnes propositions.
Lors de la réaction entre les ions cuivre (II) et le zinc :
a. la température *augmente / diminue* ;
b. la couleur bleue de la solution *s'atténue / s'accentue* ;
c. le métal zinc se recouvre d'un dépôt *rouge / noir*.

6 Schématiser la réaction entre les ions cuivre et le zinc

À partir de ces photographies, réalise les schémas annotés du début (1) et de la fin (2) de la réaction entre les ions cuivre et le zinc.

7 Interpréter l'échauffement du milieu réactionnel

Sachant que la température augmente lors de la réaction entre les ions cuivre (II) et le zinc, recopie et complète les phrases avec les mots suivants :
chimique, thermique.
a. Les réactifs contiennent de l'énergie ....
b. Une partie de l'énergie des espèces chimiques est transformée en énergie ....
c. La réaction transforme l'énergie .... des espèces chimiques de la pile en énergie ....

8 Savoir qu'une pile contient de l'énergie

Une pile contient de l'énergie :
a. électrique ;   **b.** chimique ;   **c.** thermique.

9 Savoir qu'une pile est une source d'énergie

Sous quelle forme une pile apporte t-elle de l'énergie lorsqu'elle alimente la lampe de poche ?

10 Expliquer la pile. Vrai ou Faux.

a. Les espèces chimiques présentes dans une pile contiennent de l'énergie électrique.
b. L'énergie mise en jeu dans une pile provient d'une réaction chimique.
c. Une pile est usée quand ses réactifs sont consommés.
d. Une pile en fonctionnement transforme de l'énergie chimique en énergie électrique.

11 Trouver les mots-clés du chapitre

Recopie et complète la grille.

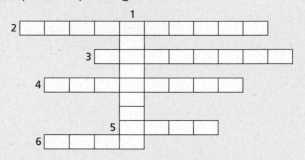

1. Forme d'énergie mise en évidence par l'échauffement de la pile en fonctionnement.
2. Forme d'énergie fournie par une pile et pouvant faire briller une lampe.
3. Origine de la transformation de l'énergie chimique en d'autres formes d'énergie dans une pile.
4. Forme d'énergie stockée dans une pile.
5. État de la pile quand ses réactifs sont consommés.
6. Objet stockant de l'énergie chimique et fournissant de l'énergie électrique.

12 Apprendre à rédiger un exercice

> **Énoncé**

Rachida verse une solution de sulfate de cuivre sur de la poudre de zinc. Initialement, la solution est bleue et la température vaut 20 °C. Au bout de quelques minutes, voici ce qu'elle observe :

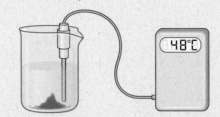

a. Quelles observations montrent qu'une réaction chimique a lieu ?
b. Quelle observation montre que de l'énergie thermique a été produite ?
c. D'où provient cette énergie thermique ?
d. Sous quelle forme l'énergie est-elle stockée dans les réactifs ?

> **Rédaction de la solution**

a. La décoloration de la solution et le dépôt rouge sur le zinc montrent qu'une réaction chimique a lieu.
b. L'augmentation de la température montre que de l'énergie thermique a été produite.
c. L'énergie thermique provient de la transformation de l'énergie chimique au cours de la réaction chimique.
d. L'énergie est stockée sous forme d'énergie chimique dans les réactifs.

▶ Pour t'entraîner : exercice 14

13 Rectifier une expérience

Il ne se passe rien !

Pas étonnant ! Tu as pris une lame de cuivre et une solution de sulfate de zinc !

Schématise l'expérience que Kevin doit réaliser s'il veut qu'une réaction chimique ait lieu entre une lame métallique et des ions métalliques.

14 Interpréter l'échauffement

Observe l'expérience schématisée ci-dessous :

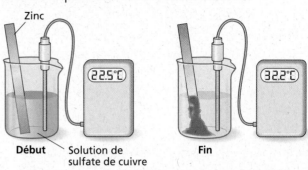

Zinc

22.5°C   32.2°C

Début   Solution de sulfate de cuivre   **Fin**

a. La plaque de zinc réagit-elle avec la solution de sulfate de cuivre ? Justifie ta réponse.
b. Quelle conversion d'énergie est mise en évidence par l'échauffement observé ?

15 ★ Pile à combustible [EDD]

La pile à combustible utilise comme réactifs du dihydrogène et du dioxygène, gaz non polluants. Ces piles à combustible permettraient de ne plus utiliser les moteurs à carburants, trop polluants.
Le bilan de la réaction chimique qui permet de produire de l'électricité est : $2H_2 + O_2 \longrightarrow 2H_2O$

Pile à combustible

a. Nomme les réactifs de la pile.
b. Explique pourquoi cette pile n'est pas polluante quand elle fonctionne.
c. Indique pourquoi une pile à combustible ne s'use pas.

16 Besoins en énergie de l'organisme [SVT]

Dans le corps humain, les réactions chimiques entre les nutriments et le dioxygène libèrent de l'énergie. Une partie est utilisée par les organes pour leur fonctionnement, l'autre partie est transformée en énergie thermique.
a. D'où provient l'énergie libérée lors de la réaction chimique ?
b. Sous quelle forme cette énergie est-elle stockée avant la réaction chimique ?
c. Comment se manifeste la transformation en énergie thermique ?

17 La démarche d'investigation

Étudier une pile

Le problème à résoudre

Shaïma veut savoir si une pile électrochimique est une source d'énergie.

L'hypothèse proposée

Shaïma sait que si une lampe brille, c'est parce qu'elle reçoit de l'énergie électrique. Elle pense qu'en branchant une lampe aux bornes d'une pile électrochimique, la lampe peut briller.

L'expérience réalisée

Shaïma branche une lampe aux bornes de deux piles électrochimiques branchées en série.

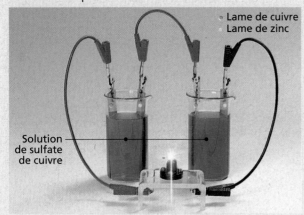

Lame de cuivre
Lame de zinc

Solution de sulfate de cuivre

Interprète les résultats

a. Quelle est l'hypothèse de Shaïma ? Est-elle juste ?
b. À ton avis, sous quelle forme l'énergie est-elle stockée dans la pile ?

18 ★ Apports énergétiques équilibrés `Santé`

Les apports alimentaires d'une personne doivent environ correspondre à ses besoins énergétiques. Les aliments sont classés en six groupes qu'il faut consommer chaque jour : protides, sucres lents (glucides), sucres rapides (glucides), lipides (graisses), légumes et fruits, eau.

a. Par quoi est apportée l'énergie nécessaire à la vie d'une personne ?
b. Sous quelle forme l'énergie est-elle stockée dans les aliments ?

19 Exploiter des données `B2i`

a. Saisis l'adresse :
www.ostralo.net/3_animations/swf/pile.swf
b. Lance l'animation de la pile Daniell.
c. Quels sont les réactifs à l'origine du déplacement des électrons ?
d. Par quelle lame métallique sort le courant électrique ?

20 ★ Comprendre l'usure d'une pile

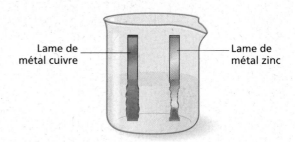

Lame de métal cuivre

Lame de métal zinc

Explique pourquoi cette pile cuivre/zinc est usée.

21 Utiliser un réveil à eau

Réservoirs d'eau

Pour faire fonctionner ce réveil, il suffit de l'arroser ! Dès que l'eau entre en contact avec les deux lames métalliques placées chacune dans un réservoir, une réaction chimique a lieu.
a. Quelle forme d'énergie est libérée au cours de la réaction chimique ?
b. D'où provient cette énergie ?

22 Environnement et énergie `Technologie`

Le chargeur de piles rechargeables utilise l'énergie électrique. Sous quelle forme l'énergie électrique est-elle transformée et stockée dans les piles ?

23 Expérience à la Maison

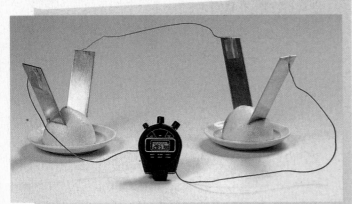

Fabrique une pile avec un citron ! Pour cela, plante dans deux demi-citrons, une lame de cuivre et une lame de zinc. Relie une lame de zinc à une lame de cuivre. La pile est prête et peut faire fonctionner un chronomètre par exemple !

1. D'où provient l'énergie électrique qui fait fonctionner le chronomètre ?

2. Sous quelle forme l'énergie est-elle stockée dans la pile au citron ?

25 Lecture d'un Magazine

Dans le magazine *Science et Vie Junior* de juillet 2007, tu peux découvrir la future batterie : légère, rechargeable en quelques secondes et pour longtemps. Elle convertit en énergie électrique l'énergie chimique stockée dans des minuscules filaments de carbone.

1. Sous quelle forme l'énergie est-elle stockée dans une batterie ?

2. Une pile électrochimique stocke-t-elle de l'énergie électrique ?

24 Problème de Société

Les piles contiennent des métaux lourds et toxiques pour l'environnement et la santé (nickel, cadmium, mercure, plomb, fer, zinc, calcium, aluminium, magnésium, lithium). Le recyclage des piles permet de récupérer des métaux réutilisables et d'éviter une pollution de l'eau et/ou des sols.

1. Ces métaux contiennent de l'énergie. Sous quelle forme ?

2. Comment cette énergie est-elle convertie en énergie électrique ?

26 Science in English

In 1800, the Italian physicist Alessandro Volta (1745–1827) invented the electric battery, also called voltaic (or Volta's) pile. It consisted of a stack of metal discs.

1. What are the metals used in the voltaic pile ?

2. A piece of paper soaked with salt water and put between each disc starts a chemical reaction. What form of energy does this reaction release ?

Un objet

La pile saline 4,5 V

Depuis leur invention, les piles salines ont été vendues à des milliards d'exemplaires. Ce sont des sources portables de courant électrique. Le courant résulte d'une réaction chimique qui a lieu dans la pile. Que contient une pile et comment fonctionne-t-elle ?

Le pôle négatif de la pile.
Il est relié au corps en zinc d'un des trois éléments de la pile.

Le pôle positif de la pile.
Il est relié à une tige de carbone plongée dans une poudre noire de dioxyde de manganèse et de charbon.

L'enveloppe en plastique de la pile.
Elle protège les trois éléments de la pile. Ces derniers sont montés en série et délivrent une tension de 1,5 V chacun.

La poudre noire de dioxyde de manganèse.
C'est un des réactifs de la pile. Ce dernier réagit avec l'autre réactif de la pile, le zinc.

Le corps métallique en zinc.
C'est un des réactifs de la pile. Ce dernier réagit avec l'autre réactif de la pile, le dioxyde de manganèse.

Ne jette pas les piles à la poubelle ! Dépose-les dans un bac de récupération pour qu'elles soient recyclées.

Mène ton enquête

Matériel :

✓ Une pile 4,5 V saline usagée
✓ Une pince coupante et une scie à métaux
✓ Une paire de gants en latex

1. De quoi la pile est-elle constituée ? Quelle est la tension entre les bornes de l'un des trois éléments de la pile ?

2. Scie une des piles 1,5 V. Quelle est la nature de la poudre noire qui apparaît ?

3. Nomme les réactifs de la pile.

4. Quand est-ce que la pile est usée ? Est-ce le cas pour la pile que tu as démontée ?

5. Sous quelles formes se retrouve l'énergie libérée par la réaction chimique ?

💡 **Coup de pouce**

Une pile est usée lorsqu'un de ses réactifs a disparu.

Ingénieur(e) recherche et développement

Nouveaux produits, nouveaux emballages, nouveaux procédés de fabrication... l'ingénieur recherche et développement, encore appelé ingénieur R & D, a un mot d'ordre : innover ! Son travail commence au laboratoire, se poursuit par l'élaboration de prototypes et se termine par des essais à l'échelle industrielle. Il est un leader créatif doublé d'un technicien compétent : sur lui repose l'avenir des entreprises de technologies de pointe. Dans le domaine des piles à combustible, son enjeu est de taille : ces piles permettraient de ne plus utiliser les voitures essence ou diesel, trop polluantes.

Conseils : des qualités d'expression et un esprit de synthèse sont indispensables. La maîtrise de l'anglais est obligatoire, les deux tiers des publications de recherche étant rédigées dans cette langue.

Pile à combustible

Comment en savoir plus sur ce métier ?

ONISEP

www.onisep.fr/belin-pc-3e

Quelle orientation après la ?

▶ Les études sont longues : 8 ans au minimum après la 3e ! Après une classe de seconde dans un **lycée général et technologique**, on prépare un **bac Scientifique (S)**. Puis les études durent encore 5 ans. Il faut avoir d'excellents résultats en sciences comme dans toutes les matières et surtout aimer apprendre.

Invente une pile à la patate !

Cet été, Maxime a bricolé une pile au centre aéré : il a planté un fil électrique en cuivre et un trombone galvanisé (recouvert de zinc) dans une pomme de terre. Avec deux de ces piles, il a pu faire fonctionner une petite horloge électronique. Mais pourquoi du cuivre et du zinc et pas seulement du cuivre ? Et pourquoi pas du fer ? La pomme de terre est-elle utile parce que c'est un légume, parce qu'elle contient de l'eau, des sels minéraux ? Aucune réponse ne lui a été donnée !

En mesurant la tension de plusieurs piles de ton invention, arriveras-tu à justifier le choix du cuivre et du zinc, ainsi que celui de la pomme de terre ?

Synthèse d'espèces chimiques

▶ Connaître l'intérêt
de synthétiser
des espèces chimiques

▶ Savoir respecter
le protocole de synthèse
d'une espèce chimique

Situation 1

L'arôme naturel
de banane résulte d'un
mélange complexe de
plus de 300 molécules.

À ton avis, les chimistes
peuvent-ils reproduire
l'arôme de banane ?

Régime de bananes dans une plantation
près de Trois-Rivières (Guadeloupe).

Usine de production de bas nylon dans les années 40.

Situation 2

De nouveaux matériaux ont été inventés dans les années 30 et 40, comme le polystyrène, ou le nylon.

À ton avis, pourquoi les molécules qui constituent ces matériaux sont dites artificielles ?

J'expérimente pour répondre

Activité 1
Fabriquer l'arôme de banane   p. 86

Activité 2
Fabriquer du nylon   p. 87

Peut-on synthétiser une espéce chimique existant dans la nature?

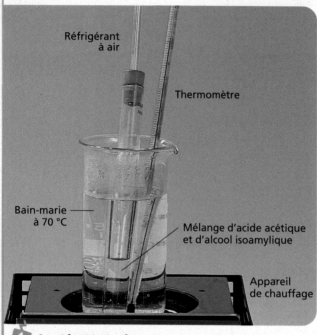

Réfrigérant à air

Thermomètre

Bain-marie à 70 °C

Mélange d'acide acétique et d'alcool isoamylique

Appareil de chauffage

1 Synthèse de l'acétate d'isoamyle. On chauffe un mélange d'acide acétique et d'alcool isoamylique contenu dans un tube à essai qui est agité régulièrement afin que les réactifs se mélangent bien.

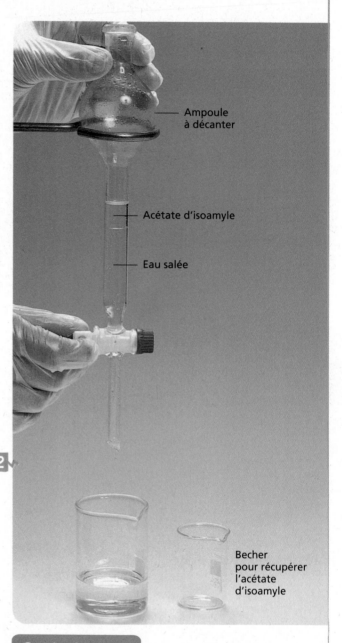

Ampoule à décanter

Acétate d'isoamyle

Eau salée

Becher pour récupérer l'acétate d'isoamyle

Récupération de l'acétate d'isoamyle par décantation. 2 Le mélange obtenu après le chauffage est versé dans une ampoule à décanter contenant de l'eau salée. Après agitation, puis décantation, on récupère l'acétate d'isoamyle, à forte odeur de banane, dans le becher.

⚠ Attention

Solutions corrosives   Sécurité

Les substances utilisées sont **corrosives** : travailler en milieu aéré et porter des **lunettes** et des **gants** de protection.

Vocabulaire

● **Synthèse d'espèces chimiques** : obtention d'espèces chimiques à partir d'autres espèces, grâce à une réaction chimique effectuée en laboratoire ou dans une usine.

● **Naturel** : qui existe dans la nature.

Guide de travail

1. Nomme les réactifs utilisés pour la synthèse de l'acétate d'isoamyle (doc 1).

2. Quelle est l'odeur de l'acétate d'isoamyle (doc 2) ?

3. Quelle espèce chimique naturelle a-t-on synthétisé ?

Conclusion Peut-on synthétiser une espèce chimique existant dans la nature ?

Sois critique Selon toi, quelle est la différence entre l'arôme naturel de banane et l'arôme de synthèse ?

Peut-on synthétiser une espèce chimique n'existant pas dans la nature?

Adipoyle dichlorure dissous dans le cyclohexane

Hexaméthylène diamine dissous dans de l'eau colorée

Nylon

1 **Synthèse du nylon : mise en contact des réactifs.**
La solution d'adipoyle dichlorure est versée doucement le long de la baguette de verre sur la solution d'hexaméthylène diamine.

2 **Synthèse du nylon : récupération du produit.**
Le fil de nylon formé est tiré avec un crochet puis enroulé autour d'une baguette. Après épuisement des réactifs, le nylon est lavé à grande eau puis séché.

⚠ Attention

Solutions corrosives **Sécurité**

Les substances utilisées sont **corrosives** : travailler en milieu aéré et porter des **lunettes** et des **gants** de protection.

Vocabulaire

▶ **Artificiel** : qui n'existe pas dans la nature.

Guide de travail

1. Nomme les réactifs utilisés pour la **synthèse** du nylon (doc 1).

2. Quelle espèce chimique **artificielle** a-t-on synthétisé (doc 2) ?

3. Quand cesse la réaction de synthèse du nylon dans le becher ?

Conclusion **Peut-on synthétiser une espèce chimique n'existant pas dans la nature ?**

Sois critique Selon toi, quel est l'intérêt de synthétiser de nouvelles espèces chimiques ?

1. La synthèse d'espèces naturelles

● Une des activités principales de la chimie consiste à **synthétiser**, c'est-à-dire fabriquer des substances chimiques à partir d'autres. Pour cela un **protocole** bien précis doit être suivi : il s'agit d'un ensemble des consignes à respecter. Les chimistes sont ainsi capables de fabriquer des **espèces chimiques naturelles**, existant déjà dans la nature.

● Cette synthèse chimique coûte moins cher que l'extraction du produit naturel. De plus, elle permet d'obtenir des substances chimiques en grande quantité à tout moment et sans surexploiter la nature.

Expérience   Activité 1 p. 86

On souhaite synthétiser l'**acétate d'isoamyle**, molécule qui contribue à l'arôme de banane, en respectant un **protocole** bien précis : de l'**acide acétique** et de l'**alcool isoamylique** sont mélangés et chauffés, et les vapeurs formées sont condensées dans un réfrigérant (**doc 1**).

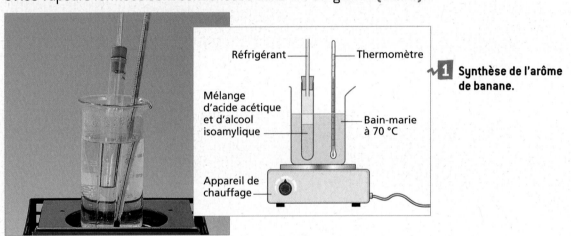

Réfrigérant — Thermomètre

Mélange d'acide acétique et d'alcool isoamylique

Bain-marie à 70 °C

Appareil de chauffage

1 **Synthèse de l'arôme de banane.**

Observation et interprétation

Après réaction, l'acétate d'isoamyle obtenu, insoluble dans l'eau salée, est séparé par décantation dans une ampoule à décanter.

Conclusion

Pour t'entraîner ▶ **Exercices 6 et 15 p. 92 et 93**

■ La **synthèse d'espèces chimiques existant dans la nature** permet d'en obtenir plus facilement et pour moins cher.

■ La synthèse de l'**acétate isoamylique**, molécule odorante de la banane, nécessite le **respect** d'un **protocole** bien précis. Les réactifs sont l'**acide acétique** et l'**alcool isoamylique**.

2 **Exemple.** Les gousses de vanille contiennent de la vanilline, une espèce chimique que les chimistes savent synthétiser.

2. La synthèse d'espèces artificielles

● La chimie permet de synthétiser des **espèces chimiques artificielles**, n'existant pas dans la nature. Le **nylon, matière plastique** constituée de **macromolécules**, c'est-à-dire de très grandes molécules, en est un exemple.

● L'intérêt de fabriquer de nouvelles espèces chimiques est d'améliorer les conditions de vie dans de nombreux domaines tels que la santé et l'alimentation. Par exemple, les matières plastiques, légères, imperméables, recyclables et pratiquement incassables ont permis d'améliorer, entre autres, l'emballage des aliments.

Mots importants

— Espèce chimique artificielle
— Nylon, hexaméthylène diamine, adipoyle dichlorure
— Matière plastique, macromolécule

➤ Voir Mini Dico p. 232

Expérience Activité 2 p. 87

On souhaite synthétiser du nylon en respectant un protocole bien précis : l'**adipoyle dichlorure** et l'**hexaméthylène diamine**, dissous dans un solvant, sont mis en contact délicatement (**doc 3**).

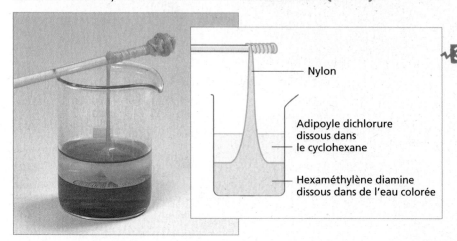

— Nylon

— Adipoyle dichlorure dissous dans le cyclohexane

— Hexaméthylène diamine dissous dans de l'eau colorée

3 **La synthèse du nylon.**

Observation et interprétation

La synthèse se poursuit jusqu'à épuisement d'un des deux réactifs. Les molécules des réactifs se lient et forment une très grande molécule de nylon.

Conclusion

Pour t'entraîner ▶ **Exercices 14 et 21 p. 93 et 94**

■ **La synthèse d'espèces chimiques n'existant pas dans la nature** permet d'améliorer les conditions de vie.

■ **La synthèse du nylon au laboratoire** s'effectue selon un protocole précis. Les réactifs sont l'**adipoyle dichlorure** et l'**hexaméthylène diamine**.

■ Le **nylon**, comme toutes les **matières plastiques**, est constitué de **macromolécules**.

4 **Exemple.** Les matières plastiques sont faites de macromolécules inventées par les chimistes. Elles n'existent pas dans la nature.

Chimie et fibres textiles

L'industrie textile illustre bien la créativité de la chimie. Depuis l'invention du nylon en 1935, une grande variété de fibres textiles ont été créées. Les nouveaux textiles artificiels sont légers, élastiques, biodégradables certains changent de couleur avec la température ou bien contiennent des circuits électriques... Les fibres artificielles sont savamment mélangées avec les fibres naturelles pour obtenir des textiles possédant de meilleures qualités.

✔ Dans le cadre d'une exposition, crée trois affiches : l'une détaillant une fibre naturelle et les deux autres consacrées à des fibres synthétiques. On devra y trouver :
- Son nom et sa nature.
- Son origine, ses propriétés et ses principales utilisations.
- Un échantillon et (ou) une illustration.

internet

● **Recherche le nom des fibres** utilisées sur les étiquettes de tes vêtements.

● **Trouve tes informations** sur une encyclopédie en ligne. Attention, toute reproduction d'un texte ou d'une image est interdite sans l'accord de son auteur. Utilise-les pour réaliser un travail personnel !

● **Crée un modèle d'affiche** que tu pourras réutiliser pour faire les autres affiches.

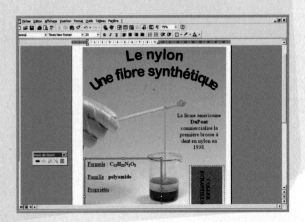

Les OGM

L'impact de la culture du maïs transgénique sur l'environnement est mal connu.

En agriculture, la sélection des espèces se fait traditionnellement par la reproduction des individus les plus performants. Les gènes les plus intéressants sont ainsi transmis, génération après génération. La découverte de la molécule d'ADN, qui contient l'information génétique de chaque cellule, a révolutionné ces méthodes. Il est désormais possible de transférer à des individus des gènes directement par des manipulations en laboratoire, parfois même entre espèces : on obtient alors ce qu'on appelle des organismes génétiquement modifiés (ou OGM). Ainsi, certaines plantes OGM sont capables de produire elles-mêmes un insecticide, tandis que des vaches pourraient produire du lait proche du lait humain, et que des plants de tabac « reprogrammés » pourraient synthétiser une molécule utile contre le cancer...

Toutefois, l'intervention de l'Homme dans les transformations biologiques du vivant pose de nombreuses questions : les OGM dans les aliments présentent-ils un danger ? Ne vont-ils pas modifier l'équilibre fragile de la nature ? Les gènes mutants peuvent-ils contaminer d'autres espèces ?

Questions

1. Que signifie l'abréviation OGM ?

2. Les OGM sont-ils des organismes naturels ou artificiels ? Justifie ta réponse.

3. Quelle molécule géante de la cellule contient l'information génétique (les gènes) ?

4. Quels sont les risques possibles d'une plante transgénique cultivée en plein champ ?

Je révise · La synthèse d'espèces chimiques

Je dois connaître

▌ La **synthèse** d'espèces chimiques **existant dans la nature** permet de les obtenir plus facilement, pour moins cher et en plus grande quantité.

▌ La **synthèse** d'espèces chimiques **n'existant pas dans la nature** permet d'améliorer **les conditions de vie**.

▌ Le nylon, comme toutes les **matières plastiques**, est constitué de **macromolécules**.

Je dois être capable de

▌ **Respecter le protocole** de la synthèse de l'**acétate d'isoamyle**.

▌ **Respecter le protocole** de la synthèse du **nylon**.

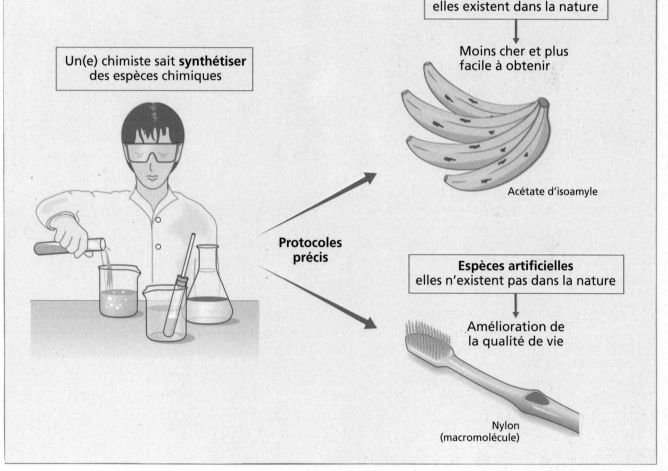

Un(e) chimiste sait **synthétiser** des espèces chimiques

Protocoles précis

Espèces naturelles
elles existent dans la nature

Moins cher et plus facile à obtenir

Acétate d'isoamyle

Espèces artificielles
elles n'existent pas dans la nature

Amélioration de la qualité de vie

Nylon (macromolécule)

Je m'évalue — Socle commun

1 La synthèse d'espèces chimiques existant dans la nature permet ....

2 L'alcool isoamylique et l'acide acétique sont les .... de la synthèse de l'acétate d'isoamyle qui sent la banane.

3 Pour réaliser une synthèse, il faut respecter un ....

4 La synthèse d'espèces chimiques n'existant pas dans la nature permet ....

▶ Réponses en fin de manuel, p. 236

Exercices

5 Synthétiser des espèces chimiques existant dans la nature

Recopie les phrases suivantes en choisissant les bonnes propositions.
La synthèse d'espèces chimiques existant dans la nature :
a. coûte *plus / moins* cher que l'extraction du produit naturel.
b. *garantit / ne garantit pas* la disponibilité de ces espèces chimiques.

6 Respecter le protocole de la synthèse de l'acétate d'isoamyle

Alcool isoamylique
+ acide acétique

Eau à 70 °C

Le montage ci-contre est réalisé selon le protocole de la synthèse de l'acétate d'isoamyle.
a. Donne le nom des réactifs à utiliser.
b. Faut-il chauffer le mélange de réactifs ?
c. Doit-on utiliser un réfrigérant ?

7 Synthétiser des espèces chimiques n'existant pas dans la nature. QCM

Choisis la ou les bonnes réponses. La synthèse d'espèces chimiques n'existant pas dans la nature :
a. n'est pas réalisable ;
b. permet d'obtenir des espèces chimiques dites artificielles ;
c. améliore les conditions de vie.

8 Respecter le protocole de la synthèse du nylon. QCM

Nylon

Quelle étape fait partie du protocole de synthèse du nylon ?
a. Mettre en contact les réactifs.
b. Agiter le mélange de réactifs.
c. Chauffer le mélange de réactifs.

9 Connaître la constitution du nylon. QCM

Choisis la ou les bonnes réponses.
Le nylon est constitué :
a. de molécules très petites ;
b. de molécules très grandes ;
c. de macromolécules.

10 Connaître la constitution des plastiques

Les matières plastiques sont constituées de macromolécules. Qu'est-ce qu'une macromolécule ?

11 Nommer des matériaux

Les matières plastiques utilisées pour fabriquer tous ces objets n'existent pas dans la nature. Comment les appelle-t-on ?

12 Trouver les mots-clés du chapitre

Recopie et complète la grille. Découvre le mot caché : est-ce utile dans notre vie quotidienne ?

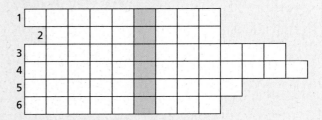

1. Ensemble des consignes à respecter.
2. Préparation d'une substance chimique par réaction chimique.
3. Qualifie une substance chimique n'existant pas dans la nature.
4. Molécule très grande constituant une matière plastique.
5. Matières constituées de très grandes molécules.
6. Qualifie une substance chimique qui existe dans la nature.

13 Apprendre à rédiger un exercice

> **Énoncé**

Un adolescent a besoin de 100 mg de vitamine C par jour. Cette quantité peut être apportée par une orange ou bien par 1/5 de cachet de 500 mg de vitamine C.

a. La vitamine C d'une orange est-elle naturelle ou synthétique ?

b. Cite deux raisons de synthétiser la vitamine C.

> **Rédaction de la solution**

a. La vitamine C de l'orange provient d'un produit de la nature donc elle est naturelle.

b. La vitamine C de synthèse est disponible en grandes quantités et en toute saison, contrairement aux oranges.

▶ Pour t'entraîner : exercice 14

14 Produit naturel et produit de synthèse [Santé]

L'aspartame est une substance chimique artificielle très peu calorique, dont le pouvoir sucrant est 200 fois plus fort que le sucre de table.

a. L'aspartame est-il naturel ou synthétique ?

b. Cite un des intérêts de synthétiser l'aspartame.

15 Imiter la nature

En 1897, l'Allemagne importe 1 000 tonnes d'indigo naturel, un colorant bleu utilisé pour teinter les jeans. En 1913, elle exporte 33 000 tonnes d'indigo de synthèse.

Indigotier

Quel est l'intérêt de la synthèse de l'indigo :

a. pour la nature, sachant que l'indigo naturel provient d'un arbuste, l'indigotier ?

b. pour l'économie de l'Allemagne ?

16 Remplacer la nature [Maths]

La pourpre est un colorant rouge foncé qui était très prisé par les empereurs romains. Elle est extraite de petits coquillages. Pour en obtenir 1,4 g, il faut environ 12 000 coquillages. Aujourd'hui, ce colorant est synthétisé.

a. Calcule le nombre de coquillages qu'il faudrait pour obtenir 1 kg de pourpre.

b. Déduis-en l'intérêt de synthétiser la pourpre.

17 Comparer des coûts

L'arôme naturel de vanille est un mélange complexe constitué principalement de vanilline. Il peut coûter plus de 1 500 € par kilogramme. L'arôme de synthèse de vanille n'est constitué que de vanilline. Il coûte environ 15 € par kilogramme.

a. La vanilline naturelle et la vanilline synthétique sont-elles identiques ?

b. Les goûts de la vanille naturelle et de la vanilline synthétique sont différents. Pourquoi ?

c. Pourquoi l'arôme naturel est souvent remplacé par l'arôme synthétique ?

18 Les matériaux [Technologie]

L'ancêtre de notre brosse à dents serait une branche de bambou ou un os munis de poils de sanglier. L'invention du nylon en 1935 permet d'équiper nos brosses de poils souples.

a. Le nylon existe-t-il dans la nature ?

b. Quel intérêt de la synthèse du nylon est illustré dans cet exemple ?

19 Recycler les matériaux [EDD]

Les plastiques sont fabriqués par l'Homme et sont recyclables. Ce pull par exemple est fabriqué à partir de bouteilles en plastique.

a. Les plastiques sont-ils naturels ou synthétiques ?

b. Recherche dans le dictionnaire la définition de recyclable.

20 La démarche d'investigation

Synthétiser un savon

Le problème à résoudre

Louise lit dans un magazine que le savon se préparait, au temps de l'Égypte ancienne, en mélangeant de la graisse animale et des cendres de bois. Elle se demande pourquoi ces substances sont nécessaires.

L'hypothèse proposée

En s'informant, Louise apprend que la graisse animale fait partie des corps gras et que les cendres sont des substances basiques. Elle pense alors que pour fabriquer un savon, il faut un corps gras et une substance basique.

L'expérience réalisée

Louise chauffe et agite un mélange d'huile d'olive et de soude pendant environ 10 minutes.

Les résultats obtenus

Louise obtient ce corps qui a les propriétés d'un savon :

Interprète les résultats

a. Quels sont le corps gras et la substance basique utilisés par Louise ?
b. L'hypothèse de Louise est-elle juste ?
c. Un savon se fabrique-t-il par réaction chimique ?

21 Les macromolécules **SVT**

Tu sais que les protéines et les plastiques ont un point commun ?

Oui, ce sont des macromolécules !

SVT

Qu'est-ce qu'une macromolécule ?

22 Comparer des arômes

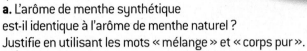

L'arôme de menthe naturel est composé de menthol, de menthone, de néomenthol, de menthyl acétate, d'isomenthone, de cinéol, d'isomenthol et d'autres substances chimiques en quantités infimes. L'arôme de menthe synthétique ne contient que du menthol.
a. L'arôme de menthe synthétique est-il identique à l'arôme de menthe naturel ? Justifie en utilisant les mots « mélange » et « corps pur ».
b. À ton avis, à quoi est due la richesse de l'arôme de menthe naturel ?

23 S'informer, se documenter **B2i**

Afin de connaître le protocole de la synthèse du nylon 6-6 effectue une recherche sur internet en suivant les étapes suivantes.
a. Saisis les mots clés « *synthèse du nylon* » dans un moteur de recherche.
b. Sélectionne un résultat et justifie ton choix.
c. Relève les noms et les quantités de réactifs à utiliser.

24 Emploi des solutions dangereuses **Sécurité**

Les synthèses de l'arôme de banane et du nylon vues dans les activités de ce chapitre nécessitent l'emploi de solutions dont le danger est illustré par le pictogramme ci-contre :
a. Que signifie ce pictogramme ?
b. Comment se protéger de ce danger ?

25 Les médicaments **Santé**

La salicine, l'acide salicylique et l'acide acétylsalicylique, ou aspirine, sont trois substances chimiques efficaces pour lutter contre la fièvre et les douleurs. La salicine et l'acide salicylique sont connus depuis fort longtemps et étaient extraits de l'écorce de saule. L'acide salicylique peut être fabriqué en laboratoire. L'acide acétylsalicylique est fabriqué uniquement en laboratoire. Parmi les trois substances chimiques citées, nomme :

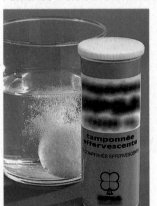

a. celle qui est uniquement naturelle ;
b. celle qui est uniquement synthétique ;
c. celle qui est à la fois naturelle et synthétique.

Sciences et culture

26 Visite d'un Musée

Salon de Provence

Au musée du savon de Marseille, à Salon-de-Provence, tu peux découvrir les étapes de la fabrication d'un savon. Lors de la première étape, des huiles végétales et de la lessive de soude sont mélangées puis chauffées. La réaction chimique qui a alors lieu s'appelle la saponification. L'un des produits obtenus est le savon.

1. Nomme la réaction chimique de synthèse du savon.

2. Cite les réactifs de cette synthèse.

3. Donne une condition expérimentale à respecter lors de cette synthèse.

27 Expérience à la Maison

Pour fabriquer un plastique, chauffe un demi-litre de lait entier dans une casserole sans le faire bouillir. Ajoute deux cuillères à café de vinaigre et mélange. Observe. Laisse refroidir et filtre avec un papier-filtre de cafetière. Récupère le dépôt et lave-le à l'eau.

Avec le dépôt, modèle un objet à la main et laisse-le sécher. Fais-le chauffer 15 minutes au four à 60 °C. Observe.

As-tu réalisé une réaction chimique ? Pourquoi ?

28 Problème de Société

Les sacs plastiques habituels sont fabriqués à partir de produits dérivés du pétrole. Ils ne sont pas biodégradables et pourtant sont souvent jetés dans la nature, provoquant ainsi une pollution. Une solution envisageable serait d'utiliser, par exemple, des sacs biodégradables fabriqués à partir de l'amidon de maïs.

1. Dans un dictionnaire, recherche la définition de biodégradable.

2. Recherche le nom du plastique utilisé pour obtenir les sacs plastiques de supermarché.

3. Cite le réactif à utiliser pour synthétiser le plastique des sacs biodégradables.

29 Science in English

Alexander Parkes (1813-1890) invented the first synthetic plastic, also called parkesine, from cellulose. It was first shown at the 1862 London World Fair.

1. What is the main reagent from the synthesis of parkesine ?

2. Find out why this plastic is no longer used.

La couche-culotte pour bébé

La synthèse d'espèces chimiques dérivées du pétrole a permis la création de produits originaux et très utiles. À l'intérieur des couches-culottes se trouvent des matières plastiques superabsorbantes qui ont permis d'améliorer la vie de nombreux parents et le confort des bébés !

Capacité

✔ La synthèse d'espèces chimiques n'existant pas dans la nature permet d'améliorer les conditions de vie

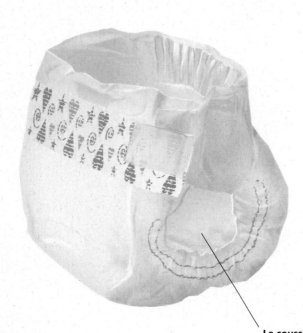

Le coussin intérieur de la couche-culotte. Il est composé de pâte de papier à laquelle on ajoute une matière plastique appelée polymère. Ce polymère a la propriété d'être superabsorbant.

ONISEP

Comment en savoir plus sur ce métier ? www.onisep.fr/ belin-pc-3e

Protège la planète

Une couche-culotte en plastique peut mettre jusqu'à 500 ans à se dégrader. L'avenir est aux couches-culottes écologiques sans plastiques !

Mène ton enquête

Matériel :

✔ Une couche-culotte
✔ Un verre d'eau

Quel est l'aspect du polymère ?

1. Ouvre la couche-culotte et prélève un peu de coussin intérieur.

2. Quel est son aspect et sa couleur ?

Pourquoi est-il superabsorbant ?

3. Remplis un verre d'eau. Plonge le coussin dans le verre.

4. Renverse le verre : qu'observes-tu ? Que peux-tu en conclure sur la propriété du plastique composant le coussin ?

5. En quoi cette propriété est-elle particulièrement intéressante ?

Superviseur(se) de la fabrication de produits chimiques

Le superviseur veille à la bonne marche de la fabrication de produits chimiques. Il assure la conduite et la surveillance des installations qui transforment les matières par des procédés physiques (décantation, filtration...) ou chimiques (synthèse, polymérisation, etc.). Il assure les impératifs de temps, de qualité et de sécurité en respectant des protocoles bien précis. Débit, température, pression, commande des vannes : il vérifie et règle tout, sur le terrain ou à partir d'une salle de commande automatisée.

Conseils : tu dois faire preuve de méthode, de précision, d'un sens des responsabilités développé, d'une forte capacité d'attention et d'une aptitude à interpréter les informations fournies par les instruments de contrôle.

Quelle orientation après la ?

▶ Le **BEP Métiers des industries de procédés** (industries chimiques, bio-industries, traitement des eaux, industries papetières) est le diplôme de base préparé en **lycée professionnel** ou **Centre de formation d'apprentis**. Mais un **Bac pro** est souvent nécessaire pour intégrer des entreprises de plus en plus automatisées.

Décode une astuce publicitaire

L'arôme de vanille est le plus consommé dans le monde. La molécule qui lui donne son goût, la vanilline, est facilement synthétisable dans l'industrie. Mais le parfum de la vanille naturelle est plus fin (et plus cher !) car il est riche d'un mélange de plus de 150 molécules aromatiques différentes. Quand un produit ne contient pas de vanille naturelle, la loi interdit aux industriels de représenter la gousse ou la fleur de vanille et les oblige à indiquer « goût », « arôme », « parfum » ou « saveur » vanille sur l'emballage.

En te documentant sur la fleur de vanille, découvre l'astuce que certains publicitaires ont trouvée pour attirer le consommateur tout en respectant la loi.

1 Les métaux de la vie quotidienne

▶ Chapitre 1. Revois ton cours p. 16 et 17

Test à l'aimant :
le métal est attiré
par un aimant ?

Oui → C'est du fer

Non → Test de densité :
le métal est-il dense ?

Le moins dense → C'est de l'aluminium

C'est du zinc

Le plus dense → C'est de l'argent

Nicolas se demande en quel métal sont fabriquées les boules de pétanque. Il observe que les joueurs ramassent leurs boules avec un aimant. Il s'aide alors de l'organigramme ci-contre :

1. Indique en quel métal sont fabriquées les boules de pétanque.

2. Donne quelques exemples d'utilisation de ce métal.

3. Cite d'autres métaux courants.

2 Courant électrique et structure de la matière

▶ Chapitre 2. Revois ton cours p. 32 et 33

Hind réalise en classe l'expérience suivante pour savoir si une eau minérale contient des ions.

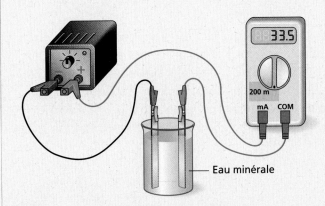

Eau minérale

1. Dans ce montage, les fils électriques sont en métal cuivre. Tous les métaux conduisent-ils le courant électrique comme le métal cuivre ?

2. Comment interprète-t-on le passage du courant électrique dans le métal cuivre ?

3. Quels types d'espèces chimiques l'eau minérale contient-elle ? Justifie.

4. Parmi les espèces chimiques de l'eau minérale, quelles sont celles qui sont électriquement neutres et celles qui sont électriquement chargées ?

5. Le métal cuivre est constitué d'atomes de cuivre. De quoi est constitué un atome ?

6. Compare les dimensions d'un atome et de son noyau.

3 Tests de quelques ions. pH d'une solution

▶ Chapitre 3. Revois ton cours p. 46 et 47

Afin de rechercher les constituants de l'acide chlorhydrique concentré, Alexandre réalise le test au nitrate d'argent (1) et le test à la soude (2) sur cette solution. Il mesure également son pH et obtient pH = 1.

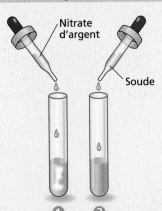

Nitrate d'argent

Soude

① ②

1. Qu'observe-t-on dans le tube 1 ? Pourquoi ? Quelle est la formule de l'ion testé ?

2. Qu'observe-t-on dans le tube 2 ? Pourquoi ? Quelle est la formule des ions testés ?

3. L'acide chlorhydrique est-elle une solution acide, neutre ou basique ? Justifie ta réponse en utilisant la conjonction « donc ».

4. L'acide chlorhydrique testé présente-t-il un danger ? Justifie.

4 Réaction entre l'acide chlorhydrique et le fer

⦿ Chapitre 4. Revois ton cours p. 60 et 61

Colline découpe et décape un morceau de canette de boisson. Elle le laisse ensuite tremper dans de l'acide chlorhydrique et observe très vite une effervescence.

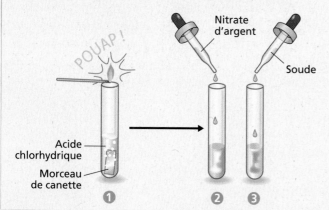

POUAP !

Nitrate d'argent

Soude

Acide chlorhydrique

Morceau de canette

① ② ③

Quelques minutes plus tard, elle réalise le test à la flamme (1) et deux autres tests (2 et 3) sur la solution obtenue.

1. Que prouve l'effervescence observée ?

2. Quel gaz est mis en évidence par le test (1) ?

3. Quels ions sont mis en évidence par les tests (2) et (3) ?

4. Déduis-en la nature du métal qui constitue la canette.

5. Écris le bilan de la réaction qui a lieu entre le métal et la canette et l'acide chlorhydrique.

5 Pile électrochimique et énergie chimique

⦿ Chapitre 5. Revois ton cours p. 74 et 75

Pour montrer que la réaction entre le métal zinc et une solution aqueuse de sulfate de cuivre peut libérer de l'énergie électrique, Laeticia réalise la pile suivante :

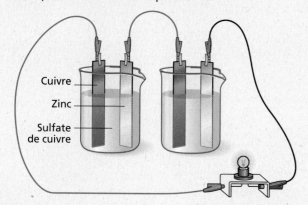

Cuivre

Zinc

Sulfate de cuivre

1. Quelle forme d'énergie contiennent le métal zinc et la solution aqueuse de sulfate de cuivre ?

2. Sous quelle forme cette énergie est-elle transférée à la lampe ?

3. Au cours de quel phénomène l'énergie des espèces chimiques est-elle transformée ?

4. Indique pour quelle raison la pile finit par s'user.

5. Si on mélange de la poudre de zinc et une solution aqueuse de sulfate de cuivre, il y a libération d'énergie. Propose un schéma du début de l'expérience et un schéma de la fin de l'expérience.

6 Synthèse d'espèces chimiques

⦿ Chapitre 6. Revois ton cours p. 88 et 89

Rachida réalise en classe la synthèse de l'acétate d'isoamyle, qui sent la banane.

Voici le schéma de l'expérience.

Réfrigérant

Alcool isoamylique + acide acétique

Eau à 70 °C

Appareil de chauffage

1. Nomme les réactifs utilisés et le produit obtenu.

2. Précise l'intérêt de synthétiser l'acétate d'isoamyle qui existe déjà dans la banane naturelle.

3. Les chimistes savent également synthétiser des espèces chimiques n'existant pas dans la nature, comme le nylon. Indique quel en est l'intérêt.

Énergie électrique et circuits électriques en

Une centrale nuclaire permet de produire de l'énergie électrique.

« alternatif »

Je vérifie mes connaissances de 4ᵉ

L'intensité et la tension électrique

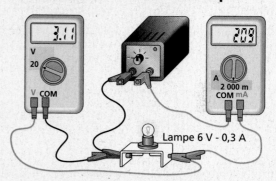

Lampe 6 V - 0,3 A

1 Nomme les appareils qui mesurent l'intensité et la tension électrique. Se branchent-ils en série ou en dérivation ?

2 Indique la valeur de l'intensité du courant qui traverse la lampe et la valeur de la tension à ses bornes. N'oublie pas les unités.

3 Donne la tension nominale de la lampe. Est-elle en sous-tension ou en surtension ?

Les lois de l'intensité et de la tension

4 Cite les lois de l'intensité dans un circuit en série et dans un circuit en dérivation.

5 Cite les lois de la tension dans un circuit en série et dans un circuit en dérivation.

La résistance électrique

6 Quelle forme d'énergie reçoit un dipôle « résistance » quand il est parcouru par un courant ?

7 En quelle forme d'énergie cette énergie est-elle transférée vers l'extérieur par le dipôle « résistance » ?

8 Énonce la loi d'Ohm pour un dipôle « résistance » qui est un dipôle ohmique.

7

La production d'électricité

Objectifs

▶ Connaître le rôle
et le fonctionnement
d'un alternateur

▶ Réaliser un montage
utilisant un alternateur

▶ Traduire des conversions
d'énergie dans un diagramme

▶ Distinguer des sources
d'énergie renouvelables ou non

Situation 1

À l'heure actuelle, 65 % des milliers d'éoliennes
qui fonctionnent dans le monde sont européennes.
Ces gigantesques moulins à vent utilisent l'énergie
propre, renouvelable mais capricieuse du vent.

À ton avis, à quoi sert une éolienne ?

Des éoliennes offshore dans le détroit d'Oresund (Danemark)

Une turbine pour alternateur de centrale électrique en cours de montage.

Les alternateurs des centrales électriques peuvent peser plusieurs dizaines de tonnes.

À ton avis, quel est le principe de fonctionnement de ces machines tournantes ?

J'expérimente et je me documente pour répondre

Activité 1

Produire de l'électricité avec un alternateur   p. 104

Activité 2

Mettre en mouvement un aimant près d'une bobine   p. 106

Qu'est-ce que les différentes cen

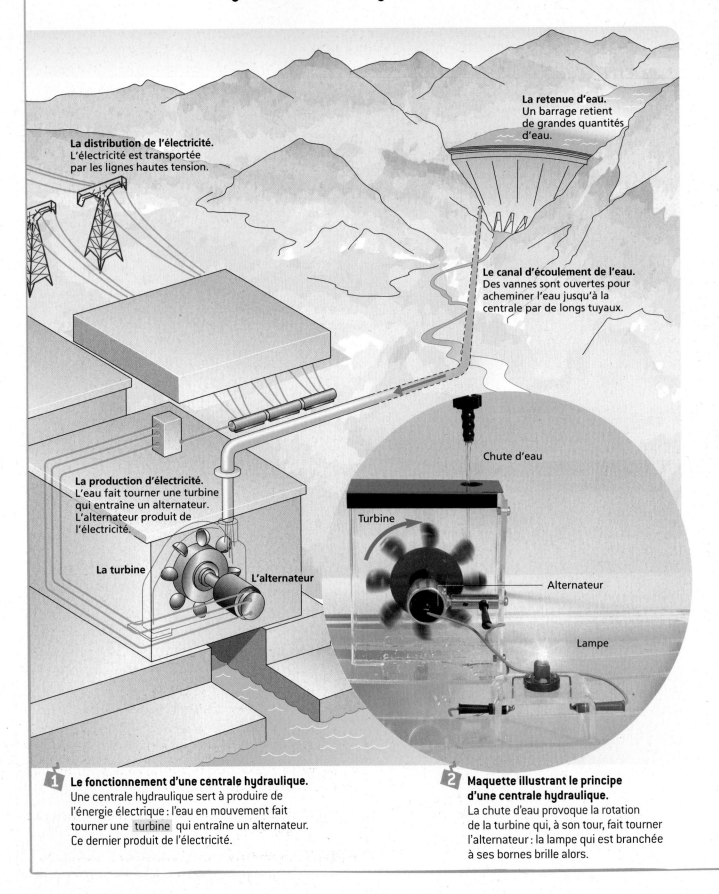

La retenue d'eau.
Un barrage retient de grandes quantités d'eau.

La distribution de l'électricité.
L'électricité est transportée par les lignes hautes tension.

Le canal d'écoulement de l'eau.
Des vannes sont ouvertes pour acheminer l'eau jusqu'à la centrale par de longs tuyaux.

Chute d'eau

La production d'électricité.
L'eau fait tourner une turbine qui entraîne un alternateur. L'alternateur produit de l'électricité.

Turbine

La turbine

L'alternateur

Alternateur

Lampe

1 Le fonctionnement d'une centrale hydraulique.
Une centrale hydraulique sert à produire de l'énergie électrique : l'eau en mouvement fait tourner une turbine qui entraîne un alternateur. Ce dernier produit de l'électricité.

2 Maquette illustrant le principe d'une centrale hydraulique.
La chute d'eau provoque la rotation de la turbine qui, à son tour, fait tourner l'alternateur : la lampe qui est branchée à ses bornes brille alors.

trales électriques ont en commun?

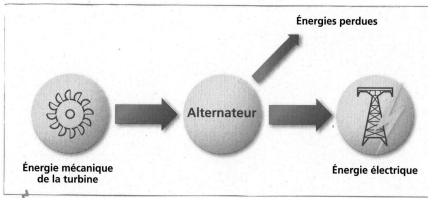

Énergies perdues

Énergie mécanique de la turbine → **Alternateur** → **Énergie électrique**

L' énergie mécanique de la turbine est convertie par l'alternateur essentiellement en énergie électrique, mais aussi en d'autres formes d'énergie. C'est l'énergie électrique qui est utilisée par le réseau électrique. Les autres formes d'énergie ne servent pas au réseau électrique : ces énergies sont dites perdues.

 Les conversions d'énergies dans une centrale électrique.

Toutes les centrales électriques n'utilisent pas la même source d'énergie pour entraîner leur alternateur. Par exemple, l'eau utilisée dans les centrales hydrauliques et le vent dans les centrales éoliennes constituent des sources d'**énergie renouvelables** : elles se renouvellent rapidement sur la durée d'une vie humaine. À l'inverse le pétrole, le charbon et le gaz naturel brûlés dans certaines centrales thermiques sont des sources d'**énergie non renouvelables** : elles s'épuisent car elles se renouvellent très lentement, sur plusieurs millions d'années.

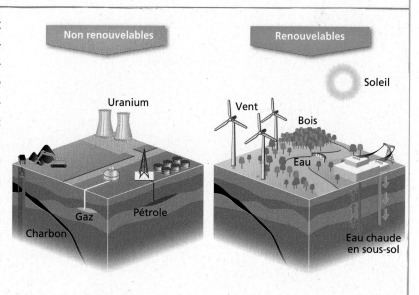

Non renouvelables — Renouvelables

Uranium — Gaz — Charbon — Pétrole

Soleil — Vent — Bois — Eau — Eau chaude en sous-sol

 Les centrales électriques et leurs sources d'énergie.

Vocabulaire

▶ **Énergie mécanique** : énergie susceptible d'être transférée par un objet en mouvement.

▶ **Turbine** : dispositif mis en rotation sous l'action d'un fluide en mouvement : eau, vapeur d'eau, gaz, etc.

Guide de travail

1. Décris le principe de fonctionnement d'une centrale hydraulique (doc 1).

2. L'alternateur reçoit l'énergie mécanique de la turbine et la convertit en une autre forme d'énergie. Laquelle (doc 2) ?

3. Sur le modèle du doc 3, construis un diagramme traduisant les conversions des énergies de l'expérience du doc 2.

4. Cite des sources d'énergie renouvelables permettant de produire de l'électricité (doc 4).

Conclusion **Quel est le point commun à toutes les centrales électriques ?**

Sois critique Explique de quelle façon les éoliennes sont tributaires du vent.

Comment un alternateur

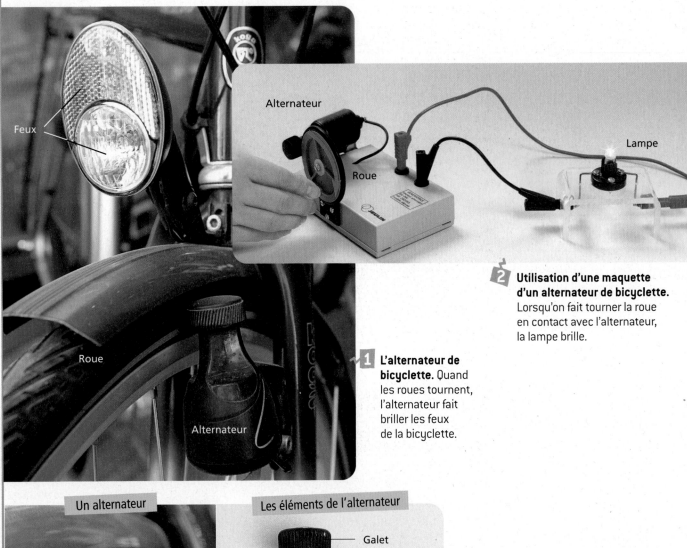

Alternateur

Roue

Lampe

2 **Utilisation d'une maquette d'un alternateur de bicyclette.** Lorsqu'on fait tourner la roue en contact avec l'alternateur, la lampe brille.

Feux

Roue

Alternateur

1 **L'alternateur de bicyclette.** Quand les roues tournent, l'alternateur fait briller les feux de la bicyclette.

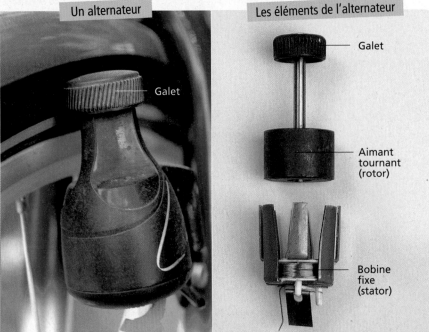

Un alternateur

Galet

Les éléments de l'alternateur

Galet

Aimant tournant (rotor)

Bobine fixe (stator)

3 **Le fonctionnement de l'alternateur de bicyclette.** Le galet de l'alternateur frotte sur la roue du vélo. Il permet de mettre en rotation un aimant appelé rotor. À proximité se trouve une bobine immobile appelée stator.

produit-il une tension?

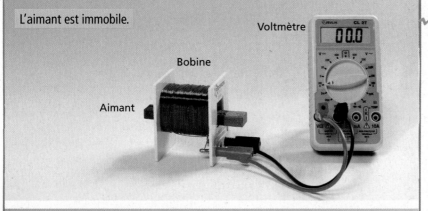

L'aimant est immobile.

Voltmètre

00.0

Bobine

Aimant

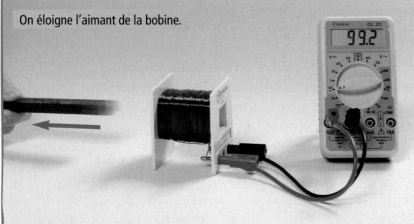

On éloigne l'aimant de la bobine.

99.2

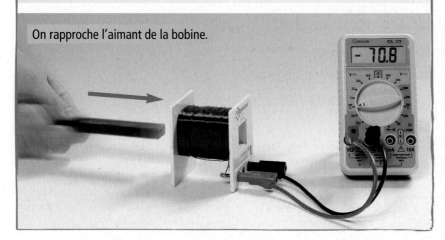

On rapproche l'aimant de la bobine.

- 70.8

4 **Influence du déplacement d'un aimant** à proximité d'une bobine.

Guide de travail

1. À quelle condition les feux d'une bicyclette munie d'un alternateur s'allument-ils [doc 1 et 2] ?

2. Nomme la partie tournante et la partie fixe d'un alternateur [doc 3].

3. À quelle condition un aimant placé près d'une bobine engendre-t-il une tension variable aux bornes de cette dernière [doc 4] ?

4. Utilise l'expérience du doc. 4 pour expliquer le principe d'un alternateur [doc 3].

Conclusion **Comment un alternateur produit-il une tension variable dans le temps ?**

Sois critique Explique pourquoi les feux d'une bicyclette ne brillent pas quand le vélo est à l'arrêt.

Vocabulaire

▶ **Tension variable** : tension dont la valeur change au cours du temps.

▶ **Bobine** : fil conducteur enroulé autour d'un cylindre.

1. La production de l'énergie électrique

● Une **centrale électrique** sert à produire de l'électricité à l'aide d'**alternateurs** : ce sont des machines tournantes qui transforment de l'**énergie mécanique** en **énergie électrique**.

● Les centrales utilisent :
– des **sources d'énergie non renouvelables** qui s'épuisent car elles se renouvellent très lentement, sur plusieurs millions d'années : le charbon, le pétrole ou le gaz naturel dans les centrales thermiques ;
– des **sources d'énergie renouvelables** qui se renouvellent rapidement sur la durée d'une vie humaine : le vent pour les **centrales éoliennes**, l'eau en mouvement pour les **centrales hydrauliques**.

> **Mots importants**
>
> - Centrale électrique, centrale hydraulique, centrale éolienne
> - Alternateur, énergie mécanique, énergie électrique
> - Source d'énergie non renouvelable, source d'énergie renouvelable
>
> ➤ Voir Mini Dico p. 232

Expérience **Activité 1 p. 104**

On fait tomber de l'eau sur une petite turbine reliée à un alternateur, aux bornes duquel est branchée une lampe (doc 1).

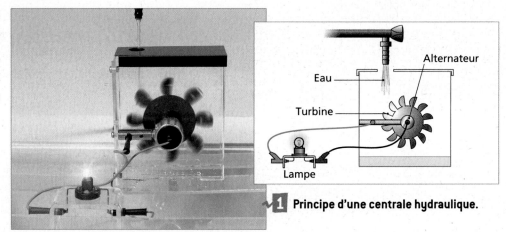

1 Principe d'une centrale hydraulique.

Observation et interprétation

La chute d'eau provoque la rotation de la turbine qui, à son tour, fait tourner l'alternateur. Ce dernier transforme une partie de l'énergie mécanique de la turbine en énergie électrique fournie à la lampe : c'est le principe d'une centrale hydraulique.

Conclusion

Pour t'entraîner ▶ **Exercices 18 et 22 p. 113 et 114**

■ **L'alternateur** est la partie commune à toutes les **centrales électriques**. L'**énergie mécanique** reçue par l'alternateur est convertie en partie en **énergie électrique**.

■ **Les sources d'énergies** utilisées dans les centrales électriques peuvent être non renouvelables comme le charbon, le pétrole, le gaz naturel, ou bien renouvelables comme le vent pour les centrales éoliennes et l'eau pour les centrales hydrauliques.

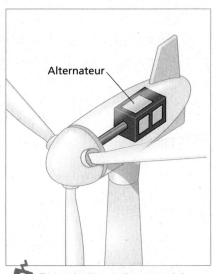

2 **Exemple.** Une éolienne exploite l'énergie du vent pour produire de l'énergie électrique.

2. L'alternateur

Un **alternateur** est constitué d'une partie tournante appelée rotor, et d'une partie fixe appelée stator. Le rotor est formé d'un ou plusieurs **aimants**. Le stator est une **bobine** (ou un ensemble de bobines) : c'est un enroulement de fil conducteur. Le rotor tourne à l'intérieur du stator.

Mots importants

— Alternateur
— Aimant, bobine
— Déplacement, tension variable

➤ Voir Mini Dico p. 232

Expérience **Activité 2** p. 106

On déplace un aimant près d'une bobine et on mesure la tension aux bornes de la bobine avec un voltmètre (**doc 3**).

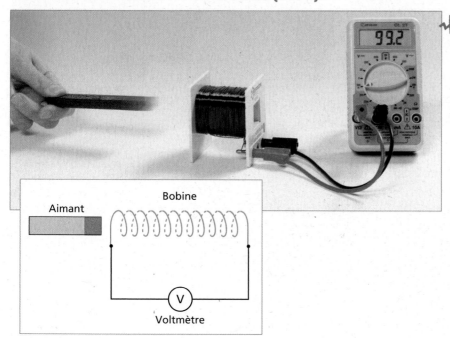

3 **Production d'une tension variable** dans le temps avec un aimant et une bobine.

Aimant

Bobine

Voltmètre

Observation et interprétation

Si l'aimant est en **déplacement** par rapport à la bobine, alors une **tension variable** dans le temps est créée aux bornes de la bobine. La bobine peut donc alimenter un dipôle branché à ses bornes : c'est le principe de l'alternateur.

Aimant

Bobine

4 **Exemple.** Le rotor d'un alternateur de voiture est formé d'aimants et le stator, de bobines.

Pour t'entraîner ▶ **Exercices 15 et 17 p. 113**

Une **tension variable** dans le temps peut être obtenue par **déplacement** d'un **aimant** par rapport à une **bobine** : c'est le principe de l'**alternateur**.

Documents

B2i | Énergie

Énergies renouvelables ou non renouvelables ?

Peut-on produire une énergie électrique qui soit uniquement renouvelable ? Aujourd'hui, la réponse est non. La demande en électricité est beaucoup trop forte. De plus, les énergies renouvelables ne sont pas toujours disponibles quand on en a besoin. Tant que le problème du stockage de l'électricité en grande quantité ne sera pas résolu, les énergies non renouvelables, utilisables à tout moment, resteront indispensables. Mais leurs réserves sont limitées et leur gaspillage continue. Faisons le point.

✔ Cite les sept sources d'énergie utilisées pour la production d'électricité. Précise si elles sont renouvelables ou non.

✔ Calcule la part (en %) de chacune d'entre elles dans la production d'électricité en France.

✔ Quelle(s) source(s) d'énergie renouvelable faudrait-il développer pour égaler nos voisins d'Europe de l'Ouest dans le développement durable ?

● **Connecte-toi** auprès de spécialistes
www.cea.fr/jeunes/themes/
les_nouvelles_energies
www.edf.com/html/EnR/index.htm

● **Note tes réponses** dans un tableau.

● **Sois critique :** sur d'autres sites, dont il faudra que tu vérifies le sérieux, tu trouveras de nombreux débats contradictoires.

internet

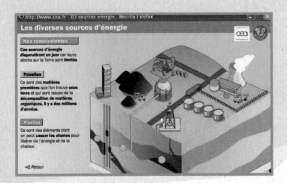

Histoire | Énergie

Le choix du nucléaire : une exception française

Pas de pollution atmosphérique mais des déchets dangereux pour des centaines de milliers d'années.

1973 est l'année du 1er choc pétrolier : le prix du baril de pétrole s'envole. La facture pétrolière de la France est brutalement multipliée par cinq. En 1974, le gouvernement accélérera le programme de développement de l'électricité d'origine nucléaire pour limiter la dépendance du pays en approvisionnements de pétrole. L'énergie nucléaire libérée par 1 g d'uranium représente l'énergie fournie par la combustion de 2 tonnes de pétrole ! Le prix et la disponibilité de l'uranium rendent attrayante la production de l'énergie électrique à partir de l'énergie nucléaire. Cependant, tout n'est pas si simple : les centrales nucléaires sont chères à construire, elles pourraient être vulnérables en cas de conflit et, surtout, elles produisent des déchets radioactifs dont le traitement et le stockage à long terme posent problème. Néanmoins, les centrales nucléaires ne produisent pas de gaz à effet de serre et ne contribuent donc pas au réchauffement climatique, à l'inverse des centrales thermiques : en 2006, 78 % de l'électricité produite en France est d'origine nucléaire.

Questions

1. Pourquoi le gouvernement français a-t-il accéléré son programme nucléaire ?

2. Une réaction nucléaire et une réaction chimique produisent-elles des quantités d'énergie comparables ?

3. Quels sont les risques liés à la technologie nucléaire ?

4. Pourquoi la France maintient-elle, encore aujourd'hui, une part de nucléaire aussi grande dans sa production d'électricité ?

Exercices

Je révise   La production d'électricité

Je dois connaître

▶ **L'alternateur** est la partie commune à toutes les **centrales électriques**.

▶ **L'énergie mécanique** reçue par l'alternateur est en partie convertie en **énergie électrique**.

▶ Il existe des **sources d'énergie** (air, eau, etc.) **renouvelables** et d'autres **non renouvelables** (charbon, pétrole, gaz naturel, etc.).

▶ Une **tension variable** dans le temps, peut être obtenue par déplacement d'un **aimant** près d'une **bobine**.

Je dois être capable de

▶ **Expliquer** par la transformation de l'énergie mécanique, **la production d'énergie électrique** par l'alternateur de bicyclette et une centrale hydraulique ou éolienne.

▶ **Réaliser un montage** permettant d'allumer une lampe à l'aide d'un alternateur.

▶ **Traduire les conversions énergétiques** dans un diagramme incluant les énergies « perdues ».

▶ **Illustrer expérimentalement** l'influence du mouvement d'un aimant par rapport à une bobine pour produire une tension.

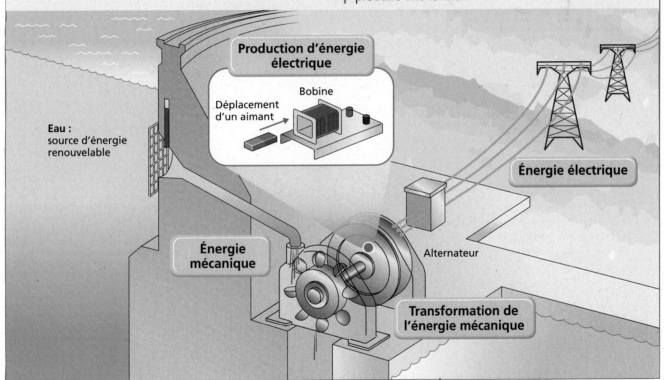

Production d'énergie électrique

Bobine

Déplacement d'un aimant

Eau : source d'énergie renouvelable

Énergie électrique

Énergie mécanique

Alternateur

Transformation de l'énergie mécanique

Je m'évalue   Socle commun

1 La partie commune à toutes les centrales électriques est ....

2 Un alternateur convertit l'énergie mécanique reçue en énergie ....

3 L'eau est une source d'énergie .... utilisée dans les centrales hydrauliques.

4 Un aimant produit une tension variable dans le temps aux bornes d'une bobine, à condition qu'il soit en .... par rapport à la bobine.

▶ *Réponses en fin de manuel, p. 236*

Exercices

5 Connaître la partie commune des centrales électriques. QCM

Toutes les centrales électriques possèdent :
a. un barrage hydraulique ;
b. des pales actionnées par le vent ;
c. un alternateur.

6 Connaître le rôle d'un alternateur

Recopie et complète les phrases avec les mots suivants : électrique, mécanique.
a. L'alternateur reçoit de l'énergie ....
b. L'alternateur transforme une partie de l'énergie reçue en énergie ....
c. L'énergie fournie par l'alternateur est l'énergie ....

7 Expliquer la production d'électricité d'une centrale hydraulique

L'eau en mouvement de la chute d'eau provoque • • la rotation de l'alternateur.

La rotation de la turbine provoque • • la conversion d'énergie mécanique en énergie électrique.

La rotation de l'alternateur provoque • • la rotation de la turbine.

8 Expliquer la production d'électricité par une éolienne

Pale

a. Quelle source d'énergie permet aux pales d'une éolienne de tourner ?
b. Quelle partie de l'éolienne est entraînée par la rotation des pales ?

9 Réaliser un montage avec un alternateur

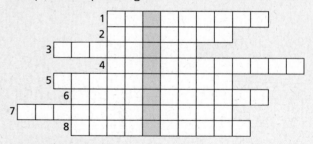

Quel montage dois-tu construire pour faire briller une lampe avec cet alternateur ?

10 Traduire les conversions d'énergie

Observe le diagramme de conversion des énergies d'une centrale électrique.

Énergies ..❷..
Énergie ..❶.. → Alternateur → Énergie ..❸..

Recopie et complète ce diagramme.

11 Distinguer les sources d'énergie

Recopie les phrases suivantes et choisis la bonne proposition.
a. Une source d'énergie renouvelable se renouvelle *rapidement / lentement* sur la durée d'une vie humaine.
b. L'eau et l'air en mouvement sont des sources d'énergie *renouvelables / non renouvelables*.
c. Le pétrole, le charbon et le gaz naturel *sont / ne sont pas* des sources d'énergie renouvelables.

12 Savoir comment produire une tension variable. QCM

Une tension variable dans le temps peut être obtenue :
a. en fixant un aimant loin d'une bobine.
b. en fixant un aimant près d'une bobine.
c. en déplaçant un aimant près d'une bobine.

13 Trouver les mots-clés du chapitre

Recopie et complète la grille : tu trouveras le mot caché.

1. Forme d'énergie reçue par l'alternateur.
2. Convertie par l'alternateur.
3. Dispositif produisant de l'électricité grâce au vent.
4. Constitué d'un aimant et d'une bobine.
5. Énergie utile fournie par l'alternateur.
6. Centrale utilisant une chute d'eau pour produire de l'électricité.
7. Type de source d'énergie comme l'eau ou l'air.
8. Transformation d'une forme d'énergie en une autre forme.

14 Apprendre à rédiger un exercice

> **Énoncé**

Un aimant est posé à l'intérieur d'une bobine.

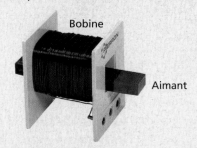

Bobine

Aimant

a. Quels sont les constituants d'un alternateur ?
b. Pourquoi n'existe-t-il pas de tension aux bornes de la bobine ?
c. Que faut-il faire pour qu'une tension soit créée aux bornes de la bobine ?

> **Rédaction de la solution**
a. Un alternateur est constitué d'un stator et d'un rotor.
b. Il n'existe pas de tension aux bornes de la bobine car l'aimant est immobile par rapport à la bobine.
c. Il faut mettre en mouvement l'aimant au voisinage de la bobine pour qu'une tension soit créée aux bornes de la bobine.

▶ Pour t'entraîner : exercice 15

15 ★ Produire une tension

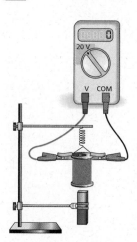

Une bobine suspendue à un ressort est laissée au repos au voisinage d'un aimant fixe.
a. Rappelle les constituants d'un alternateur.
b. Pourquoi n'existe-t-il pas de tension aux bornes de la bobine ?
c. Que faut-il faire pour qu'une tension soit créée aux bornes de la bobine ?

16 S'informer, se documenter B2i

Afin de mieux comprendre le principe de l'alternateur, rends-toi sur le site d'EDF : **www.edf.com/html/panorama/electricite/courant.html**.
a. Ajoute cette adresse à tes favoris.
b. Quelle partie de l'alternateur est entraînée par la turbine ?
c. Quelle partie de l'alternateur reste fixe ?

17 Produire une tension variable aux bornes d'une bobine

Lucie dispose d'une bobine fixe, d'un plateau tournant et d'un aimant.

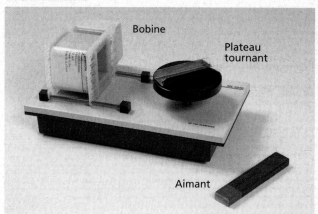

Bobine

Plateau tournant

Aimant

Propose un dispositif que Lucie pourrait réaliser pour produire une tension variable aux bornes de la bobine.

18 Identifier les conversions d'énergie d'une éolienne

a. Quelle énergie les pales en mouvement d'une éolienne transfèrent-elles à l'alternateur ?
b. En quelle forme d'énergie l'alternateur transforme-t-il principalement l'énergie qu'il reçoit ?
c. Réalise le diagramme des conversions des énergies d'une éolienne, en tenant compte des énergies perdues.

19 ★ Environnement et énergie Technologie

Voici le schéma d'une centrale nucléaire.

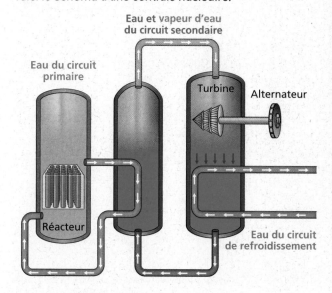

Eau et vapeur d'eau du circuit secondaire

Eau du circuit primaire

Turbine

Alternateur

Réacteur

Eau du circuit de refroidissement

a. Par quoi l'eau du circuit secondaire est-elle chauffée ?
b. Par quoi la turbine est-elle entraînée ?
c. Quelle est la partie commune entre cette centrale et une centrale hydraulique ?

20 La démarche d'investigation

Étudier l'action d'un jet d'air

Le problème à résoudre
Théo se demande si un jet d'air peut être à l'origine d'une production d'électricité.

L'hypothèse proposée
Théo sait qu'une chute d'eau est capable de faire tourner une turbine qui entraîne un alternateur. Il suppose que le jet d'air agit de la même manière que la chute d'eau.

L'expérience réalisée
Il utilise la maquette d'une centrale hydraulique et envoie un jet d'air sur la turbine.

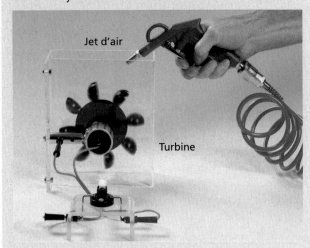

Jet d'air

Turbine

Interprète les résultats
a. Qu'est-ce qui met en mouvement la turbine ?
b. L'alternateur fournit-il de l'énergie électrique ? Justifie ta réponse en utilisant la conjonction « donc ».
c. L'hypothèse de Théo est-elle juste ?

21 Énergie marémotrice `Géographie`

L'usine marémotrice de la Rance (Ille-et-Vilaine) exploite le mouvement de l'eau provoqué par les marées.

Usine marémotrice

a. Quelle forme d'énergie possède l'eau en mouvement ?
b. Quel dispositif de l'usine convertit cette énergie en énergie électrique ?
c. Où doit se situer une usine marémotrice ?

22 Diagrammes et graphiques `Maths`

Voici le diagramme de répartition des sources d'énergie utilisées pour la production d'électricité en France en 2006.

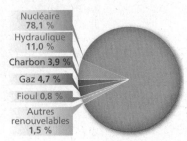

Nucléaire 78,1 %
Hydraulique 11,0 %
Charbon 3,9 %
Gaz 4,7 %
Fioul 0,8 %
Autres renouvelables 1,5 %

a. Cite les deux sources d'énergie les plus utilisées.
b. Laquelle des deux est renouvelable ?
c. Recherche dans quelle catégorie se classent la biomasse et la géothermie.

23 Représenter les conversions d'énergie

Qu'a oublié Lucien ?

24 Énergies renouvelables `EDD`

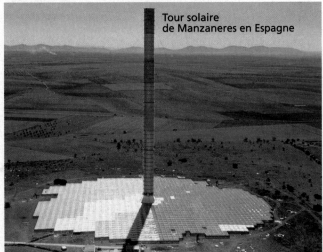

Tour solaire de Manzaneres en Espagne

La tour solaire est l'un des projets les plus ambitieux de la planète pour une production d'électricité propre. Il s'agit d'une centrale fondée sur une énergie renouvelable. Elle devrait produire autant d'électricité qu'une petite centrale nucléaire.
a. Quelle est l'énergie renouvelable utilisée par cette tour ?
b. Pourquoi parle-t-on d'électricité « propre » ?

Sciences et culture

25 Visite d'une Centrale électrique

La Lande

Salle de production d'électricité avec turbine (en vert) et alternateur (en bleu).

En visitant la centrale hydroélectrique de La Lande dans les Hautes-Vosges (88), tu peux observer le barrage haut de 15 m et large de 80 m ainsi que les turbines et les alternateurs.

1. Quel est le rôle du barrage ?

2. Comment la turbine est-elle mise en rotation ?

3. À ton avis, combien d'alternateurs sont entraînés par les deux turbines de cette centrale électrique ?

26 Expérience à la Maison

Profite de la cuisson d'un bon petit plat dans une cocotte-minute pour réaliser l'expérience suivante. En présence d'un adulte, au moment où la vapeur d'eau est évacuée de la cocotte-minute, place un moulin à vent dans le jet de vapeur. Observe la mise en rotation du moulin.

1. D'où provient l'énergie mécanique reçue par le moulin à vent ?

2. La vapeur d'eau peut-elle être considérée comme une source d'énergie ?

3. Quels types de centrales électriques utilisent la vapeur d'eau ?

27 Problème de Société

Pour lutter contre la pollution par le dioxyde de carbone et pour prévoir le remplacement du pétrole, l'énergie éolienne est de plus en plus utilisée. En 2006, l'Allemagne était le premier producteur d'électricité éolienne, juste devant l'Espagne suivie par les États-Unis. La France est seulement le 8e producteur européen.

1. Le pétrole est-il une source d'énergie renouvelable ? Et le vent ?

2. Cite d'autres sources d'énergie renouvelables.

28 Science in English

In 1831, the English chemist and physicist Michael Faraday carried out a historic experiment which marked the beginning of the production of electricity. He activated a magnet near or in the middle of a coil. The needle of the compass started moving, which proved that an electric current was flowing in the closed circuit.

1. Summarize Faraday's discovery in one sentence using the following words : production/electricity/magnet and coil.

2. What is the energy conversion in that experiment ?

La lampe à manivelle

Dans certaines lampes de poche sans piles l'électricité est produite à partir de l'énergie engendrée en tournant une manivelle ou en actionnant une poignée. Comment fonctionne une lampe à manivelle ?

Capacité

✓ L'énergie reçue par l'alternateur est convertie en énergie électrique

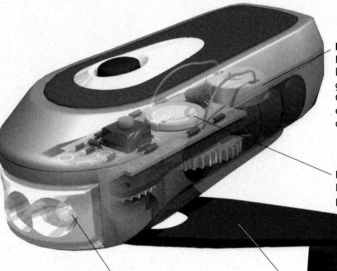

L'alternateur.
En tournant la manivelle, le rotor est mis en rotation grâce à des engrenages. Cela produit de l'énergie électrique qui est stockée dans l'accumulateur.

L'accumulateur.
Il stocke l'énergie électrique produite par l'alternateur.

La manivelle.
En la tournant, tu produis de l'énergie mécanique.

Les diodes électroluminescentes.
Elles émettent de la lumière à partir de l'énergie stockée par l'accumulateur.

Protège la planète

La lampe à manivelle n'a pas besoin de piles : c'est une source de lumière intarissable !

Mène ton enquête

Matériel :
✓ Une lampe à manivelle

1. Tourne la manivelle de la lampe à manivelle. Ferme l'interrupteur, que se passe-t-il ?

2. Lorsque tu tournes la manivelle, tu crées de l'énergie : quelle est sa nature ?

3. Comment cette énergie est-elle communiquée à l'alternateur ? Quelle est la partie de l'alternateur qui est mise en mouvement ?

4. Où se trouve stockée l'énergie électrique fournie par l'alternateur ?

5. Quel est le rôle des diodes électroluminescentes ?

💡 Coup de pouce

Quand tu tournes une manivelle, tu lui donnes de l'énergie mécanique, tout comme l'eau d'une centrale hydraulique à la turbine.

Régulateur(trice) de réseau électrique

Prévoir en permanence la demande en électricité des usagers : c'est la mission du régulateur du réseau électrique. Pour éviter les coupures électriques, il ajuste la production de l'électricité à la consommation des usagers, de jour comme de nuit et en temps réel car l'électricité ne peut pas se stocker en grande quantité ! Les équipes de la régulation établissent des prévisions de consommation, gèrent les défaillances du réseau et, en urgence, elles ordonnent la production d'électricité ou décident d'en importer des pays voisins.

Conseils : outre une parfaite connaissance du fonctionnement du système électrique, ce métier nécessite une grande capacité d'anticipation et un réel sang-froid pour gérer toutes les formes de situation d'urgence.

Comment en savoir plus sur ce métier ?
www.onisep.fr/belin-pc-3e

Quelle orientation après la 3e ?

▶ En classe de 2e en **lycée général et technologique**, tu t'initieras à la culture technique à travers des manipulations et un projet concret en choisissant l'enseignement de détermination **Initiation aux sciences de l'ingénieur** (ISI) qui mène au **bac S ou STI**. Objectif : poursuivre 3 à 5 ans d'études après le bac.

Un défi

Fais toute la lumière sur une étrange machine

M. Arpagon est un technicien génial mais un directeur du théâtre bien trop avare. Il n'a pas payé les factures d'électricité et dans l'après-midi le courant a été coupé. À la lumière des bougies, les acteurs, inquiets, se préparent. Avant l'arrivée des spectateurs, il convoque les gars les plus costauds de son équipe et les fait monter sur la machinerie qu'il a fabriquée en urgence dans les coulisses.

– « À quoi ça sert, Monsieur ? »

– Commencez à pédaler et vous y verrez plus clair ! »

De quoi est composée la machine de M. Arpagon ? Quelles sont les formes que prend l'énergie dans cette machine ?

Les tensions alternatives

- ▶ Identifier une tension continue et une tension alternative
- ▶ Représenter graphiquement une tension alternative
- ▶ Déterminer graphiquement la valeur maximale et la période

Situation **1**

Les accidents de bicyclette les plus graves se produisent à la tombée de la nuit. Les feux, blanc à l'avant et rouge à l'arrière, sont obligatoires. Ils peuvent être alimentés par un alternateur ou une pile.

Selon toi, quelle est la différence entre la tension délivrée par un alternateur de bicyclette et celle délivrée par une pile ?

Des cyclistes faisant du vélo à la tombée de la nuit.

Un professeur présentant la valeur d'une tension en fonction du temps.

Situation ②

Les tensions alternatives sont présentes partout autour de nous : alternateurs de bicyclette, centrales électriques, prises de courant, transformateurs, etc.

La tension présentée par le professeur est-elle une tension alternative ?

J'expérimente pour répondre

Activité 1

Brancher un voltmètre aux bornes d'un générateur alternatif   p. 120

Activité 2

Représenter graphiquement une tension alternative   p. 121

Qu'est-ce qui distingue une tension continue d'une tension alternative ?

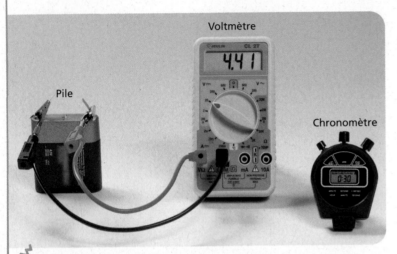

Pile
Voltmètre
Chronomètre

1 Mesure de la tension aux bornes d'une pile au cours du temps.

0 seconde	15 secondes
4.4 1	4.4 1

30 secondes	45 secondes
4.4 1	4.4 1

60 secondes	75 secondes
4.4 1	4.4 1

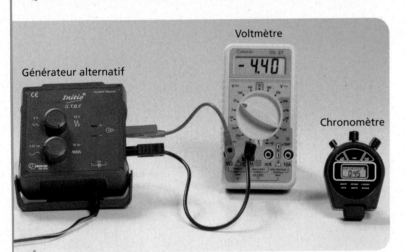

Générateur alternatif
Voltmètre
Chronomètre

2 Mesure de la tension aux bornes d'un générateur alternatif au cours du temps.

0 seconde	15 secondes
00.0	4.40

30 secondes	45 secondes
00.0	- 4.40

60 secondes	75 secondes
00.0	4.40

Vocabulaire

◐ **Tension continue** : tension dont la valeur est constante au cours du temps.

◐ **Tension variable** : tension dont la valeur change au cours du temps.

◐ **Tension périodique** : tension variable dont la valeur se répète régulièrement au cours du temps.

◐ **Tension alternative périodique** : tension variable, périodique et qui prend une valeur alternativement positive et négative.

Guide de travail

1. La tension délivrée par une pile est-elle : continue, variable , périodique ou alternative (doc 1) ?

2. La tension délivrée par un générateur alternatif est-elle : continue, variable, périodique ou alternative (doc 2) ?

3. Entre une pile et un générateur alternatif, quel est le générateur dont les bornes changent de signe ?

Conclusion Qu'est-ce qui distingue une tension continue d'une tension alternative ?

Sois critique Selon toi, qu'affiche le voltmètre si le sens de branchement de la pile est inversé ?

Que nous apprend la représentation graphique d'une tension alternative ?

Temps (en s)	0	5	10	15	20	25	30	35	40	45	50	55	60
Tension (en V)	0,0	2,2	3,8	4,4	3,8	2,2	0,0	−2,2	−3,8	−4,4	−3,8	−2,2	0,0

Temps (en s)	65	70	75	80	85	90	95	100	105	110	115	120
Tension (en V)	2,2	3,8	4,4	3,8	2,2	0,0	−2,2	−3,8	−4,4	−3,8	−2,2	0,0

1 **Tensions mesurées aux bornes du générateur alternatif.** La tension est relevée toutes les 5 secondes.

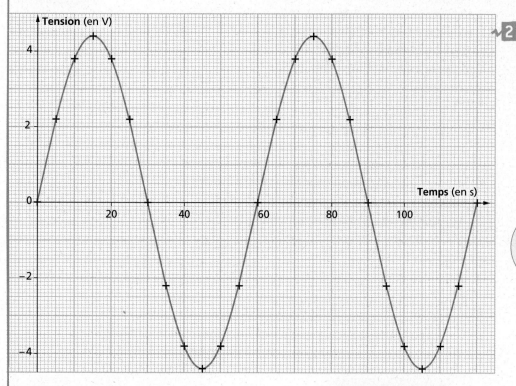

2 **Représentation graphique** de la tension délivrée par le générateur alternatif en fonction du temps.

Pour tracer un graphique avec un tableur-grapheur, aide-toi de la fiche technique 4, p. 226.

Vocabulaire

▶ **Motif élémentaire** de la représentation graphique : la plus petite partie du graphique qui se répète identique à elle-même.

▶ **Tension sinusoïdale** : tension alternative périodique dont la représentation graphique est une sinusoïde.

▶ **Période** : durée du motif élémentaire. On la note T.

Guide de travail

1. Construis la représentation graphique de la tension délivrée par un générateur alternatif en fonction du temps (doc 1 et 2).

2. La tension est-elle périodique ? alternative ? sinusoïdale ?

3. Surligne un motif élémentaire et détermine graphiquement la valeur de la période .

4. Détermine graphiquement la valeur maximale de la tension, notée U_{max} et la valeur minimale notée $− U_{max}$.

Conclusion Quelles sont les deux grandeurs déterminées à partir de la représentation graphique d'une tension alternative périodique ?

Sois critique Selon toi, quelle serait la représentation graphique de la tension délivrée par une pile ?

1. La tension alternative périodique

Une **tension continue** a une valeur constante au cours du temps, contrairement à une **tension variable**.

Une **tension alternative périodique** est une tension variable qui se répète régulièrement au cours du temps, et qui prend une valeur alternativement positive et négative.

Mots importants

- Tension continue
- Tension variable
- Tension alternative périodique

➤ Voir Mini Dico p. 232

Expérience `Activité 1 p. 120`

On branche un voltmètre aux bornes d'une pile puis, aux bornes d'un générateur alternatif **(doc 1)**. On lit les valeurs affichées par le voltmètre à des instants différents.

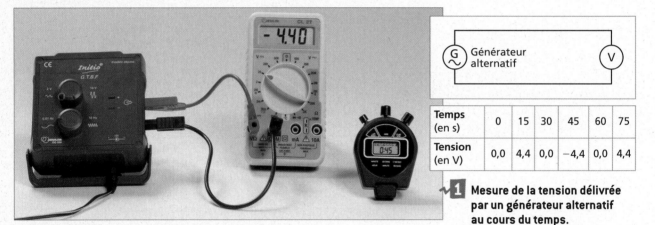

Temps (en s)	0	15	30	45	60	75
Tension (en V)	0,0	4,4	0,0	−4,4	0,0	4,4

1 Mesure de la tension délivrée par un générateur alternatif au cours du temps.

Observation et interprétation

● La tension aux bornes de la pile a une valeur constante au cours du temps : c'est donc une tension continue.

● La tension aux bornes du générateur alternatif :
– change de valeur au cours du temps : c'est donc une tension variable ;
– a des valeurs qui se répètent régulièrement au cours du temps et qui sont alternativement positives et négatives : c'est donc une tension alternative périodique.

Remarque : une prise de courant fournit une tension alternative périodique appelée tension du secteur.

Conclusion

Pour t'entraîner ▶ **Exercices 16 et 18 p. 127**

■ Une pile fournit une **tension continue** : sa valeur est **constante** au cours du temps.

■ Un générateur alternatif fournit une **tension alternative périodique** : elle est **variable**, ses valeurs se répètent régulièrement au cours du temps et sont alternativement positives et négatives.

2 **Exemple.** Cette chaîne stéréo fonctionne grâce à la tension alternative périodique délivrée par une prise de courant.

2. Représentation graphique d'une tension alternative périodique

● L'évolution dans le temps d'une tension alternative se représente sur un graphique où figurent en abscisse le temps et en ordonnée la valeur de la tension. La **représentation graphique** fait apparaître un motif élémentaire qui se répète régulièrement au cours du temps, et dont la durée est égale à la période T.

● Une tension alternative est caractérisée par :
– sa **valeur maximale** U_{max}, exprimée en volt ;
– sa **période** T, exprimée en seconde.

Mots importants

— Représentation graphique
— Période
— Valeur maximale
— Tension sinusoïdale

➤ Voir Mini Dico p. 232

Expérience   Activité 2 p. 121

On mesure la tension aux bornes d'un générateur alternatif toutes les 5 secondes et on construit sa représentation graphique (**doc 3**).

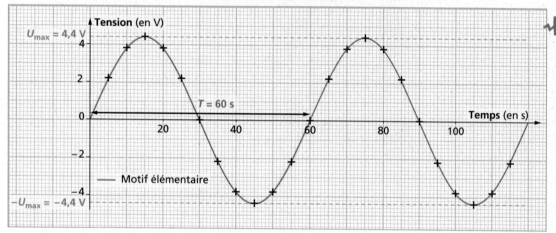

3 Représentation graphique de la tension aux bornes d'un générateur alternatif.

Observation et interprétation

On observe la répétition d'un motif élémentaire, donc la tension est périodique. Sa période est égale à 60 s : $T = 60$ s. Les valeurs extrêmes de la tension sont sa valeur maximale $U_{max} = 4{,}4$ V et sa valeur minimale $-U_{max} = -4{,}4$ V. En raison de la forme particulière de la courbe, cette tension alternative est appelée une **tension sinusoïdale**.

Remarque : la tension du secteur est une tension sinusoïdale de période 20 ms et de valeur maximale 325 V.

Conclusion

Pour t'entraîner ▶ **Exercices 21 et 23 p. 128**

La **représentation graphique** d'une tension alternative périodique permet de déterminer sa **période** T (durée d'un motif élémentaire), sa **valeur maximale** U_{max} et sa **valeur minimale** $-U_{max}$.

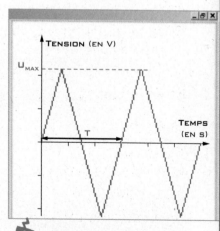

4 **Exemple.** Détermination de la période et de la valeur maximale d'une tension alternative périodique non sinusoïdale.

Documents

Simule une tension alternative

Avec les ordinateurs, il est possible de simuler la réalité. Cette simulation ne pourra en aucun cas remplacer des expériences ou servir de preuve : celui qui a programmé l'ordinateur a en effet déjà prévu tous les résultats. Utilise une animation flash pour te familiariser avec la tension alternative et avec sa représentation graphique.

✔ Affiche une tension continue de 15 V. Comment évolue sa valeur dans le temps ?

✔ Affiche une tension sinusoïdale en prenant $U_{max} = 15$ V et $T = 8$ s.

✔ Donne la valeur de la tension aux instants t de 2 s, 4 s et 8 s.

✔ Diminue la période. Le changement de signe est-il plus fréquent ou moins fréquent ?

● **Télécharge le fichier compressé**
Tension_alternative.exe.zip à l'adresse suivante : www.mathsciences.ac-versailles.fr/article.php3?id_article=23

● **Lance l'animation** à l'aide d'un programme décompresseur.

● **Suis la progression proposée pas à pas.**

internet

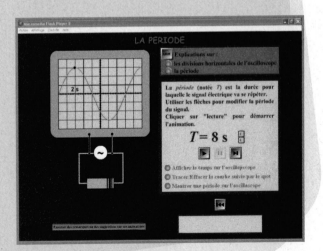

Technologie Histoire

Tension continue ou alternative ?

À Ivry-sur-Seine en 1893, la dynamo de l'usine Edison.

À la fin du XIXe siècle, deux types de générateurs sont en concurrence dans les centrales électriques : les dynamos qui délivrent une tension continue, et les alternateurs qui délivrent une tension alternative. La production électrique est faite sur les lieux de consommation, en ville ou à l'intérieur même des usines, car le transport de l'électricité sous une tension d'une centaine de volts entraîne trop de pertes d'énergie dans les câbles des lignes électriques. Au XXe siècle, la dynamo est abandonnée, à la suite de l'invention du transformateur. Cet appareil permet d'augmenter ou de diminuer facilement la valeur maximale d'une tension alternative. Grâce à lui, le transport de l'électricité est réalisé sous très haute tension (jusqu'à 400 000 V de nos jours), ce qui diminue les pertes énergétiques. La tension est ensuite abaissée jusqu'à 230 V pour être délivrée aux particuliers. À la maison, les appareils électroniques disposent à leur tour de leur propre dispositif pour abaisser la tension fournie par la prise de courant car ils n'ont besoin que de quelques volts. Mais attention, les appareils en veille continuent de consommer de l'électricité ce qui est source de gaspillage. Alors, quand tu pars en vacances, pense à éteindre l'ordinateur et la télévision.

Questions

1. Pour quelle raison la production industrielle de tension continue a-t-elle été abandonnée ?

2. À quoi sert un transformateur ?

3. Quels appareils domestiques n'utilisent pas directement la tension fournie par le réseau électrique ?

4. Afin de respecter l'environnement, pourquoi faut-il éteindre les appareils qui ne fonctionnent pas ?

Je révise — Les tensions alternatives

Je dois connaître

▶ Une **tension continue** a une valeur constante au cours du temps.

▶ Une **tension alternative périodique** est une **tension variable** dont les valeurs se répètent régulièrement au cours du temps, en étant alternativement positives et négatives.

▶ La **période** d'une tension alternative périodique est la durée de son motif élémentaire.

Je dois être capable de

▶ **Identifier** une tension continue et une tension alternative périodique.

▶ **Construire** une représentation graphique d'une tension alternative périodique et **décrire** son évolution.

▶ **Déterminer graphiquement** la **valeur maximale** U_{max} (en volt), la **valeur minimale** $-U_{max}$ (en volt) et la période T (en seconde).

Tension continue

La valeur d'une tension continue est **constante au cours du temps**.

Tension alternative périodique

• La valeur et le signe d'une tension alternative périodique **changent au cours du temps**.

• Elle est caractérisée par sa **période T** et sa **valeur maximale U_{max}**.

Représentation graphique

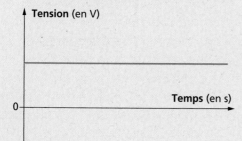

Représentation graphique

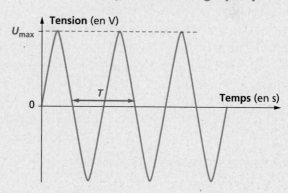

Je m'évalue — Socle commun

1 Une tension .... a une valeur constante au cours du temps.

2 Une tension .... change de signe alternativement.

3 La .... est la durée d'un motif élémentaire.

4 L'unité de la valeur maximale de la tension est le ....; l'unité de la période est la ....

▶ *Réponses en fin de manuel, p. 236*

Exercices

5 Distinguer des tensions

1 Pile   **2** Générateur alternatif

Dans chacun des cas, précise si la tension fournie :
a. change ou ne change pas de valeur au cours du temps ;
b. est continue ou variable.

6 Identifier une tension continue. QCM

La valeur de la tension aux bornes d'une pile :
a. change au cours du temps ;
b. change de signe au cours du temps ;
c. ne change pas au cours du temps.

7 Identifier une tension. Vrai ou Faux ?

a. Les valeurs d'une tension alternative varient au cours du temps.
b. Les valeurs d'une tension alternative ne changent pas de signe au cours du temps.
c. Une tension alternative est fournie par une pile.

8 Représenter une tension alternative

Voici les valeurs d'une tension alternative sinusoïdale mesurées au cours du temps.

t (en s)	0	5	10	15	20	25	30	35	40
U (en V)	0,0	6,0	0,0	− 6,0	0,0	6,0	0,0	− 6,0	0,0

Construis la représentation graphique de l'évolution de cette tension.

9 Reconnaître une tension alternative

Parmi ces graphiques, quel est celui qui représente l'évolution d'une tension alternative ?

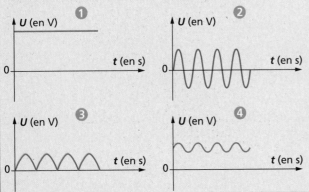

10 Décrire l'évolution d'une tension alternative

Recopie et complète les phrases suivantes après avoir observé la représentation ci-dessous de l'évolution d'une tension alternative.

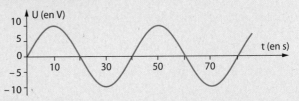

a. La tension prend alternativement des valeurs .... et ....

b. La représentation est une répétition d'un même .... élémentaire.

11 Déterminer une période

À partir du graphique de l'exercice 10, détermine la période de la tension étudiée.

12 Déterminer une valeur maximale

À partir du graphique de l'exercice 10, détermine la valeur maximale de la tension étudiée.

13 Trouver les mots-clés du chapitre

Recopie et complète la grille.

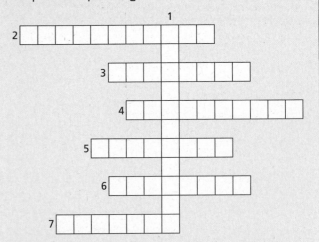

1. Tension de valeur tantôt positive tantôt négative.
2. Tension alternative représentée par une sinusoïde.
3. Tension délivrée par une pile.
4. Tension représentée par la répétition d'un motif élémentaire.
5. Tension dont la valeur change au cours du temps.
6. Valeur caractéristique d'une tension alternative.
7. Durée du motif élémentaire d'une tension alternative.

14 Apprendre à rédiger un exercice

> **Énoncé**

Observe les représentations graphiques de l'évolution de différentes tensions.

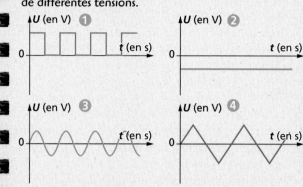

Dans quel(s) cas, la tension représentée est-elle :
a. continue ? Justifie ;
b. variable ? Justifie ;
c. alternative ? Justifie ;
d. périodique ? Justifie ;
e. sinusoïdale ? Justifie.

> **Rédaction de la solution**

a. La tension représentée en 2 a une valeur constante au cours du temps, donc c'est une tension continue.
b. Les tensions représentées en 1, 3 et 4 changent de valeurs au cours du temps, donc ce sont des tensions variables.
c. Les tensions représentées en 3 et 4 ont des valeurs tantôt positives tantôt négatives, donc ce sont des tensions alternatives.
d. Les représentations 1, 3 et 4 montrent la répétition d'un motif élémentaire, donc ce sont des tensions périodiques.
e. La représentation 3 est une sinusoïde, donc elle correspond à une tension sinusoïdale.

▶ Pour t'entraîner : exercice 15

15 Identifier des tensions

Observe les représentations graphiques de l'évolution de différentes tensions.

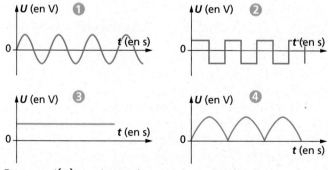

Dans quel(s) cas, la tension représentée est-elle :
a. continue ? Justifie ;
b. variable ? Justifie ;
c. alternative ? Justifie ;
d. périodique ? Justifie ;
e. sinusoïdale ? Justifie.

16 Identifier une tension

Ce grille-pain utilise-t-il une tension continue ou alternative pour fonctionner ? Justifie ta réponse.

17 ★ Allumer une DEL

Schématise un circuit série comprenant un générateur, une résistance et une DEL tel que :
a. la DEL soit toujours allumée ;
b. la DEL soit toujours éteinte ;
c. la DEL clignote.

18 Prévoir l'éclat d'une lampe

Kathlène branche en série une lampe et une diode aux bornes d'un générateur alternatif.

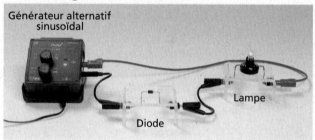

a. Schématise le circuit.
b. La tension délivrée par un tel générateur est-elle continue ou variable ?
c. Déduis-en si la lampe reste allumée. Justifie ta réponse.

19 ★ Utiliser un générateur alternatif

La lampe ne devrait-elle pas clignoter avec ce générateur alternatif ?

Ça dépend... que vaut la période de la tension ?

Explique la réponse d'Astrid.

20 La démarche d'investigation

Distinguer un générateur alternatif d'une pile

Le problème à résoudre

Les bornes d'un générateur alternatif changent-elles de signe alternativement ?

L'hypothèse proposée

Comme les valeurs d'une tension délivrée par un générateur alternatif changent de signe alternativement, alors ses bornes changent de signe alternativement.

L'expérience réalisée

Deux DEL, protégées par un dipôle « résistance », sont branchées en dérivation et en sens inverse aux bornes d'un générateur alternatif.

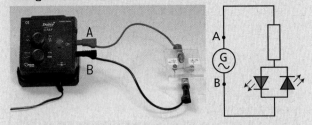

Les résultats de l'expérience

Les DEL clignotent alternativement : quand l'une est allumée, l'autre est éteinte.

Interprète les résultats

a. Quelle est la borne positive du générateur quand la DEL verte est allumée ?

b. Quelle est la borne positive du générateur quand la DEL rouge est allumée ?

c. L'hypothèse est-elle juste ?

21 Représentation graphique `Maths`

Voici les valeurs d'une tension aux bornes d'un générateur au cours du temps.

t (en s)	0	5	10	15	20	25	30	35	40	45	50	55	60
U (en V)	0,0	2,8	4,0	2,8	0,0	−2,8	−4,0	−2,8	0,0	2,8	4,0	2,8	0,0

a. Construis la représentation graphique de l'évolution de cette tension. Utilise l'échelle suivante :
1 cm pour 5 s en abscisse et 1 cm pour 1 V en ordonnée.

b. Choisis, parmi les adjectifs suivants, ceux qui qualifient cette tension : continue, variable, alternative, périodique, sinusoïdale. Justifie tes choix.

22 Construire un graphique `B2i`

a. À l'aide d'un logiciel tableur-grapheur, réalise le graphique représentant l'évolution de la tension étudiée dans l'exercice 21.

b. Cette tension est-elle alternative ? Sinusoïdale ? Justifie

🔦 **Coup de pouce :** voir la fiche technique 4, p. 226.

23 Déterminer les caractéristiques d'une tension

Quentin a représenté graphiquement les variations d'une tension en fonction du temps.

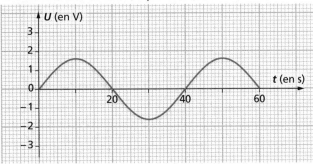

a. Cette tension est-elle continue, alternative, périodique, sinusoïdale ? Justifie chacune de tes réponses.

b. Détermine la valeur maximale de la tension.

c. Détermine la période de la tension.

24 ★ Déterminer une période

Dans le montage ci-dessous, la DEL clignote en s'allumant 10 fois en 100 s.

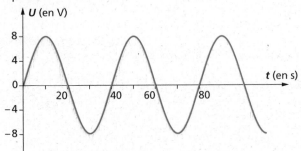

a. Le générateur utilisé est-il alternatif ou continu ? Justifie.

b. Détermine la période de la tension délivrée par ce générateur.

25 ★ Exploiter la représentation d'une tension

On souhaite brancher une lampe aux bornes d'un générateur délivrant une tension dont l'évolution est représentée ci-dessous.

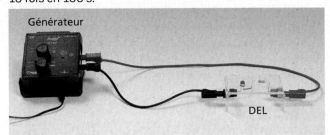

a. Cette tension est-elle continue, alternative, périodique, sinusoïdale ? Justifie chacune de tes réponses.

b. Détermine la durée entre deux instants où la lampe s'éteint.

c. Que se passe-t-il si on branche une lampe de valeurs nominales 1,5 V ; 90 mA aux bornes de ce générateur ?

26 Lecture d'un Magazine

Dans le magazine *Science et Vie Junior* d'octobre 2004, une bande dessinée relate la bataille, au milieu des années 1880, entre M. Edison qui défend l'utilisation des tensions continues, et M. Westinghouse qui défend les tensions alternatives.

Tu peux y découvrir les raisons pour lesquelles on préfère aujourd'hui utiliser les tensions alternatives. Une haute tension alternative peut être transformée en basse tension alternative, adaptée par exemple aux appareils domestiques ; l'énergie électrique peut être transportée à grande distance sous très haute tension, ce qui permet de minimiser les pertes d'énergie.

1. Cite les deux avantages des tensions alternatives évoqués dans le texte.

2. La valeur maximale d'une haute tension alternative change-t-elle quand cette tension est transformée en basse tension alternative ?

27 Expérience à la Maison

En électricité, tu as découvert ce qu'est une tension périodique. De la même façon, en mécanique, il existe des mouvements périodiques. Observe par exemple le mouvement de rotation des aiguilles d'une montre. Détermine la période des mouvements :

1. de l'aiguille des secondes ;

2. de l'aiguille des minutes ;

3. de l'aiguille des heures.

28 Problème de Société

Hormis quelques appareils qui fonctionnent avec des piles, la plupart des appareils que nous utilisons, comme cette lampe de chevet, fonctionnent avec la tension du secteur. Cette tension alternative présente pourtant un réel danger. En effet, sa valeur maximale est égale à 325 V, valeur largement supérieure à ce que peut supporter un corps humain.

1. Quelle est la particularité de la tension délivrée par une pile ?

2. Comment évolue une tension alternative au cours du temps ?

3. Donne la caractéristique de la tension du secteur citée dans l'énoncé.

29 Science in English

In 1886, the American engineer and entrepreneur George Westinghouse (1846-1914) set up the first network of alternating current transport. The network was powered by a hydroelectric generator producing an alternating voltage.

1. How does the sign of an alternating voltage evolve with time ?

2. According to you, what is the consequence on alternating current ?

Un objet

Le chargeur du téléphone portable

Capacité

✓ Identifier une tension continue et une tension alternative

Un téléphone portable fonctionne sous une tension continue de faible valeur, 5,2 V par exemple. Il est alimenté par une batterie. Le chargeur permet de convertir la tension alternative du secteur, en une tension continue de faible valeur. Comment cela fonctionne-t-il ?

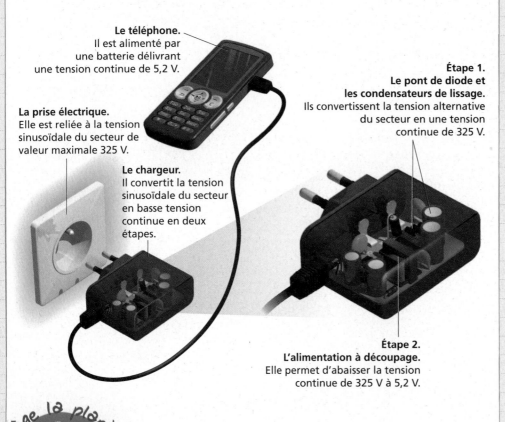

Le téléphone.
Il est alimenté par une batterie délivrant une tension continue de 5,2 V.

La prise électrique.
Elle est reliée à la tension sinusoïdale du secteur de valeur maximale 325 V.

Le chargeur.
Il convertit la tension sinusoïdale du secteur en basse tension continue en deux étapes.

Étape 1.
Le pont de diode et les condensateurs de lissage.
Ils convertissent la tension alternative du secteur en une tension continue de 325 V.

Étape 2.
L'alimentation à découpage.
Elle permet d'abaisser la tension continue de 325 V à 5,2 V.

Protège la planète
Lorsque tu te sépares de ton vieux téléphone portable, dépose-le au recyclage.

Mène ton enquête

1. La tension du secteur est-elle continue ou alternative ?

2. Quelle est sa valeur maximale ?

3. Quel est le rôle du pont de diodes et des condensateurs de lissage ? À leur sortie, la tension est-elle continue ?

4. Quelle est la tension nécessaire au fonctionnement du téléphone ?

5. Quel est le rôle de l'alimentation à découpage ?

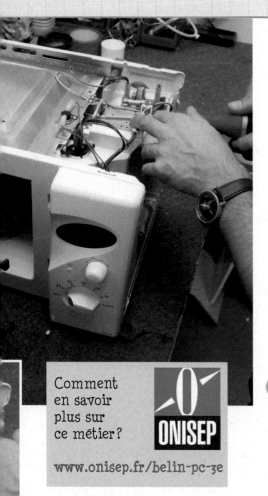

Technicien(ne) en électronique grand public

Les équipements électroniques et multimédias se multiplient à la maison, et avec eux les problèmes d'installation, de connexion ou de compatibilité. Le premier rôle du technicien en électronique est de garantir une bonne mise en fonctionnement du matériel acheté par le client. En atelier de réparation, il est amené à traiter des pannes complexes, à analyser des tensions, à établir des diagnostics puis à remplacer les composants défectueux quand cela est possible.

Conseils : minutie, précision, logique, esprit d'analyse et de synthèse sont indispensables. Au collège, les matières comme les mathématiques, la physique et la technologie demandent ces mêmes qualités.

Comment en savoir plus sur ce métier ?

ONISEP

www.onisep.fr/belin-pc-3e

Quelle orientation après la **?**

▶ Il est conseillé d'obtenir un **bac pro** Systèmes électroniques numériques (SEN) en **lycée professionnel** ou en **Centre de formation d'apprentis**. Il se prépare en 3 ans après la 3e, ou en 2 ans après un BEP.

Découvre ce qui ne tourne pas rond

Lisa veut réparer le circuit automobile de son petit frère : la manette, le moteur et les fils sont en bon état mais le générateur électrique d'origine est cassé. Elle a l'idée de le remplacer par l'alternateur de son vélo monté sur une petite roue. Elle fait tourner la roue toujours dans le même sens et curieusement la voiture avance puis recule alternativement. Lisa demande à son professeur de technologie un petit dipôle qu'elle branche en série avec l'alternateur pour régler ce problème : la voiture n'avance alors que dans un seul sens.

Quel est ce dipôle ?
Que va-t-il changer dans le fonctionnement du circuit électrique ?

Visualisation et mesure des tensions alternatives

Situation **1**

Lors d'un test d'effort, on mesure la fréquence cardiaque à l'aide d'un ordinateur.

Sais-tu ce que signifie la courbe affichée sur l'écran de l'ordinateur ?

Un test d'effort chez le médecin.

Un technicien s'apprêtant à mesurer la tension du secteur.

Situation ②

Ce technicien s'apprête à mesurer la tension aux bornes d'une prise de courant, dites tension du secteur. Le voltmètre indiquera 230 V : cette tension est très dangereuse.

Que signifie l'indication « 230 V » de son voltmètre utilisé en mode alternatif ?

Je réalise des activités pour répondre

Quelles grandeurs peut-on mesurer avec un oscilloscope?

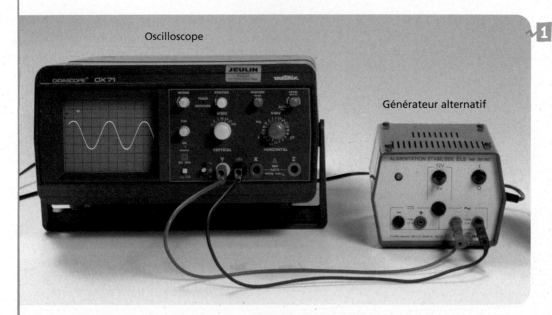

Oscilloscope

Générateur alternatif

1 **Visualisation de la tension alternative délivrée par un générateur alternatif.**
Ce dernier délivre une tension de même allure et de même période que celle du secteur, mais de valeur maximale plus faible. Réglage de l'oscilloscope : le balayage est égal à 5 ms/DIV ; la sensibilité verticale est égale à 5 V/DIV.

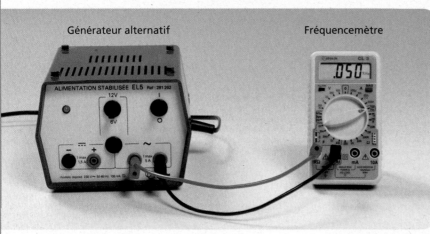

Générateur alternatif

Fréquencemètre

2 **Mesure de la fréquence de la tension alternative délivrée par le générateur alternatif.**
Le fréquencemètre donne la valeur de la fréquence, en kHz.

Pour exploiter un oscillogramme, aide-toi de la fiche technique 6, p. 228.

Vocabulaire

▶ **Fréquence** : nombre de motifs élémentaires par seconde. Elle se note *f* et s'exprime en hertz, de symbole Hz.

▶ **Oscillogramme** : figure affichée sur l'écran d'un oscilloscope.

▶ **Tension du secteur** : tension disponible aux bornes d'une prise de courant.

⚠ **Attention**

Tension du secteur Sécurité

Toute manipulation sur le secteur est interdite.
Tu risques de t'électrocuter !

Guide de travail

1. Comment reconnaître une tension alternative périodique sur un oscillogramme [doc 1] ?

2. Décris la tension du secteur [doc 1].

3. Mesure la valeur maximale et la période de la tension délivrée par le générateur alternatif [doc 1].

4. Calcule l'inverse de la fréquence mesurée [doc 2], exprimée en hertz. Compare la valeur trouvée à celle de la période exprimée en seconde.

Conclusion **Quelles grandeurs peut-on mesurer avec un oscilloscope ?**

Sois critique Selon toi, quelle serait l'allure de l'oscillogramme si on branchait une pile aux bornes d'un oscilloscope ?

Qu'indique un voltmètre utilisé en mode « alternatif » ?

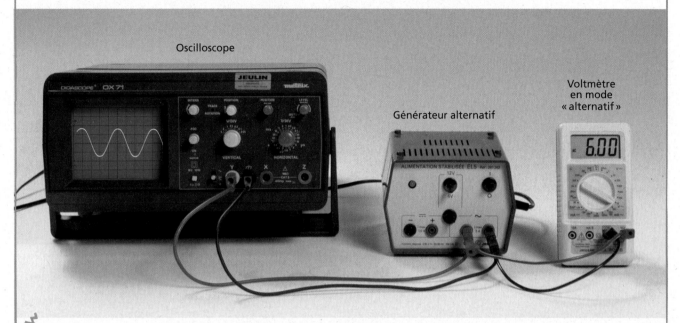

Oscilloscope

Générateur alternatif

Voltmètre en mode « alternatif »

1 **Mesure de la tension aux bornes d'un générateur alternatif réglé sur 6 V** à l'aide d'un oscilloscope et d'un voltmètre.
À l'oscilloscope, on mesure la valeur maximale U_{max} de la tension, tandis qu'avec le voltmètre on mesure sa valeur efficace U.

	Générateur sur 6 V	Générateur sur 12 V
Valeur efficace U (en V) mesurée avec le voltmètre	6,0	12,0
Valeur maximale U_{max} (en V) mesurée avec l'oscilloscope	8,5	17,0

Pour utiliser un voltmètre, aide-toi de la fiche technique 7, p.230.

2 **Valeur efficace et valeur maximale de la tension** aux bornes du générateur alternatif lorsqu'il est réglé sur une tension de 6 V ou sur une tension de 12 V.

Guide de travail

1. Précise si les valeurs de tensions indiquées sur le générateur sont des valeurs efficaces ou des valeurs maximales (doc 1).

2. Calcule le rapport $\dfrac{U_{max}}{U}$ pour chaque série de mesure (doc 2).

3. Compare à $\sqrt{2}$ le coefficient de proportionnalité entre U_{max} et U.

Conclusion Qu'indique un voltmètre utilisé en mode « alternatif » ?

Sois critique Comment déterminer la valeur efficace d'une tension sinusoïdale sans utiliser de voltmètre ?

Vocabulaire

▶ **Valeur efficace** (d'une tension sinusoïdale): valeur affichée par le voltmètre utilisé en mode alternatif.

▶ **Coefficient de proportionnalité** : dans un tableau de proportionnalité, tous les nombres d'une ligne s'obtiennent en multipliant ceux de l'autre ligne par un même nombre, le coefficient de proportionnalité.

1. La visualisation d'une tension alternative

● La **tension du secteur** est la tension disponible entre les deux bornes d'une prise de courant. Elle sert à faire fonctionner les appareils usuels.

● La **fréquence**, notée f, d'une tension périodique est le nombre de motifs élémentaires par seconde. Son unité est le **hertz** de symbole Hz.

Expérience Activité 1 p. 134

On mesure à l'**oscilloscope** (voir fiche technique 6 p. 228) la **valeur maximale** et la **période** de la tension aux bornes d'un générateur alternatif. Ce dernier délivre une tension de même allure et de même période que celle du secteur (**doc 1**). On mesure ensuite sa fréquence avec un fréquencemètre.

Mots importants

– Tension du secteur, sinusoïdale
– Fréquence, hertz
– Oscilloscope, oscillogramme
– Valeur maximale, période

➤ Voir Mini Dico p. 232

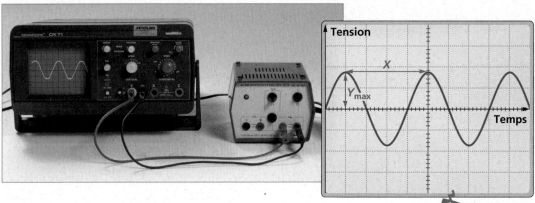

1 **Visualisation de la tension aux bornes d'un générateur alternatif.** La courbe obtenue est appelée oscillogramme.
Balayage : $B = 5$ ms/DIV
Sensibilité verticale : $S = 5$ V/DIV

Observation et interprétation

● L'**oscillogramme** est une sinusoïde donc la tension du secteur est une tension alternative **sinusoïdale**.

● Calculons la valeur maximale : $U_{max} = Y_{max} \times S = 1,7 \times 5$. Soit $U_{max} = 8,5$ V et la période : $T = X \times B = 4 \times 5 = 20$. Soit $T = 20$ ms $= 0,02$ s.

● L'inverse de la fréquence f ($f = 50$ Hz) mesurée est égale à : $\frac{1}{50} = 0,02$. Elle correspond à la période en seconde.

Conclusion
Pour t'entraîner ▶ **Exercices 16 et 19 p. 141**

■ L'**oscilloscope** permet la **visualisation d'une tension** au cours du temps.

■ L'**oscillogramme** permet de mesurer la **valeur maximale** U_{max} et la **période** T d'une tension alternative périodique.

■ L'unité de la **fréquence** f est le **hertz**, de symbole Hz. La fréquence est l'inverse de la période exprimée en seconde : $f = \frac{1}{T}$.

■ La **tension du secteur** en France est alternative sinusoïdale de fréquence 50 Hz.

2 **Exemple.** Une prise de courant fournit la tension du secteur.

2. Valeur maximale et valeur efficace

● La **valeur efficace** d'une tension sinusoïdale est la valeur affichée par un **voltmètre** utilisé en mode **alternatif**.

Expérience `Activité 2` p. 135

On mesure à l'oscilloscope les valeurs maximales U_{max} de deux tensions sinusoïdales différentes, tout en lisant la valeur U affichée sur un voltmètre utilisé en mode alternatif [**doc 3**].

► Voir Mini Dico p. 232

> **Mots importants**
> — Valeur efficace, valeur maximale
> — Voltmètre alternatif
> — Proportionnalité

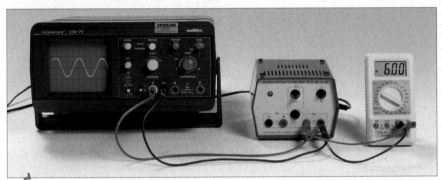

3 **Mesures de la tension à l'oscilloscope et avec un voltmètre alternatif.**

Observation et interprétation

	Générateur 6 V	Générateur 12 V
Valeur efficace (en V)	6,0	12,0
Valeur maximale (en V)	8,5	17,0

$\times\sqrt{2}$

La **valeur maximale** U_{max} et la **valeur efficace** U sont proportionnelles. Pour une tension sinusoïdale, le coefficient de **proportionnalité** entre U_{max} et U est égal à $\sqrt{2}$.

Conclusion

Pour t'entraîner ▶ **Exercices 26 et 27 p. 142**

■ **Pour une tension sinusoïdale, un voltmètre** utilisé en mode alternatif indique **la valeur efficace** U de cette tension.

■ **La valeur maximale** et **la valeur efficace** sont **proportionnelles**. Pour une tension sinusoïdale : $U_{max} = \sqrt{2} \times U$

■ **Les valeurs indiquées sur les appareils sont des valeurs efficaces**.

4 **Exemple.** La valeur de la tension indiquée sur cet adaptateur est une valeur efficace.

Documents

B2i   Maths

Pourquoi une tension « sinusoïdale » ?

L'allure d'une tension sinusoïdale n'est pas quelconque : elle correspond à la représentation graphique de la fonction mathématique « sinus » (tu connais déjà le sinus d'un angle). Pour tracer une représentation graphique, on peut utiliser une calculatrice graphique ou un ordinateur. Il suffit de saisir l'équation que l'on veut tracer. Celle de la tension sinusoïdale s'écrit $y = a \times \sin(bx)$, avec x qui représente le temps t et y la tension U.

✔ Sur le grapheur Edugraphe, crée une courbe sinusoïdale en saisissant son équation avec $a = 14$ et $b = 0,45$.

✔ Mesure la tension maximale (1 carreau correspond à 1 V) et la période (1 carreau correspond à 1 s).

✔ Crée une autre courbe avec une valeur de a différente. À quoi correspond a ?

✔ Change légèrement la valeur de b. Que détermine la grandeur b ?

● **Télécharge** le fichier edugraphe.zip et décompresse-le http://pagesperso-orange. fr/joel.amblard/prg/edu/index.html

● **Lance le programme edugraphe.jar**

● **Utilise le zoom et affiche le quadrillage** pour exploiter le graphique facilement.

internet

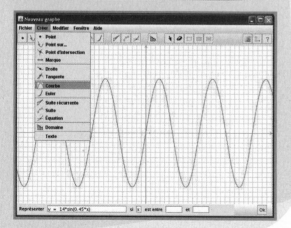

Maths

Interprétation de la valeur efficace

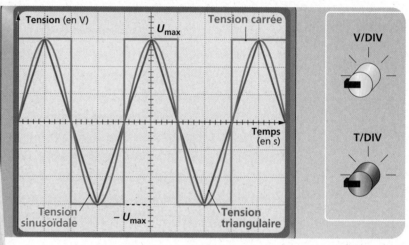

Lorsqu'une tension est appliquée aux bornes d'une résistance, elle provoque son échauffement. Par définition, une tension alternative de valeur efficace U entraîne le même échauffement qu'une tension continue de valeur U. Comparons une tension continue de valeur U_0 et trois tensions alternatives dont les valeurs maximales U_{max} sont égales à U_0.

Au cours d'une période, la tension continue ne change pas tandis que la tension carrée ne prend que deux valeurs : U_{max} et $-U_{max}$. Or une résistance fonctionne de la même façon quel que soit le sens de branchement du générateur, de sorte que l'effet de la tension carrée sera le même qu'elle soit positive ou négative. Qu'en est-il des tensions sinusoïdale et triangulaire ? Quand elles sont positives, leur valeur est constamment inférieure ou égale à U_{max}. Leur effet sur une résistance est donc plus faible que celui des tensions continues ou carrées. Il en est de même lorsque les tensions sont négatives.

Un voltmètre en mode alternatif prend en compte l'évolution de la tension pendant toute une période pour calculer puis afficher la valeur efficace U. Cette dernière décrit mieux l'effet produit sur un dipôle par la tension alternative que la valeur maximale U_{max}. Elles sont en fait liées par une relation de proportionnalité : $U_{max} = A \times U$.

Questions

1. Indique la définition d'une valeur efficace.

2. Explique pourquoi $A = 1$ pour la tension carrée.

3. Compare les valeurs des tensions sinusoïdales et triangulaires à différents instants : que constates-tu ? Peux-tu le relier au fait que $A = 1,4$ pour la tension sinusoïdale et $A = 1,7$ pour la tension triangulaire ?

Exercices

Je dois connaître

▶ La **fréquence** d'une tension périodique a pour unité le **hertz**, de symbole **Hz**.

▶ La **fréquence** f (en Hz) est l'**inverse de la période** T (en s) : $f = \dfrac{1}{T}$.

▶ La **tension du secteur** est **alternative sinusoïdale**. En **France**, sa fréquence est **50 Hz**.

▶ Pour une **tension sinusoïdale**, un **voltmètre** utilisé en mode **alternatif** mesure la **valeur efficace** de cette tension.

▶ La **valeur maximale** U_{max} et la **valeur efficace** U sont **proportionnelles**. Pour une tension sinusoïdale : $U_{max} = \sqrt{2} \times U$.

Je dois être capable de

▶ Reconnaître à l'oscilloscope une tension alternative périodique.

▶ Mesurer sur un oscilloscope la valeur maximale et la période.

▶ Identifier les valeurs de tension indiquées sur les appareils à des valeurs efficaces.

▶ Mesurer la valeur efficace d'une tension.

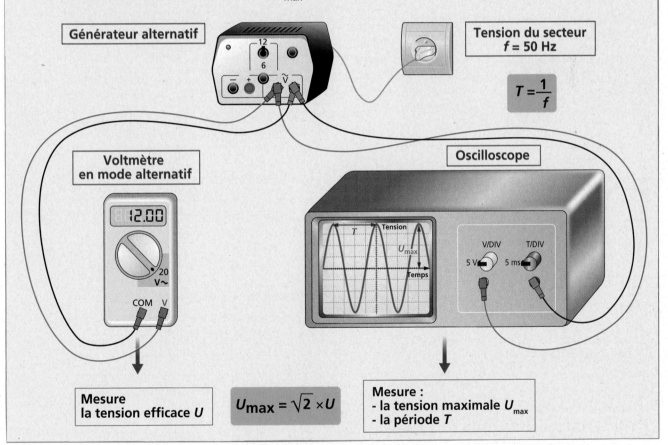

Générateur alternatif

Tension du secteur $f = 50$ Hz

$T = \dfrac{1}{f}$

Voltmètre en mode alternatif

Oscilloscope

Mesure la tension efficace U

$U_{max} = \sqrt{2} \times U$

Mesure :
- la tension maximale U_{max}
- la période T

Je m'évalue **Socle commun**

1 L'unité de fréquence est le ...., de symbole ....

2 La tension du secteur est ....

3 En France, la fréquence de la tension du secteur est .... Hz.

4 Pour une tension sinusoïdale, un voltmètre utilisé en mode alternatif indique la .... de cette tension.

5 Les valeurs de tensions indiquées sur les appareils sont des tensions........... .

▶ *Réponses en fin de manuel, p. 236*

Exercices

6 Reconnaître une tension alternative périodique

Des deux oscillogrammes, lequel représente une tension alternative périodique ? Justifie ta réponse.

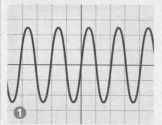

① ②

7 Mesurer la valeur maximale et la période

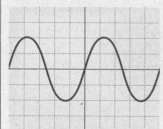

L'oscillogramme est obtenu avec les réglages suivants : 2 V/DIV et 5 ms/DIV.
a. Détermine la valeur maximale de la tension visualisée.
b. Détermine la période de la tension visualisée.

8 Connaître la fréquence d'une tension périodique

Recopie et complète les phrases suivantes :
a. La fréquence d'une tension périodique est le nombre de .... élémentaires par ....
b. L'unité de la fréquence est le..........., de symbole............
c. La relation mathématique entre la période et la fréquence s'écrit :...........

9 Connaître la tension du secteur. Vrai ou Faux ?

a. La tension du secteur n'est pas continue.
b. La tension du secteur est alternative.
c. La tension du secteur est périodique.
d. La tension du secteur n'est pas sinusoïdale.
e. La fréquence de la tension du secteur en France est 60 Hz.

10 Utiliser un voltmètre en alternatif

Si la tension est sinusoïdale, comment appelle-t-on la tension affichée par ce voltmètre ?

11 Identifier des valeurs de tension

 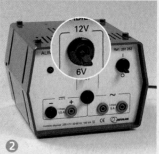

① ②

Les valeurs de tension indiquées sur ces appareils sont-elles des valeurs efficaces ou des valeurs maximales ?

12 Identifier les indications d'un voltmètre. QCM

Pour une tension sinusoïdale donnée, un voltmètre utilisé en mode alternatif indique :
a. la valeur efficace de cette tension ;
b. une valeur qui change au cours du temps ;
c. la valeur maximale de cette tension.

13 Relier la valeur efficace et la valeur maximale. QCM

La relation de proportionnalité entre la valeur efficace et la valeur maximale d'une tension sinusoïdale est :

a. $U_{max} = \dfrac{U}{\sqrt{2}}$; **b.** $U_{max} = \sqrt{2} \times U$; **c.** $U = \dfrac{U_{max}}{\sqrt{2}}$.

14 Trouver les mots-clés du chapitre

Recopie et complète la grille. Quelle est la fréquence de la tension du mot caché ?

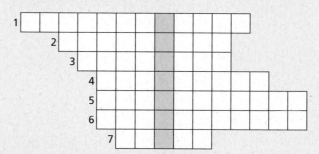

1. Permet de visualiser une tension.
2. Inverse de la période.
3. Valeur de tension proportionnelle à la valeur maximale.
4. Mesure une valeur efficace de tension.
5. Tension caractérisée par sa période et sa valeur maximale.
6. Se dit de la tension du secteur en raison de son allure.
7. Unité de la fréquence.

15 Apprendre à rédiger un exercice

> **Énoncé**

La sensibilité verticale de l'oscilloscope est réglée sur 5V/DIV et le balayage sur 10 ms/DIV.

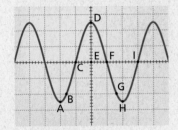

a. Quels sont les points qui permettent de mesurer la période ? Détermine-la.

b. Quels sont les points qui permettent de mesurer la valeur maximale ? Détermine-la.

> **Rédaction de la solution**

a. La période peut être déterminée entre A et H ou entre C et I. La période vaut : $T = 4 \times 10$.
Soit $T = 40$ ms.

b. La valeur maximale peut être déterminée entre E et D. La valeur maximale vaut :
$U_{max} = 2,5 \times 5 = 12,5$. Soit $U_{max} = 12,5$ V.

▶ Pour t'entraîner : exercice 16

16 Exploiter un oscillogramme

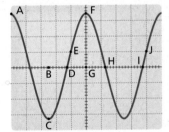

La sensibilité verticale de l'oscilloscope est réglée sur 5 V/DIV et le balayage sur 10 ms/DIV.

a. Détermine la période de la tension.

b. Détermine la valeur maximale de la tension.

17 Calculer une période

Calcule la période et complète la phrase de Tristan.

18 Communiquer, échanger B2i

De : Eric DONADEI **À :** Fabienne FOLTRAUER
Objet : tension du secteur

Bonjour Fabienne,
pour connaître l'allure et la fréquence de la tension du secteur, ouvre le fichier joint.
Eric

a. Explique comment ouvrir le fichier joint.

b. Donne l'allure de la tension représentée dans le fichier joint.

c. Quelle est la fréquence de cette tension ?

19 Comparer des périodes et des fréquences

Aux États-Unis, la fréquence de la tension du secteur est de 60 Hz.

a. Quelle est la fréquence de la tension du secteur en France ?

b. La période de la tension du secteur est-elle plus grande en France ou aux États-Unis ?

20 Comparer des oscillogrammes

Les oscillogrammes ci-dessous ont été obtenus avec le même balayage et la même sensibilité.

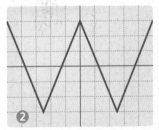
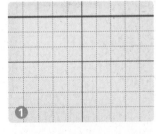
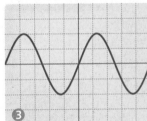
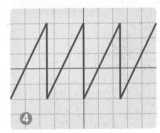

a. Quelles sont les tensions qui ont la même période ?

b. Quelles sont les tensions qui ont la même valeur maximale ?

21 Reconnaître des tensions

Pour chacun des oscillogrammes de l'exercice 20, indique si la tension visualisée est : continue, variable, alternative, périodique, sinusoïdale. Plusieurs adjectifs peuvent être employés pour une même tension.

22 La démarche d'investigation

Utiliser une interface d'acquisition

Le problème à résoudre

Pierre se demande si la tension délivrée par un alternateur de bicyclette est sinusoïdale.

L'hypothèse proposée

Pierre sait que dans les centrales électriques, la tension du secteur est produite par un alternateur. Il pense donc que la tension du secteur et la tension délivrée par l'alternateur de bicyclette ont la même allure : une sinusoïde.

L'expérience réalisée

Pierre utilise une interface d'acquisition afin de visualiser la tension délivrée par un alternateur de bicyclette.

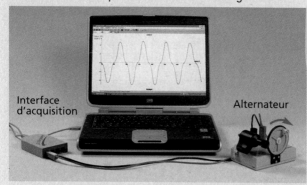

Interface d'acquisition — Alternateur

Interprète les résultats

a. L'hypothèse de Pierre est-elle juste ? Justifie ta réponse.

b. Cite les adjectifs que doit employer Pierre pour qualifier la tension étudiée : continue, variable, périodique, alternative.

💡 **Coup de pouce :** pour exploiter le graphique obtenu avec une interface, aide-toi de la fiche technique 5 p. 227

23 Visualiser l'allure de la tension du secteur

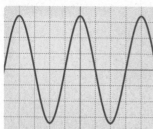

Afin de visualiser l'allure de la tension du secteur à l'oscilloscope, on utilise un transformateur. Ce dernier abaisse la valeur de la tension sans changer son allure ni sa fréquence. Balayage : 5 ms/DIV

a. Indique si la tension du secteur est : continue, variable, périodique, alternative, sinusoïdale. Plusieurs adjectifs peuvent être employés.

b. Détermine la période de la tension du secteur.

c. Déduis-en sa fréquence.

24 Caractériser une tension [Maths]

On considère une tension sinusoïdale de valeur maximale $U_{max} = 8,5$ V et de période $T = 10$ ms.

a. Calcule sa valeur efficace.   **b.** Calcule sa fréquence.

25 Visualiser la tension fournie par une dynamo

Thomas souffle sur une hélice qui entraîne la rotation de la dynamo. Cette dernière délivre alors une tension électrique. Thomas visualise cette tension à l'aide d'un oscilloscope.

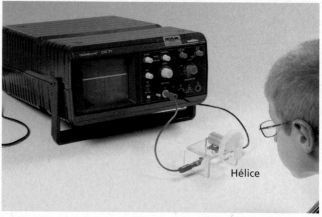

Hélice

La tension fournie par la dynamo est-elle alternative ou continue ?

26 Proportionnalité [Maths]

Lise veut découvrir la relation de proportionnalité entre la valeur efficace et la valeur maximale d'une tension triangulaire comme celle visualisée dans l'exercice 20 p. 141 dans le cas n°2. Voici les résultats de ses mesures.

Valeur efficace (en V)	6	12	24
Valeur maximale (en V)	10,4	20,8	41,6

a. Y a-t-il proportionnalité entre la valeur efficace et la valeur maximale ? Justifie.

b. Le coefficient de proportionnalité est-il égal à $\sqrt{2}$ ou $\sqrt{3}$?

c. Écris la relation de proportionnalité entre la valeur efficace U et la valeur maximale U_{max} de la tension triangulaire étudiée.

27 Connaître la valeur efficace et la fréquence

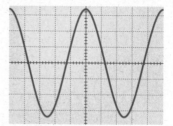

Cet oscillogramme a été obtenu avec les réglages suivants : 5 V/DIV et 0,2 ms/DIV.

a. Détermine la valeur maximale de la tension visualisée.

b. Déduis-en la valeur efficace.

c. Indique une autre méthode pour mesurer la valeur efficace de cette tension.

d. Détermine la période puis la fréquence de cette tension.

Sciences et culture

28 Lecture d'un Magazine

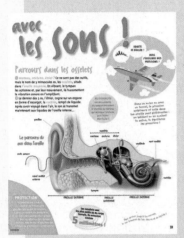

Dans le magazine *Wapiti* de mars 2006, tu peux découvrir comment les sons voyagent dans ton oreille et te rendre compte de certaines ressemblances avec des notions rencontrées dans ce chapitre. En effet, les sons entraînent des vibrations dans l'oreille. Ces dernières sont transformées en signaux électriques qui sont interprétés par le cerveau. Les sons audibles sont caractérisés par des fréquences comprises entre 20 et 20 000 Hz. Plus un son est aigu, plus les vibrations sont rapprochées dans le temps et plus il est grave, plus elles sont étalées dans le temps.

1. Calcule les périodes qui correspondent aux fréquences citées dans le texte.

2. La fréquence d'un son aigu est-elle plus petite ou plus grande que celle d'un son grave ? Justifie ta réponse.

29 Expérience à la Maison

La fréquence cardiaque représente le nombre de battements du cœur par minute.

1. Mesure-la en prenant ton pouls au repos, puis exprime-la en hertz.

2. Accroupis-toi et relève-toi 20 fois de suite.

3. Mesure à nouveau ta fréquence cardiaque.

4. Déduis-en comment évolue la fréquence cardiaque en fonction de l'effort physique.

30 Problème de Société

Une prise de courant est dangereuse car elle délivre une tension efficace de valeur 230 V. Or on considère qu'au-delà d'une valeur limite de 50 V pour la tension efficace, il y a danger d'électrocution. Chaque année, 200 personnes meurent d'électrocution en France.

1. Recherche la signification d'électrocution.

2. Rappelle la valeur de la fréquence de la tension du secteur.

3. Calcule la valeur maximale du secteur.

31 Wissenschaft auf Deutsch

Im Jahr 1887 erfindet Heinrich Hertz einen Generator für Wechselstrom mit einer sehr hohen Frequenz. Diese Stromarten können ihre Richtung mehrere zehntausend Mal pro Sekunde wechseln.

1. Mit welcher Maßeinheit ist der Name dieses deutschen Physikers verbunden ?

2. Berechne die Periode eines Stroms, der die Richtung 10 Millionen Mal pro Sekunde wechselt.

Wortschatz

▸ Wechselstrom : courant alternatif.

▸ Maßeinheit : unité de mesure.

L'électrocardioscope

L'activité électrique cardiaque d'un individu peut être traduite par une tension variable observable sur l'écran d'un oscilloscope particulier : l'électrocardioscope. Comment détermine-t-on les caractéristiques de cette tension ?

L'électrocardioscope.
Il enregistre la tension électrique de l'activité cardiaque en fonction du temps. L'enregistrement s'effectue à l'aide d'électrodes placées sur le torse du patient.

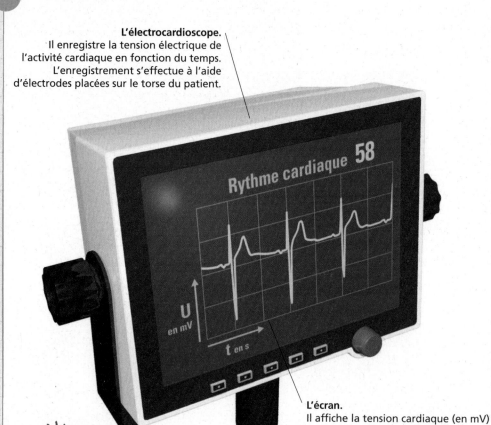

Rythme cardiaque 58

U en mV

t en s

L'écran.
Il affiche la tension cardiaque (en mV) en fonction du temps (en s).
Ici, une graduation horizontale correspond à 0,5 s.

un peu d'histoire

C'est en 1903, qu'a été enregistrée pour la première fois la tension électrique produite par les contractions musculaires du cœur.

Mène ton enquête

1. La tension affichée sur l'électrocardioscope est-elle continue ou variable ?

2. L'activité cardiaque est-elle un phénomène périodique ?

3. Calcule la période T, en seconde, puis la fréquence f en hertz de l'activité du cœur.

4. Calcule le nombre de battements de cœur par minute.

👉 **Coup de pouce**

La fréquence f en Hz est l'inverse de la période T en seconde, qui est la durée d'un motif élémentaire.

Ingénieur(e) du son

Cinéma, télé, radio, musique, etc. l'ingénieur du son est partout. Spécialiste à la fois d'électronique et de musique, il sait déchiffrer les tensions alternatives que lui envoient les micros. Sur un plateau, il enregistre des voix et de la musique en évitant les bruits parasites. En régie, à l'aide d'ordinateurs ou d'une table de mixage, il est capable de séparer les tensions alternatives correspondant aux sons captés, d'en analyser chaque fréquence, de les modifier, de les mixer. Il exprime la tonalité particulière souhaitée par l'artiste avec lequel il collabore.

Conseils : ce métier est difficile d'accès et il faut une solide expérience pour espérer avoir la responsabilité d'un projet. De plus, la plupart des professionnels du son ont des revenus qui dépendent de leur activité : ils sont intermittents du spectacle.

Comment en savoir plus sur ce métier ?
www.onisep.fr/belin-pc-3e
ONISEP

Quelle orientation après la 3e ?

▶ En sortant du **lycée général et technologique**, il est préférable d'avoir un **bac scientifique S** et une bonne pratique musicale pour passer les concours d'entrée aux écoles de formation. L'enseignement de détermination de 2e **MPI** (mesures physiques et informatique) te donnera une bonne idée de l'intérêt de l'ordinateur utilisé en physique.

Transforme un oscilloscope en oreille !

Max enregistre en studio le dernier album R & B d'*Hyptnotic Physic*. Pendant le réglage des micros, les techniciens jouent la note « la3 » et ils vérifient que tous les instruments produisent bien un son de fréquence 440 Hz. La tension électrique envoyée par le micro a exactement la même fréquence que le son qu'il a capté. En regardant les écrans de la console qui lui sert alors d'oscilloscope, Max a repéré un instrument drôlement désaccordé.

**Retrouveras-tu le numéro du micro qui est relié à cet instrument mal réglé ?
Comment Max s'en est-il aperçu ?**

La puissance électrique

Objectifs

▶ Citer quelques puissances
d'appareils domestiques

▶ Calculer l'intensité efficace
à partir de la puissance
et de la tension nominales

▶ Connaître le rôle
d'un coupe-circuit

Situation 1

Le fabricant d'un appareil électrique doit informer
les consommateurs des caractéristiques de celui-ci
en établissant une documentation technique.

**Que signifie la valeur exprimée en watt (W) indiquée
sur la plaque signalétique d'un appareil électrique ?**

Thierry se renseignant sur une machine à laver.

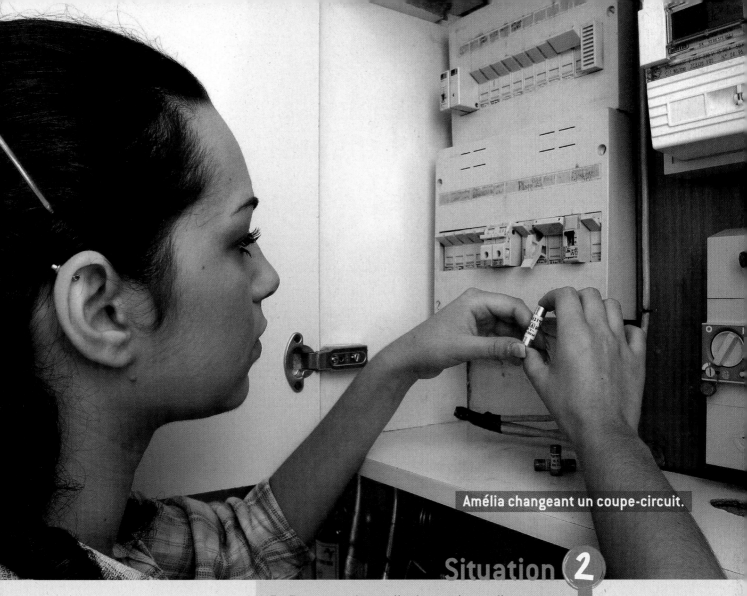

Amélia changeant un coupe-circuit.

Situation 2

En France, un incendie domestique a lieu toutes les deux minutes. Un incendie sur quatre est dû à une installation électrique défectueuse.

Pourrais-tu expliquer le rôle des coupe-circuits dans l'installation électrique ?

J'expérimente et je me documente pour répondre

Activité 1

Mesurer l'intensité du courant dans un appareil électrique   p. 148

Activité 2

Étudier le rôle des coupe-circuits.   p. 149

Comment relier la puissance électrique à la tension ?

1 Plaque signalétique d'un fer à repasser. Elle indique des valeurs qui caractérisent le fer à repasser en fonctionnement normal : sa puissance électrique nominale en watt, sa tension nominale en volt et sa fréquence nominale en hertz.

3 12 104
1900 W 220-240 V ~
50/60 Hz
MADE IN FRANCE

Appareil électrique	Puissance nominale
Lampe à incandescence	60 W, 75 W, 100 W
Lampadaire halogène	400 W
Grille-pain	1 050 W
Gaufrier	640 W
Cafetière	900 W
Four électrique	3 000 W
Friteuse	2 000 W

 Puissance nominale de quelques appareils électriques. Une lampe de 100 W brille plus qu'une lampe de 60 W. Un grille-pain de 1 050 W chauffe plus qu'un gaufrier de 640 W.

Ampèremètre en mode alternatif

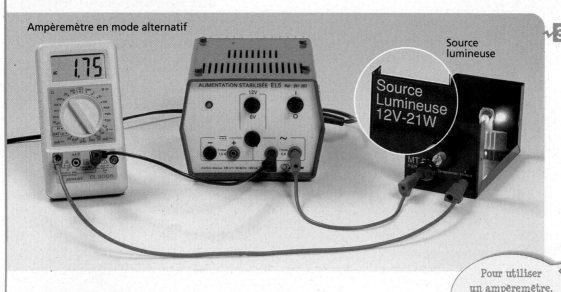

Source lumineuse

Source Lumineuse 12V-21W

3 Mesure de l'intensité efficace *I* dans une source lumineuse de tension nominale *U* et de puissance nominale *P* connues.

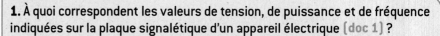

Pour utiliser un ampèremètre, aide-toi de la fiche technique 7, p. 230.

Vocabulaire

▶ Ordre de grandeur Maths : on détermine l'ordre de grandeur d'un nombre *a* en le plaçant entre deux puissances de dix consécutives ; la plus proche correspond à l'ordre de grandeur de *a*.

Exemple : si $a = 7,51 \times 10^8$, alors $10^8 \leq a \leq 10^9$. L'ordre de grandeur de *a* est donc 10^9.

▶ Intensité efficace (d'un courant sinusoïdal) : intensité mesurée avec un ampèremètre utilisé en mode alternatif.

Guide de travail

1. À quoi correspondent les valeurs de tension, de puissance et de fréquence indiquées sur la plaque signalétique d'un appareil électrique (doc 1) ?

2. Donne l' ordre de grandeur de la puissance nominale d'une lampe à incandescence, puis de celle d'un appareil électroménager chauffant (doc 2).

3. Compare le produit $U \times I$ à *P* (doc 3). Déduis-en l' intensité efficace *I* dans le fer à repasser quand il fonctionne (doc 1).

Conclusion Comment relier la puissance électrique à la tension ?

Sois critique Sachant que tu peux utiliser ici la loi d'additivité de l'intensité, quelle est l'intensité efficace du courant dans le fil alimentant le fer à repasser et la cafetière, tous deux branchés en dérivation sur le secteur ?

Quel est le rôle d'un coupe-circuit ?

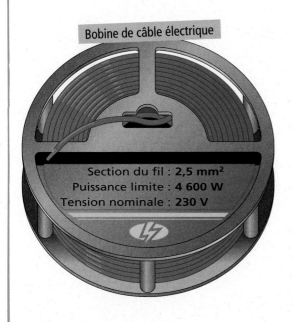

Bobine de câble électrique

Section du fil : **2,5 mm²**
Puissance limite : **4 600 W**
Tension nominale : **230 V**

Plus l'intensité du courant dans un fil conducteur (ou câble électrique) est grande, plus ce fil s'échauffe. Cette intensité est proportionnelle à la puissance totale des appareils alimentés par ce fil, qui est la somme des puissances de chacun. Pour éviter les risques d'incendie dus à une surintensité dans le fil, le fabriquant du fil indique sa **puissance limite** : c'est la puissance totale des appareils branchés en dérivation sur le fil à ne pas dépasser. Il indique également la **tension nominale** du fil : c'est la tension aux bornes des appareils branchés en dérivation quand ils fonctionnent normalement. Cette tension vaut 230 V quand ces appareils sont branchés sur le secteur.

Plus la puissance limite d'un fil conducteur est grande, plus l'intensité dans le fil sera grande et plus sa section est grande.

Section du fil	1,5 mm²	2,5 mm²	6 mm²
Puissance limite	3 680 W	4 600 W	7 360 W
Utilisation du fil	Éclairage	Prise de courant	Cuisinière

 Puissance limite d'appareils électriques alimentés par un fil conducteur électrique.

Les coupe-circuits branchés en série avec les appareils électriques protègent l'installation domestique contre les surintensités. Ils ouvrent le circuit quand l'intensité du courant qui les traverse atteint une valeur limite. Il existe deux types de **coupe-circuit : les fusibles,** qui fondent et les **disjoncteurs,** qu'il est possible de réenclencher.

 Surintensité et coupe-circuit.

Fusible : intensité efficace limite 10 A

Disjoncteur : intensité efficace limite 10 A

Vocabulaire

◉ Surintensité : intensité d'un courant dépassant la plus grande valeur supportée par un dipôle ou un circuit électrique.

Guide de travail

1. Explique pourquoi l'intensité du courant dans un fil conducteur ne doit pas dépasser une valeur donnée (doc 1).

2. Calcule l'intensité efficace limite du courant dans un fil de section 2,5 mm² alimentant une installation domestique (doc 1).

3. Déduis-en si un coupe-circuit de 10 A est adapté à cette installation domestique (doc 3) ?

Conclusion **Quel est le rôle d'un coupe-circuit ?**

Sois critique Selon toi, quelles sont les causes possibles d'une surintensité dans un circuit électrique ?

1. La puissance électrique

● L'unité de **puissance** est le **watt** de symbole W.

● La puissance indiquée sur un appareil électrique est sa **puissance nominale**, c'est-à-dire la puissance électrique reçue dans les conditions normales d'utilisation. À la maison, les lampes à incandescence ont une puissance nominale d'environ 100 W, tandis que les appareils électroménagers chauffants ont une puissance nominale d'environ 1 000 W.

> **Mots importants**
>
> ━ Puissance,
>   puissance nominale, watt
> ━ Tension efficace,
>   intensité efficace
>
> ➤ Voir Mini Dico p. 232

Expérience **Activité 1 p. 148**

On mesure, à l'aide d'un ampèremètre utilisé en mode alternatif, l'intensité efficace du courant traversant une source lumineuse de puissance nominale et de tension nominale connues (**doc 1**). On calcule ensuite le produit de la tension par l'intensité.

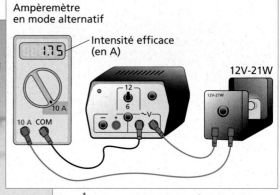

Ampèremètre en mode alternatif

Intensité efficace (en A)

12V-21W

1 Mesure de l'intensité efficace du courant traversant une source lumineuse.

Observation et interprétation

Le produit de la **tension efficace** U par l'**intensité efficace** I est égal à $12 \times 1,75 = 21$. Il correspond à la puissance P de la lampe :

$$P = U \times I \quad \text{ou} \quad I = \frac{P}{U}$$

Remarque : cette relation n'est applicable que pour les dipôles ohmiques, c'est-à-dire des appareils qui ne produisent que des effets thermiques (éclairage, chauffage).

Conclusion

Pour t'entraîner ▶ **Exercices 15 et 16 p. 155**

■ La **puissance**, exprimée en **watt** (W), indiquée sur un appareil est sa **puissance nominale** : environ **100 W** pour les **lampes à incandescence** et environ **1 000 W** pour les **appareils électroménagers chauffants**.

■ Pour un **dipôle ohmique** (éclairage ou chauffage) :

$$P = U \times I \quad \text{ou} \quad I = \frac{P}{U}$$

P est la puissance reçue (en W)
U est la tension efficace (en V)
I est l'intensité efficace (en A)

2 **Exemple.** Ce grille-pain électrique a une puissance nominale de 1 050 W.

2. Intensité du courant dans un fil et les coupe-circuits Activité 2 p. 149

● Les appareils électriques domestiques, considérés comme des dipôles ohmiques, sont branchés en dérivation sur le secteur de tension efficace U = 230 V. La **puissance** P du circuit électrique domestique est égale à la somme des puissances de chaque appareil du circuit. L'intensité efficace I du courant dans le fil principal est donc égale à $\dfrac{P}{U}$ avec U = 230 V.

● L'intensité efficace du courant dans un **fil conducteur** ne doit pas dépasser une certaine valeur pour des raisons de **sécurité**. En effet, le fil s'échauffe fortement si l'intensité du courant dans le fil devient importante et il y a danger d'incendie. Le constructeur indique alors, pour le fil, la **tension nominale** c'est-à-dire la tension efficace à respecter pour une utilisation normale. Il indique aussi soit l'**intensité efficace limite** du courant dans le fil, à ne pas dépasser, soit la **puissance limite** du circuit alimenté par l'intermédiaire du fil, à ne pas dépasser.

● Prenons l'exemple d'un fil conducteur pour lequel le constructeur indique une puissance limite P = 4 600 W et une tension nominale U = 230 V. Calculons l'intensité efficace limite I dans ce fil :

$$I = \frac{P}{U} = \frac{4600}{230} = 20 \quad \text{soit} \quad I = 20 \text{ A.}$$

● Un **coupe-circuit** placé en série, protège les fils conducteurs et les appareils électriques d'une installation électrique. Il ouvre le circuit en cas de **surintensité** (doc 3).

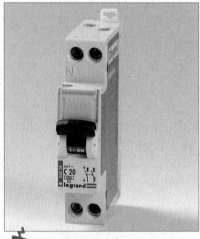

Mots importants

— Intensité efficace limite, fil conducteur, sécurité
— Tension nominale, puissance limite
— Coupe-circuit, surintensité

➤ Voir Mini Dico p. 232

3 **Coupe-circuit 20 A** adapté à un circuit domestique de puissance limite 4 600 W.

Conclusion

Pour t'entraîner ▶ Exercices 25 et 27 p. 156

■ L'**intensité efficace** du courant dans un fil conducteur ne doit pas dépasser une certaine **valeur limite** pour des raisons de sécurité : il y a danger d'**incendie**.

■ Les indications de tension, de puissance et d'intensité portées sur un fil conducteur correspondent respectivement à la **tension nominale**, la **puissance limite** et l'**intensité efficace limite** du circuit alimenté par ce fil.

■ Le **coupe-circuit** branché en série **protège** les appareils et les installations. Il ouvre le circuit en cas de **surintensité**.

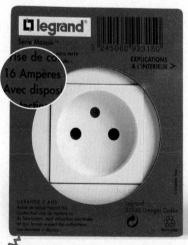

4 **Exemple.** Cette prise de courant d'intensité efficace limite 16 A doit être protégée par un coupe-circuit adapté.

Documents

B2i Énergie

Suivre la production et la consommation d'électricité

La puissance électrique produite dans les centrales électriques doit être au moins égale à la puissance de tous les appareils fonctionnant au même moment pour les particuliers, mais aussi pour les entreprises. Voici quelques ordres de grandeurs pour la France : un réacteur nucléaire fournit une puissance de 900 à 1 400 mégawatts ($1\ MW = 10^6\ W$), une éolienne 2 MW avec un vent favorable ; une baisse d'un degré de la température extérieure mobilise 1 400 MW supplémentaires pour le chauffage électrique, les appareils laissés en veille demandent à eux seuls 2 000 MW.

✓ Quelle puissance électrique maximale a été consommée en France vendredi et dimanche derniers ?

✓ Qu'est-ce qui explique de telles différences ?

✓ Est-il envisageable de produire l'électricité uniquement avec des éoliennes ? Combien en faudrait-il au minimum pour un jour comme vendredi dernier ?

internet

● **Consulte les courbes journalières de consommation d'électricité**
http://www.rte-france.com/htm/fr/vie/courbes.jsp

● **Découvre les trois cycles de consommations** sur le document.pdf expliquant la méthodologie des prévisions journalières.

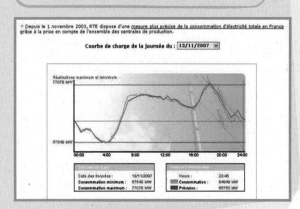

Consommation journalière d'électricité.

Technologie Sécurité

Surintensité : attention danger !

Une surintensité peut avoir des conséquences dramatiques.

En France, un incendie sur quatre serait d'origine électrique. Une surintensité provoque un échauffement des fils qui ne sont plus adaptés, ce qui risque d'enflammer les matériaux autour du circuit. À la maison, la tension du secteur est fixée à 230 V, mais l'intensité du courant délivrée dépend de la puissance des appareils en fonctionnement. S'ils sont trop nombreux à être branchés en même temps ou s'il y a un court-circuit, une surintensité apparaît. Normalement, les disjoncteurs ou les fusibles coupent rapidement le circuit pour protéger l'installation. Mais les cas les plus dangereux de surintensité sont causés par un élément défectueux ou un fil mal branché. Il peut y avoir un échauffement local, parfois même des étincelles, qu'aucun dispositif de protection ne détectera. Si tu vois un appareil qui fonctionne par intermittence ou s'il apparaît une odeur de brûlé suspecte, coupe immédiatement le courant sur le disjoncteur principal.

Questions

1. En cas de surintensité, quelle partie du circuit peut provoquer un incendie ?

2. Qu'est-ce qui peut causer une surintensité du circuit électrique à la maison ?

3. Quels appareils nous protègent des surintensités à la maison ?

4. Que dois-tu faire d'urgence si tu remarques des étincelles sortant d'une prise électrique ?

Je révise — La puissance électrique

Je dois connaître

▸ La **puissance** exprimée en **watt** (W) indiquée sur un appareil est **sa puissance nominale.**

▸ Pour un appareil qui ne produit **que des effets thermiques** (éclairage ou chauffage) :

$$P = U \times I$$

P est la puissance reçue (en W)
U est la tension efficace (en V)
I est l'intensité efficace (en A)

▸ **L'intensité du courant** dans un fil conducteur ne doit **pas dépasser une certaine valeur** car il y a danger d'**incendie.**

▸ Le **coupe-circuit,** branché en série, **protège** les appareils et les installations. Il ouvre le circuit en cas de **surintensité.**

Je dois être capable de

▸ Dire qu'à la maison, les **lampes à incandescence** ont une puissance nominale d'**environ 100 W** tandis que les **appareils électroménagers chauffants** ont une puissance nominale d'environ **1 000 W.**

▸ **Calculer,** à partir de sa **puissance** P et de sa **tension nominale** U, l'**intensité efficace** I du courant circulant dans un **appareil** ne produisant que des effets thermiques : $I = \dfrac{P}{U}$.

▸ Exposer le **rôle d'un coupe-circuit.**

▸ Repérer et identifier les **indications** de **puissance,** de **tension** ou d'**intensité** sur les **fils** et sur les **prises électriques.**

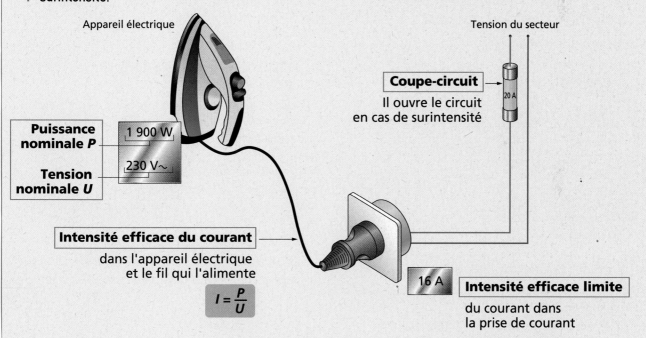

Appareil électrique

Puissance nominale P — 1 900 W

Tension nominale U — 230 V∼

Intensité efficace du courant
dans l'appareil électrique et le fil qui l'alimente

$$I = \frac{P}{U}$$

Coupe-circuit → 20 A
Il ouvre le circuit en cas de surintensité

Tension du secteur

16 A | **Intensité efficace limite**
du courant dans la prise de courant

Je m'évalue — Socle commun

1 La puissance exprimée en .... indiquée sur un appareil est sa puissance ....
À la maison, les lampes ont une puissance d'environ .... W tandis que les appareils électroménagers chauffants ont une puissance d'environ .... W.

2 L'intensité du courant dans un fil conducteur ne doit pas dépasser une certaine valeur car il y a danger ....

3 Le .... protège les appareils et les installations. Il .... le circuit en cas de surintensité.

4 La tension indiquée sur un fil conducteur est la tension .... Les indications de puissance ou d'intensité sont des valeurs ....

▸ Réponses en fin de manuel, p. 236

Exercices

5 Connaître la puissance nominale

Recopie et complète les phrases suivantes.

a. La puissance indiquée sur un appareil électrique est sa puissance ....

b. La puissance .... est la puissance reçue dans les conditions normales d'utilisation.

c. L'unité de puissance est le .... de symbole ....

6 Connaître des puissances électriques domestiques

Recopie et relie chaque appareil à sa puissance nominale.

Grille-pain   •   • 75 W

Four électrique   •   • 1 050 W

Lampe   •   • 3 000 W

7 Comprendre des indications

Que signifient ces indications ?

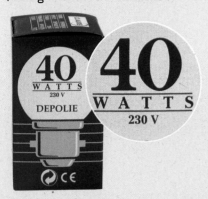

8 Énoncer la relation entre *P, U* et *I*. QCM

Pour un appareil électrique qui ne produit que des effets thermiques :

a. la tension efficace est le produit de la puissance reçue par l'intensité efficace ;

b. la puissance reçue est le produit de l'intensité efficace par la tension efficace ;

c. l'intensité efficace est le produit de la tension efficace par la puissance reçue.

9 Calculer une intensité efficace. QCM

L'intensité efficace *I* du courant dans un appareil ne produisant que des effets thermiques s'obtient à partir de la tension efficace nominale *U* et de la puissance nominale *P* de cet appareil par la relation :

a. $I = U \times P$ **b.** $I = \dfrac{P}{U}$ **c.** $I = \dfrac{U}{P}$

10 Connaître la valeur limite. Vrai ou Faux ?

a. L'intensité du courant dans un fil conducteur ne doit pas dépasser une valeur limite.

b. Dépasser la valeur limite de l'intensité du courant dans un fil conducteur n'est pas dangereux.

c. La valeur limite de l'intensité du courant dans un fil est fixée par un critère de sécurité.

11 Expliquer le rôle d'un coupe-circuit

Quel est le rôle de ces appareils ?

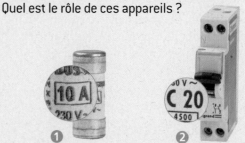

12 Identifier des indications sur les câbles et les prises

Recopie les phrases suivantes en choisissant la bonne proposition.

a. La tension indiquée sur un fil correspond à la tension *nominale / limite*.

b. La puissance indiquée sur un fil correspond à la puissance *nominale / limite*.

c. L'intensité indiquée sur un fil correspond à l'intensité *nominale / limite*.

13 Trouver les mots-clés du chapitre

Recopie et complète la grille.

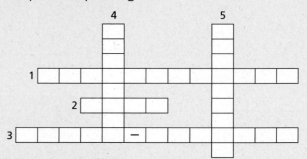

1. Intensité trop élevée.

2. Unité de mesure de puissance.

3. Dispositif protégeant les appareils et les installations électriques.

4. Se dit de la puissance indiquée sur les appareils électriques.

5. Grandeur égale au produit de l'intensité par la tension.

14 Apprendre à rédiger un exercice

> **Énoncé**

Un grille-pain porte les indications suivantes :
1 050 W ; 230 V.

a. Donne la signification de ces indications.

b. Quelle tension efficace faut-il appliquer
au grille-pain pour qu'il fonctionne normalement ?

c. Calcule l'intensité efficace I du courant dans
le grille-pain quand il fonctionne normalement.

> **Rédaction de la solution**

a. Les indications portées sur le grille-pain
sont sa puissance nominale P (1 050 W)
et sa tension nominale U (230 V).

b. Pour que le grille-pain fonctionne normalement,
il doit être soumis à une tension efficace de 230 V
car c'est la valeur de sa tension nominale.

c. $P = U \times I$ donc $I = \dfrac{P}{U} = \dfrac{1\,050}{230} = 4{,}56.$

Soit $I = 4{,}56$ A.

▶ Pour t'entraîner : exercice 15

15 Exploiter des indications

Un sèche-cheveux porte les indications suivantes :
2 000 W ; 230 V.

a. Donne la signification de ces indications.

b. Quelle tension efficace faut-il appliquer au sèche-cheveux
pour qu'il fonctionne normalement ?

c. Calcule l'intensité efficace I du courant dans
le sèche-cheveux quand il fonctionne normalement.

16 Utiliser les indications

La puissance et la tension sont indiquées mais pas l'intensité !

Pas besoin, on peut la connaître quand même !

Explique la réponse de Véronique.

17 Créer une feuille de calcul B2i

	A	B	C
1	Appareil électrique	Puissance nominale (en watt)	Intensité efficace I (en A)
2	Friteuse	1800	=
3	Grille-pain	1200	
4	Cafetière	1450	

a. Ouvre un logiciel tableur-grapheur et saisis les données
en respectant le modèle ci-dessus.

b. Insère, dans la cellule C2, la formule permettant
de calculer l'intensité efficace I applicable à chaque appareil.

c. Utilise la fonction « copier-coller » pour réaliser la série
de calculs.

18 Calculer une intensité

Calcule l'intensité efficace du courant qui traverse une
lampe de 60 W branchée sur le secteur.

19 ★ Mesurer une puissance Maths

Corinne mesure, à l'aide d'un wattmètre, la puissance
électrique reçue par un dipôle « résistance » de
résistance 47 Ω. L'affichage est en W.

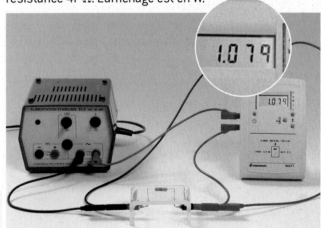

a. Écris la valeur de la puissance P mesurée.

b. Montre que la puissance P reçue par un dipôle
« résistance » de résistance R et traversé par un courant
d'intensité I est égale à RI^2.

c. Déduis-en l'intensité I du courant dans le dipôle
« résistance » utilisée par Corinne.

💡 **Coup de pouce :** pour un dipôle « résistance » : $U = R \times I.$

20 Grandeur produit Maths

Tony lit sur le culot d'une lampe les indications suivantes :
6 V ; 100 mA.

a. À quoi correspondent les valeurs indiquées sur le culot
de la lampe ?

b. Déduis-en la puissance nominale de cette lampe.

21 La démarche d'investigation

Comprendre le rôle d'un coupe-circuit

Le problème à résoudre

Aurélie se demande dans quel cas un fusible ouvre un circuit.

L'hypothèse proposée

Elle pense qu'un coupe-circuit ouvre le circuit quand trop d'appareils branchés en dérivation fonctionnent en même temps.

L'expérience réalisée

Elle réalise un circuit avec une lampe, puis deux lampes et enfin trois lampes branchées en dérivation en plaçant un fusible sur la branche principale.

Les résultats obtenus

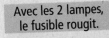

Avec les 2 lampes, le fusible rougit.

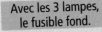

Avec les 3 lampes, le fusible fond.

Interprète les résultats

a. L'hypothèse d'Aurélie est-elle juste ?

b. Comment varie l'intensité du courant dans le fusible quand le nombre de lampes augmente ?

c. À quel moment de l'expérience, observe-t-on une surintensité ?

22 Prévoir l'éclat d'une lampe

Observe l'éclat de ces deux lampes utilisées dans des conditions normales. Les valeurs nominales de la lampe 1 sont (3,5 V ; 1 W) et celles de la lampe 2 (6 V ; 0,6 W).

a. Compare les tensions aux bornes des deux lampes.

b. Quelle lampe brille le plus ?

c. Déduis-en si l'éclat d'une lampe dépend de sa tension ou de sa puissance nominale.

23 Lire un emballage

Sur l'emballage d'une prise de courant, on lit « 230 V ; 16 A ».

a. Que signifient ces indications ?

b. Calcule la puissance limite des appareils utilisables sur cette prise.

24 Multiprise **Sécurité**

Il ne faut jamais brancher trop d'appareils sur une même prise de courant en utilisant des multiprises.

a. Les appareils domestiques sont-ils branchés en série ou en dérivation ?

b. Calcule l'intensité du courant dans la prise si on branche à ses bornes un fer à repasser de 2 000 W, un radiateur de 3 000 W et une cafetière de 900 W.

c. L'intensité efficace limite de la prise de courant est 20 A. L'utilisation simultanée de ces trois appareils présente-t-elle un danger ? Si oui, lequel ?

25 Observer un fusible

Que signifient ces indications ?

26 ★ Étudier une installation domestique

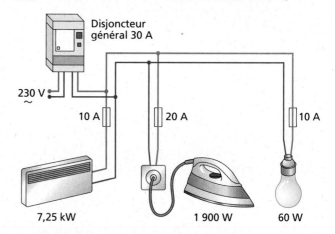

a. Calcule l'intensité efficace du courant dans chaque appareil quand il fonctionne.

b. Les fusibles sont-ils adaptés aux appareils qu'ils protègent ?

c. Le disjoncteur général est-il adapté ?

27 Installer une cuisinière électrique

M. Étincelle veut installer une cuisinière électrique. Cette dernière est équipée de deux plaques de cuisson de puissances différentes qui sont 1 200 W et 2 100 W.

a. Quelle plaque chauffe le plus ?

b. Calcule l'intensité efficace du courant dans le fil qui alimente la cuisinière quand les deux plaques de cuisson fonctionnent en même temps.

c. Recherche, dans le document 1 p. 149, la section du fil à utiliser pour alimenter la cuisinière.

d. Quel disjoncteur M. Étincelle doit-il choisir pour protéger son installation électrique : 10 A ; 16 A ; 20 A ; 32 A ? Justifie ta réponse.

Sciences et culture

28 Visite d'un Musée

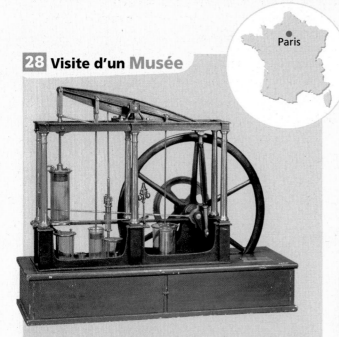

Paris

Au musée des Arts et Métiers à Paris, tu peux observer la machine à vapeur de Watt (1769) : c'est un moteur fonctionnant grâce à de la vapeur d'eau sous pression. James Watt introduit une nouvelle unité de mesure de la puissance : le cheval-vapeur.

1. Quelle est l'unité légale de la puissance ?

2. Recherche la définition du cheval-vapeur.

29 Expérience à la Maison

Observe, sans y toucher, le tableau électrique de ton habitation.

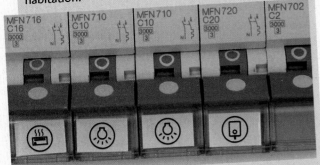

1. Repère le nombre de coupe-circuits : fusibles ou disjoncteurs.

2. Déduis-en le nombre de circuits indépendants de l'installation électrique.

3. Identifie le circuit électrique qui nécessite la plus grande intensité de courant.

Attention : il ne faut jamais toucher un tableau électrique. Tu risquerais de t'électrocuter.

30 Problème de Société

Il existe plusieurs types de centrales électriques. Elles diffèrent les unes des autres par leur mode de fonctionnement, par leur puissance mais aussi par leur délai de mise en route. Ainsi, au contraire d'une centrale thermique, une centrale nucléaire ne peut être ni arrêtée ni redémarrée brutalement.

Centrale nucléaire de Cattenom en Lorraine : 5,2 GW.

1. Convertis la puissance de la centrale nucléaire en kilowatt (kW).

2. Dans les années 1970, la politique énergétique française conduit à un développement des centrales nucléaires. Pourquoi les centrales thermiques à flamme sont-elles néanmoins conservées en nombre assez important ?

3. Selon EDF, un logement nécessite en moyenne une puissance de 10 kW. Combien de logements une centrale nucléaire, comme celle de Cattenom, peut-elle alimenter ?

31 Science in English

James Watt (1736-1819), a Scottish mathematician and engineer, improved the steam engine, making it the main energy source in the Industrial Revolution. It also improved other means of transport like steamboats and locomotives.

1. What physical magnitude is expressed in the unit that was named after Watt?

2. What does Industrial Revolution mean?

3. What did Watt's steam engine bring about?

La trottinette électrique

Capacité

✓ Identifier la puissance nominale indiquée sur un appareil et son unité le watt (W)

La trottinette électrique est un véhicule très utile et écologique. Il permet de se déplacer en ville en silence et sans polluer. Il fonctionne à l'aide de batteries qui génèrent un courant électrique continu.

◯ Fiche technique

Puissance nominale du moteur .... 500 W

Vitesse maximale .... 25 km/h

Autonomie .... 30 km

Poids total .... 43 kg

‖‖‖‖‖‖‖‖‖‖‖‖‖
36137954548629

Les batteries.
Elles fontionnent sous une tension continue de 36 V et se rechargent avec un chargeur électrique.

Protège la planète

Avec les véhicules électriques, plus de pollution. Tu préserves l'environnement !

Mène ton enquête

1. Repère la puissance nominale du moteur de la trottinette. Quelle est son unité ?

2. Compare la puissance à celle d'un cyclomoteur à essence de 4 kW.

3. Quelle est la tension électrique U fournie par les batteries ?

4. Calcule l'intensité du courant I qui traverse le moteur.

💡 Coup de pouce

La valeur de la puissance nominale P consommée par la trottinette est le produit de la tension U par la valeur de l'intensité du courant I soit : $P = U \times I$.

1200W

grannylio
Extra plus
230V - 50 / 60 Hz

Chef de chantier en installations électriques

Le chef de chantier dirige la totalité ou une partie d'un chantier. Lire les plans, préparer le montage des équipements électriques, commander les fournitures, superviser et conseiller les équipes de monteurs, vérifier le bon déroulement du chantier : telle est sa mission. Il est le lien indispensable entre les architectes, les ingénieurs ou techniciens qui travaillent sur plans et les ouvriers qui sont confrontés à la réalité pratique. Il doit toujours s'adapter, anticiper, faire face à l'imprévu pour respecter les coûts et les délais. Les contraintes techniques liées à la puissance des installations industrielles, domestiques ou télécoms n'ont aucun secret pour lui.

Conseils : dans ce secteur, les postes à responsabilité s'obtiennent autant par l'expérience gagnée sur le terrain que par les diplômes. Il faudra démontrer toutes tes qualités techniques et humaines.

Comment en savoir plus sur ce métier ?

ONISEP

www.onisep.fr/belin-pc-3e

Quelle orientation après la ?

▶ En **lycée professionnel** ou en Centre de formation d'apprentis, le **BEP métiers de l'électrotechnique** te permet de devenir ouvrier qualifié dans le domaine de l'énergie électrique. Pour avoir un poste d'encadrement comme celui de chef de chantier, un **bac pro** est nécessaire.

▶ En **Lycée Général et Technologique**, l'objectif pour devenir chef de chantier est un **bac Sciences et Technologies Industrielles** (STI) suivi de 2 ans d'études.

Sauveras-tu Germaine ?

Germaine a demandé à sa petite fille, Amélie, de vérifier si elle pouvait utiliser sans danger son sèche-cheveux sur la prise électrique de sa chambre. Un radiateur de 2 500 W, une lampe halogène de 100 W et une plus petite de 40 W y sont déjà branchés. Amélie vérifie le tableau électrique installé par le voisin – qui n'est pas un électricien professionnel – et paraît brusquement très en colère. Elle trouve des fils de section 1,5 mm² supportant 3 680 W et un disjoncteur se déclenchant à partir de 32 A.

Que risque-t-il d'arriver si Germaine utilise son sèche-cheveux ?
Pourquoi et contre qui Amélie est-elle furieuse ?

Chapitre 11

L'énergie électrique

Situation ①

Tous les logements possèdent un compteur électrique.

À ton avis, à quoi sert ce compteur électrique ?

Un technicien relevant le compteur d'énergie électrique.

Un usager ahuri consultant sa facture d'électricité.

Situation 2

Les usagers reçoivent régulièrement une facture d'électricité.

À ton avis, que nous apprend une facture d'électricité ?

Je me documente pour répondre

Activité 1
Lire les indications d'un compteur électrique p. 162

Activité 2
Comprendre une facture d'électricité   p. 163

Que mesure un compteur électrique?

L'unité légale d'énergie est le joule (J). Dans la pratique, les appareils électriques reçoivent une quantité d'énergie électrique bien plus importante qu'un joule. On utilise alors le kilowattheure (kWh), une unité bien plus grande et mieux adaptée.

1 **Les unités d'énergie électrique.**

$$1 \text{ kWh} = 3,6 \times 10^6 \text{ J}$$

kilowattheure —⌐   └— joule

2 **Un compteur d'énergie électrique.** Le compteur d'énergie électrique mesure l'énergie électrique consommée par une habitation depuis l'instant où le compteur a été posé. Cette énergie est transférée aux appareils électriques branchés sur le secteur. Elle sert à chauffer (radiateur, four, ...), à éclairer (lampe, ...) ou à faire fonctionner des moteurs (machine à laver, sèche-linge, ...). Un appareil reçoit de l'énergie électrique et la transforme en d'autres formes d'énergie uniquement lorsqu'il fonctionne, c'est-à-dire quand il est traversé par un courant électrique.

Unité d'énergie électrique

Énergie électrique

Vocabulaire

▶ **Notation scientifique** **Maths** : la notation scientifique d'un nombre décimal est son écriture sous la forme $a \times 10^p$, où a est un nombre décimal compris entre 0 et 10. Il ne comporte qu'un seul chiffre non nul avant la virgule.

Exemples : $350 = 3,50 \times 10^2$
et $0,0015 = 1,5 \times 10^{-3}$

Guide de travail

1. Indique l'unité légale de l'énergie (doc 1).

2. Précise l'unité d'énergie électrique utilisée en pratique (doc 1).

3. Convertis l'énergie électrique indiquée par le compteur en joule (doc 2). Écris le résultat en notation scientifique.

Conclusion **Que mesure un compteur d'énergie électrique ?**

Sois critique Les appareils électriques en veille consomment-ils de l'énergie électrique ?

Comment calculer l'énergie transférée aux appareils électriques?

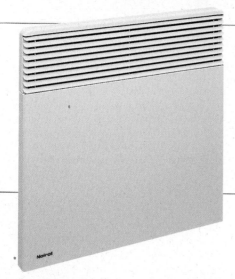

1 Puissance et énergie électrique.

L'énergie électrique *E* transférée pendant une durée *t* à un appareil électrique de puissance nominale *P* est donnée par la relation $E = P \times t$.

Ainsi, sur la même durée de fonctionnement, un radiateur électrique de puissance 2 000 W reçoit deux fois plus d'énergie électrique qu'un radiateur électrique de puissance 1 000 W.

Facturation	Relevé ou estimation			Consom.	Prix kWh	Montant HT	Taxes	TVA	Total TTC
	Ancien	Nouveau	Différence	(en kWh)	en euros	en euros	locales		en euros
Électricité **6 kW** Puissance souscrite tarif 014 puissance					*(1)*	390,75	6,26	70,24	467,25
abonnement 4,40€ /mois du 09/11/06 au 09/09/07 4,45€ /mois du 09/09/07 au 09/11/07						44,00 8,90			
Consommation du 18/09/06 au 17/10/07	8008	12345	4337	**4337**	0,0779	337,85			
328 jours à 0,0778€ + 61 jours à 0,0787€ soit un prix moyen de 0,0779€									

Énergie consommée entre deux relevés du compteur

(1) y compris le coût d'acheminement de l'électricité pour 47 % (% moyen pour le Tarif Bleu)

2 **Une facture d'électricité.**
Les agents relèvent régulièrement les compteurs électriques des usagers. Entre deux relevés, la consommation de l'énergie électrique est alors déterminée. Elle est reportée sur la facture d'électricité où sont mentionnés également l'abonnement et la puissance souscrite. Cette dernière correspond à la puissance maximale qui peut être transférée à l'habitation.

Guide de travail

1. Écris la relation entre l'énergie électrique *E* transférée à un appareil électrique et sa puissance nominale *P* (doc 1).

2. Indique combien de radiateurs électriques de puissance nominale 1 500 W peuvent fonctionner simultanément dans cette habitation (doc 2).

3. Calcule alors l'énergie électrique transférée à ces radiateurs électriques fonctionnant pendant 3 heures. Exprime le résultat en kilowattheure puis en joule.

Conclusion Comment calculer l'énergie transférée aux appareils électriques ?

Sois critique À quelle condition un radiateur de puissance 1 000 W reçoit-il plus d'énergie électrique qu'un radiateur de puissance 2 000 W ?

1. La mesure de l'énergie électrique Activité 1 p. 162

● L'unité légale d'**énergie** est le **joule** (J).

● L'unité couramment utilisée pour l'**énergie électrique** est le **kilowattheure** (kWh). C'est avec cette **unité** que le compteur d'énergie électrique indique l'énergie transférée aux appareils électriques branchés sur le secteur : $1\ kWh = 3,6 \times 10^6\ J$ **(doc 1)**.

Mots importants

─ Énergie,
énergie électrique
─ Joule,
kilowattheure

➤ Voir Mini Dico p. 232

1 **Un compteur d'énergie électrique** mesure l'énergie électrique transférée aux appareils électriques depuis sa mise en service.

$$1\ kWh = 3,6 \times 10^6\ J$$

$$12\,345\ kWh = 12\,345 \times 3,6 \times 10^6\ J$$
$$= 4,4442 \times 10^{10}\ J$$

Dans le langage courant, on parle de **consommation d'énergie**. En fait, il faudrait parler de **transformation d'énergie** car l'énergie ne disparaît pas. Par exemple, l'énergie électrique est transformée en énergie thermique par un radiateur, en énergies lumineuse et thermique par une lampe à incandescence, en énergies mécanique et thermique par un moteur.

Conclusion

Pour t'entraîner ▶ **Exercices 17 et 20 p. 169**

■ L'unité légale d'énergie est le joule (J). L'unité d'énergie électrique couramment utilisée est le kilowattheure (kWh).

■ Conversion d'énergie : $1\ kWh = 3,6 \times 10^6\ J$.

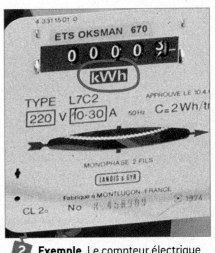

2 **Exemple.** Le compteur électrique mesure l'énergie consommée en kWh.

2. Puissance et énergie électrique Activité 2 p. 163

● L'**énergie électrique** E transférée pendant une **durée** t à un appareil électrique de **puissance** P est égale au produit $E = P \times t$.
La puissance électrique d'un appareil est donc la quantité d'**énergie électrique** qu'il reçoit par unité de temps.

● Une énergie de un joule est l'énergie transférée à un appareil de puissance 1 W fonctionnant pendant 1 s. De même, le kilowattheure est la quantité d'énergie transférée à un appareil de puissance 1 kW (1 000 W) fonctionnant pendant 1 h (3 600 s).

● Par exemple, calculons l'énergie électrique E transférée à quatre radiateurs de 1 500 W fonctionnant pendant 3 heures (**doc 3**).

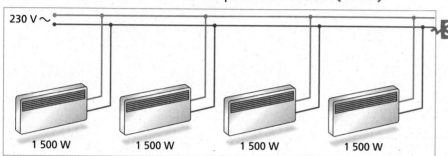

230 V ∼

1 500 W   1 500 W   1 500 W   1 500 W

3 Quatre radiateurs de 1 500 W consomment une puissance de 6 000 W soit 6 kW.

Cette énergie peut être calculée soit directement en kilowattheure puis convertie en joule, soit directement en joule.

– Pour calculer l'énergie E en kilowattheure (kWh), on exprime la puissance P en kilowatt (kW) et la durée t en heure (h) :

$$E = P \times t = (4 \times 1,5) \times 3.$$

Soit $\quad E = 18 \text{ kWh}.$

Ce résultat peut être converti en joule (J) en utilisant le facteur de conversion $3,6 \times 10^6$.

Ainsi : $\quad E = 18 \text{ kWh} = 18 \times 3,6 \times 10^6 \text{ J}.$

Soit $\quad E = 6,5 \times 10^7 \text{ J}.$

– Pour calculer l'énergie E en joule (J), on exprime la puissance P en watt (W) et la durée t en seconde (s) :

$$E = P \times t = (4 \times 1\,500) \times (3 \times 3\,600) = 6,5 \times 10^7.$$

Soit $\quad E = 6,5 \times 10^7 \text{ J}.$

Conclusion

Pour t'entraîner ▶ Exercices 16 et 22 p. 170

L'**énergie électrique** E transférée à un appareil de **puissance** P fonctionnant pendant la **durée** t est donnée par la relation :

$E = P \times t$	E : énergie en joule (J)	en kilowattheure (kWh)
	P : puissance en watt (W) **ou**	en kilowatt (kW)
	t : durée en seconde (s)	en heure (h)

Mots importants

— Énergie électrique
— Puissance
— Durée

➤ Voir Mini Dico p. 232

4 **Exemple.** Ce four de puissance 2 000 W reçoit une énergie de 2 kWh quand il fonctionne pendant 1 heure.

Documents

L'histoire de l'éclairage

Depuis le feu de bois, l'Homme n'a cessé de perfectionner ses moyens d'éclairage. Aujourd'hui encore, les nouvelles technologies améliorent le rendement des lampes électriques. Pour en informer et responsabiliser le consommateur lors de ses achats, une étiquette énergie est obligatoire sur les différents modèles de lampes électriques. Cette étiquette permet de classer les lampes électriques selon leur efficacité énergétique. On y compare le flux lumineux qu'elles produisent (en lumen), la puissance qu'elles consomment (en watt) et leur durée de vie (en heure). Le classement va de A++ pour les plus performantes jusqu'à G pour les plus gourmandes en énergie.

✔ En présentant les différents combustibles, décris en quelques lignes l'histoire de l'éclairage.

✔ Quels avantages ont permis à la « fée électricité » de s'imposer ?

✔ Quelles sont les différentes techniques de lampes électriques utilisées aujourd'hui ?

✔ Laquelle est la pire solution du point de vue de l'efficacité énergétique ?

● **Fais le point sur l'éclairage :**

connecte-toi sur le site :

http://petit-bazar.unige.ch/www/
2-objets/sites/lampe/1eclai.htm

● **Retrouve les conseils de l'ADEME :**

http://www.ademe.fr/particuliers/
Fiches/equipements_electriques/
index.htm

internet

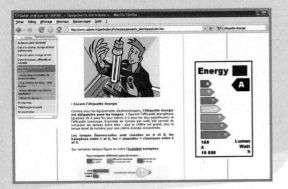

Diminuer sa facture d'électricité

Une couche de 4 cm de glace dans le réfrigérateur double sa consommation électrique.

La meilleure façon de faire baisser la facture d'électricité d'une famille est de limiter l'utilisation de cette énergie. Ce geste est important pour le portefeuille mais aussi pour l'environnement. La chasse au gaspillage doit devenir une habitude, par exemple éteindre systématiquement les appareils électriques lorsque l'on est absent ou quand on ne s'en sert pas, isoler correctement sa maison, dégivrer le réfrigérateur régulièrement, etc. La liste de ce qui est à faire est bien plus longue. Le remplacement des appareils anciens par des plus performants peut aussi conduire à de vraies économies. Une astuce pour faire baisser la facture d'électricité est de solliciter les appareils les plus puissants la nuit (chauffe-eau, lave-linge, etc.) car le prix du kWh y est plus bas. Les distributeurs d'électricité (EDF par exemple) cherchent ainsi à étaler la demande en électricité sur l'ensemble de la journée afin de faciliter la gestion des centrales électriques.

Questions

1. Quels sont les avantages engendrés par une économie d'énergie électrique ?

2. Comment faire baisser sa consommation sans pour autant se priver du confort électrique ?

3. Pourquoi les fournisseurs d'électricité baissent-ils le prix du kWh la nuit ?

4. Propose trois appareils pouvant être mis en service la nuit afin de faire des économies.

Je révise — L'énergie électrique

Je dois connaître

▸ L'**unité** légale d'**énergie** est le **joule** (J).

▸ L'**énergie électrique** E transférée à un appareil de **puissance** P fonctionnant pendant la **durée** t est donnée par la relation :

$$E = P \times t$$

E en joule (J)
P en watt (W)
t en seconde (s)

Je dois être capable de

▸ Calculer l'énergie électrique transférée à un appareil de puissance connue pendant une durée donnée et l'exprimer en joule (J) ainsi qu'en **kilowatt-heure** (kWh) :

$$1 \text{ kWh} = 3,6 \times 10^6 \text{ J}$$

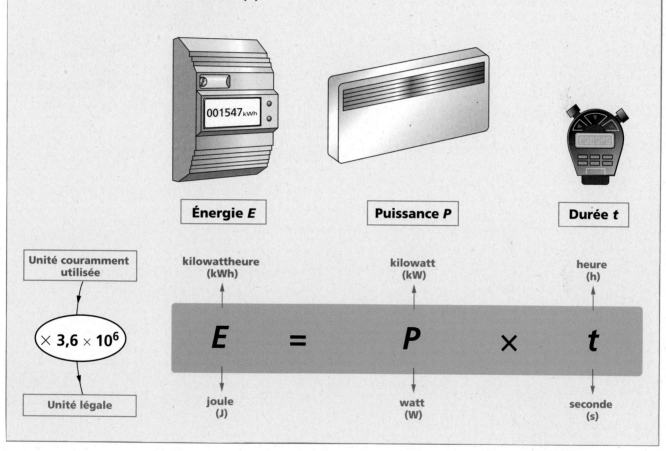

| Énergie E | Puissance P | Durée t |

Unité couramment utilisée

kilowattheure (kWh)   kilowatt (kW)   heure (h)

$\times 3,6 \times 10^6$

$$E = P \times t$$

joule (J)   watt (W)   seconde (s)

Unité légale

Je m'évalue — Socle commun

1 L'énergie électrique E transférée pendant la durée t à un appareil de puissance P est donnée par la relation

$$E = \frac{P}{t} \quad / \quad E = \frac{t}{P} \quad / \quad E = P \times t$$

2 L'unité légale d'énergie est le ....

3 L'unité légale de durée t est ....

4 L'unité légale de puissance P est le ....

5 Le kilowattheure .... l'unité légale d'énergie électrique.

▸ Réponses en fin de manuel, p. 236

Exercices

6 Définir l'énergie électrique. QCM

L'énergie électrique E transférée pendant une durée t à un appareil de puissance P est donnée par la relation :

a. $P = E \times t$;   **b.** $E = P \times t$;

c. $E = t \times P$;   **d.** $t = P \times E$.

7 Connaître la relation entre l'énergie, la puissance et la durée

a. Écris la relation mathématique donnant l'énergie électrique E transférée pendant une durée t à un appareil de puissance P.

b. Précise les unités de chaque grandeur physique intervenant dans cette formule.

8 Connaître l'unité d'énergie

a. Quelle est l'unité légale d'énergie ?

b. Quelle est l'unité couramment utilisée en électricité pour l'énergie ?

c. Écris les symboles de ces unités.

9 Savoir convertir des énergies

Recopie et complète les égalités suivantes :

a. 6 kWh = ... J ;

b. $1{,}25 \times 10^6$ J = ... kWh.

10 Exprimer une quantité d'énergie électrique

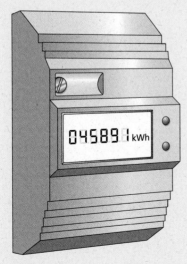

a. Quelle est l'énergie électrique indiquée par ce compteur électrique ?

b. Dans quelle unité est-elle exprimée ?

11 Calculer l'énergie électrique. Vrai ou Faux ?

L'énergie électrique E transférée pendant 1 heure à un fer à repasser de puissance 1 000 W est :

a. $E = 1\,000 \times 1 = 1\,000$ kWh   **b.** $E = 1 \times 1 = 1$ kWh

c. $E = 1\,000 \times 3\,600 = 3\,600\,000$ J.

12 Calculer l'énergie et l'exprimer en joule

Une montre de puissance 10^{-6} W fonctionne $8{,}766 \times 10^3$ heures par an soit $3{,}156 \times 10^7$ secondes par an. Calcule l'énergie électrique, en joule, transférée pendant un an à la montre.

13 Calculer l'énergie et l'exprimer en kilowattheure

Un chauffe-eau électrique de puissance 1,8 kW fonctionne 1 460 heures par an.

Calcule l'énergie électrique, en kilowattheure, transférée pendant un an au chauffe-eau.

14 Trouver les mots-clés du chapitre

Recopie et complète la grille.

1. Unité d'énergie couramment utilisée.

2. Unité légale d'énergie électrique.

3. Grandeur s'exprimant en watt.

4. Grandeur dont le symbole de l'unité est J.

5. Énergie mesurée par un compteur EDF.

6. Grandeur s'exprimant en seconde.

15 Apprendre à rédiger un exercice

> **Énoncé**

Une lampe de bureau de puissance 60 W fonctionne pendant 1 heure 30 minutes.

a. Convertis la durée de fonctionnement de la lampe en seconde.

b. Calcule, en joule, l'énergie électrique transférée à la lampe pendant cette durée.

c. Exprime cette énergie en kilowattheure.

> **Rédaction de la solution**

a. Je convertis la durée en seconde :
$t = 1 \times 3\,600 + 30 \times 60 = 5\,400$. Soit $t = 5\,400$ s.

b. Je calcule l'énergie électrique en joule, en exprimant P en watt et t en seconde :
$E = P \times t = 60 \times 5\,400 = 324\,000$. Soit $E = 324\,000$ J.

c. Sachant que 1 kWh = $3{,}6 \times 10^6$ J, j'exprime l'énergie électrique en kilowattheure :
$E = \dfrac{324\,000}{3{,}6 \times 10^6} = 0{,}09$. Soit $E = 0{,}09$ kWh.

▶ Pour t'entraîner : exercice 16

16 Calculer une quantité d'énergie

Un four électrique de puissance 1 500 W fonctionne pendant 2 heures 10 minutes.

a. Convertis la durée de fonctionnement du four en seconde.
b. Calcule, en joule, l'énergie électrique transférée au four pendant cette durée.
c. Exprime cette énergie en kilowattheure.

17 Savoir convertir des énergies

Recopie les phrases suivantes en choisissant la bonne proposition et souligne les valeurs exprimées dans l'unité légale.

a. 1 kWh correspond à $3{,}6 \times 10^3$ J / $3{,}6 \times 10^6$ J.
b. 1 Wh correspond à $3{,}6 \times 10^3$ J / $3{,}6 \times 10^6$ J.
c. 1 J correspond à $2{,}8 \times 10^{-7}$ kWh / $2{,}8 \times 10^{-4}$ kWh.

18 ★ Grandeur produit [Maths]

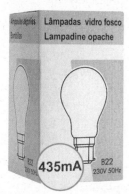

a. Calcule la puissance électrique reçue par la lampe.
b. Déduis-en l'énergie électrique transformée par la lampe si elle reste allumée pendant 5 minutes.
c. En quelles formes d'énergies l'énergie électrique reçue par la lampe est-elle transformée ?

19 ★ Chauffer de l'eau [Maths]

Un thermoplongeur de puissance 1 000 W chauffe de l'eau liquide en transformant l'énergie électrique en énergie thermique. Il faut 4,18 J pour élever de 1 °C la température de 1 g d'eau liquide. Cette quantité d'énergie est proportionnelle à la masse d'eau et à l'élévation de température.

a. Calcule la quantité d'énergie nécessaire, en J, pour faire passer la température d'un litre d'eau de 20 °C à 100 °C.
b. Déduis-en la durée minimale de fonctionnement du thermoplongeur.

20 Transformer de l'énergie

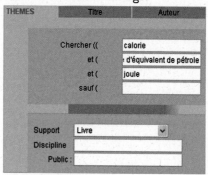

Explique la réponse de Georges.

21 S'informer, se documenter [B2i]

Bénédicte lance une recherche de documents à l'aide du logiciel BCDI du CDI de son collège.

a. Quel est le thème de sa recherche ?
b. Désire-t-elle un article de périodique ?
c. Convertis la calorie et la tonne d'équivalent pétrole en joule.

22 ★ La démarche d'investigation

Déterminer une puissance

Le problème à résoudre

Corinne se demande quelle est la puissance nominale de son appareil à raclette. L'indication de puissance n'est plus visible sur l'appareil.

L'hypothèse proposée

Comme un appareil à raclette est un appareil électroménager chauffant, Corinne suppose que sa puissance nominale est d'environ 1 000 W.

L'expérience réalisée

Corinne mesure la durée nécessaire pour que l'énergie électrique transférée à l'appareil électrique soit égale à 250 Wh. L'énergie est mesurée à l'aide d'un compteur électrique.

Durée :
18 min 45 s

Interprète les résultats

a. Écris la relation mathématique existant entre l'énergie électrique transférée à l'appareil à raclette, sa puissance nominale et sa durée de fonctionnement.

b. À l'aide des résultats obtenus, calcule la puissance de l'appareil à raclette.

c. Déduis-en si l'hypothèse de Corinne est juste.

23 Transferts d'énergie `Énergie`

Le schéma ci-dessous représente les transformations de l'énergie effectuées par une lampe à incandescence.

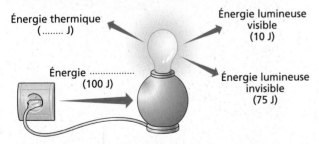

Énergie thermique
(........ J)

Énergie lumineuse
visible
(10 J)

Énergie ....
(100 J)

Énergie lumineuse
invisible
(75 J)

a. Complète les annotations manquantes.

b. Quelle est l'énergie utile attendue par l'utilisateur ?

c. Quelle part, en %, cette énergie représente-t-elle par rapport à l'énergie électrique transférée à la lampe ? Commente ton résultat.

24 ★ Illuminer à tout prix `Maths`

Lis cet article de journal.

> Pour décorer sa maison à l'approche du nouveau millénaire, Jean-Claude a composé une guirlande de cent soixante-dix ampoules. « Je voulais célébrer cette nouvelle année en marquant le coup. Et ne croyez pas que ça me coûte cher en électricité. J'ai calculé : j'en ai pour 1,20 € par jour pour 3 heures de fonctionnement quotidien », explique-t-il (…).
>
> D'après *Le Républicain Lorrain*.

a. Calcule l'énergie transformée par les lampes chaque jour, sachant que le prix du kilowattheure était de 0,0944 €.

b. Déduis-en la puissance transformée par l'ensemble des lampes.

c. Calcule la puissance d'une lampe en supposant qu'elles sont toutes identiques.

25 Énergie et environnement `Technologie`

Le diagramme ci-dessous représente la répartition de la consommation d'énergie électrique dans une habitation.

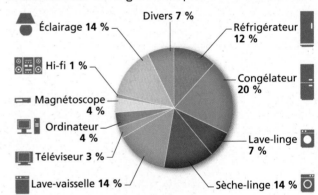

Éclairage **14 %** — Divers **7 %** — Réfrigérateur **12 %**
Hi-fi **1 %** — Congélateur **20 %**
Magnétoscope **4 %** — Ordinateur **4 %** — Lave-linge **7 %**
Téléviseur **3 %** — Lave-vaisselle **14 %** — Sèche-linge **14 %**

a. Quels appareils consomment le plus d'énergie électrique ?

b. Propose des solutions pour consommer moins d'énergie électrique.

🖱 **Coup de pouce :** lire « Diminuer sa facture d'électricité » p. 166.

26 ★ Arrêter ou mettre en veille ?

Alison fait fonctionner son téléviseur 175 jours par an à raison de 2 heures par jour. Elle le laisse en veille le reste du temps, c'est-à-dire 22 heures par jour pendant 175 jours et 24 heures par jour pendant les 190 jours restant dans l'année. La puissance du téléviseur est 100 W quand il fonctionne et 20 W quand il est en veille.

a. Calcule la quantité d'énergie transformée par le téléviseur en fonctionnement pendant une année.

b. Calcule la quantité d'énergie transformée par le téléviseur en veille pendant une année.

c. Déduis le coût de l'économie réalisée chaque année sachant que le prix du kilowattheure est de 0,0926 €.

Sciences et culture

27 Visite d'un Musée

• Caen

À la maison de l'énergie, à Caen, tu peux apprendre à économiser facilement de l'énergie électrique. Des explications claires et ludiques sont données, par exemple, sur le choix des lampes et la consommation des appareils électriques en veille.

1. Que représente la consommation d'énergie d'un lecteur DVD en veille par rapport à sa consommation totale annuelle?

☐ 10%   ☐ 50%   ☐ 90%

2. Une lampe économique consomme combien de fois moins qu'une lampe traditionnelle?

☐ 2   ☐ 3   ☐ 5

3. De combien réduit-on la consommation d'énergie si on baisse d'un degré le chauffage d'une chambre?

☐ 2%   ☐ 5%   ☐ 7%

28 Expérience à la Maison

Observe le compteur EDF de ton habitation.

1. Relève la quantité d'énergie transformée pendant une durée t = 20 minutes par exemple.

2. Déduis-en la puissance de l'ensemble des appareils en fonctionnement pendant cette durée t.

29 Problème de Société

La population française est très grande consommatrice d'énergie et notamment d'énergie électrique. Inciter à l'achat d'appareils électriques moins consommateurs d'énergie paraît être une bonne solution. Aussi, une étiquette énergie est apposée sur tous les appareils électriques et les classe en catégorie de A à G selon leur niveau de consommation.

Énergie	Étiquette apposée sur un lave-vaisselle	Lave-vaiselle
Fabricant **Modèle**		
Économe		
A		
B		**A**
C		
D		
E		
F		
G		
Peu économe		
Consommation d'énergie kWh/cycle		1,5

1. Dans quelle classe sont rangés les appareils les moins consommateurs?

2. Indique la valeur de l'énergie transférée à ce lave-vaisselle pendant la durée d'un cycle.

3. Déduis-en le coût correspondant à un cycle de lavage, sachant que le prix du kilowattheure est de 0,0926 €.

30 Science in English

In 1841, James Prescott Joule, a Scottish physicist, formulated a law known as Joule's law: the amount of electric power E transformed into heat each second by an ohm dipole is proportional to the resistance R of the dipole and to the square of the intensity I of the current that flows into it.

1. What unit was named after James Prescott Joule?

2. Write the formula that expresses Joule's law.

Un objet

Le compteur électrique

Capacité

✓ Mesurer l'énergie électrique transférée à des appareils

Chaque logement dispose d'un compteur électrique. À tout instant de la journée, le compteur d'électricité affiche l'énergie électrique consommée par les appareils domestiques. Il permet à la compagnie distributrice d'établir la facture d'électricité correspondante. Comment fonctionne-t-il ?

Le premier bouton de sélection.
Il permet de d'afficher le type de contrat souscrit par l'abonné : la puissance maximale etc.

02378 kWh

Le second bouton de sélection.
Il permet d'afficher l'énergie consommée en kWh.

L'afficheur.
Il indique l'énergie électrique consommée par l'installation (en kWh) depuis la mise en service du compteur.

protège la planète

Pense à éteindre les lumières, cela fera des économies d'énergie et soulagera la facture d'électricité !

Mène ton enquête

1. Quelle est l'indication relevée sur l'affichage du compteur électrique ? À quoi correspond-elle ?

2. Sachant que le précédent relevé du compteur était de 1 030 kWh, quelle est l'énergie consommée ?

3. Si on suppose que le relevé du compteur a lieu chaque trimestre, quelle est la consommation journalière ?

4. Que se passe-t-il lorsque la puissance consommée par les appareils électriques est plus grande que la puissance maximale souscrite ?

💡 Coup de pouce

L'énergie électrique consommée en kWh est égale au produit de la puissance en kW par le nombre d'heures d'utilisation.

Conseiller(ère) info-énergie

Apprendre à maîtriser l'énergie à la maison n'est pas toujours facile. Les technologies évoluent, les besoins et les normes changent... Il faut faire appel à un spécialiste : le conseiller de l'espace info-énergie ! Il est à la fois informateur, éducateur et technicien sur tout ce qui concerne les énergies renouvelables et la consommation raisonnée à la maison. Chauffe-eau solaire, isolation naturelle, chauffage au bois... : de nombreuses solutions existent si on le veut vraiment. Le cœur de ce métier est le contact de proximité avec les gens, les compétences techniques n'interviennent qu'après un véritable dialogue pour s'engager dans le respect de l'environnement.

Conseils : un conseiller info-énergie a une mission : faire économiser l'énergie. Seule une véritable implication personnelle te permettra de convaincre et de mettre en avant tes connaissances techniques.

Comment en savoir plus sur ce métier ?

ONISEP

www.onisep.fr/belin-pc-3e

Quelle orientation après la 3e ?

▶ Il est conseillé d'obtenir un **bac général** ou **Sciences et Technologies Industrielles (STI)** en **lycée général et technologique** suivis d'une formation de 2 ou 3 ans avec une spécialisation dans les énergies renouvelables.

Pour te renseigner, prends rendez-vous avec une conseillère d'orientation au collège ou au Centre d'information et d'orientation (CIO) près de chez toi.

Démêle les unités d'un problème

Téfol B52R — 40€
• 2000 W - 1,7 litre
• Temps de chauffe pour 1 litre : 3 min

Philippe 5AK/h — 25€
• 1500 W - 1,5 litre
• Temps de chauffe pour 1 litre : 5 min

John est amateur de thé : il en boit un litre par jour ! Au supermarché alors qu'il compare deux bouilloires électriques – car il veut remplacer la sienne – le vendeur lui tient à peu près ce discours : « Je vous conseille la moins puissante, le prix d'un kWh d'électricité n'étant que 0,10 euro, vous n'êtes pas prêt de rembourser la différence... ».

Au bout d'un an, en comptant le coût de l'achat de la bouilloire et le prix de l'énergie électrique consommée, laquelle lui coûterait effectivement le moins cher ?

1 La production d'électricité

▶ Chapitre 7. Revois ton cours p. 108 et 109

Anaïs souhaite faire briller une lampe avec le matériel ci-contre :

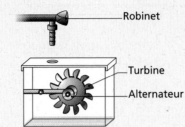

Robinet
Turbine
Alternateur

1. Quel élément est présent dans toute centrale électrique ?

2. Que doit faire Anaïs pour faire briller la lampe ?

3. Quels sont les éléments qui constituent un alternateur et comment permettent-ils de créer une tension variable dans le temps ?

4. Quelle forme d'énergie est convertie par l'alternateur pour produire l'énergie électrique fournie à la lampe ?

5. L'eau est-elle une source d'énergie renouvelable ?

6. Cite quelques sources d'énergie non renouvelables.

2 Les tensions alternatives

▶ Chapitre 8. Revois ton cours p. 122 et 123

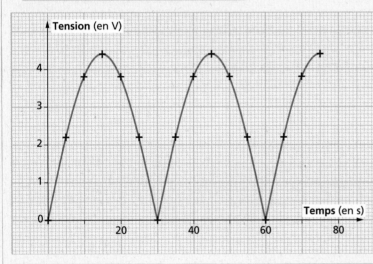

Tension (en V) / Temps (en s)

Tom a tracé la représentation graphique d'une tension en fonction du temps.

1. Indique si la tension est continue ou variable. Justifie.

2. La tension est périodique. Pourquoi ?

3. Précise si la tension est alternative. Justifie.

4. À quoi correspond la valeur 4,4 V de cette tension ?

3 Visualisation et mesure des tensions alternatives

▶ Chapitre 9. Revois ton cours p. 136 et 137

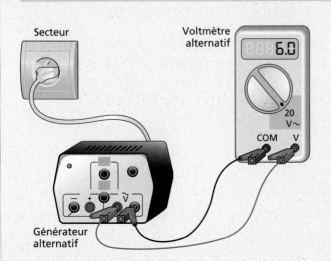

Secteur
Voltmètre alternatif
6.0
20 V~
COM   V
Générateur alternatif

Aurélie souhaite connaître les caractéristiques de la tension délivrée par un générateur alternatif, mais les indications sur la façade du générateur ont disparu. Elle mesure alors la tension aux bornes du générateur avec un voltmètre utilisé en mode alternatif.

1. On branche le générateur sur le secteur. La tension du secteur est-elle continue ou alternative ?

2. L'indication du voltmètre est-elle une valeur maximale ou une valeur efficace ?

3. Cette valeur est-elle celle qui a été effacée sur le générateur ?

4. Donne l'unité et le symbole de la fréquence.

5. Indique la valeur de la fréquence du secteur.

4 La puissance électrique

◉ Chapitre 10. Revois ton cours p. 150 et 151

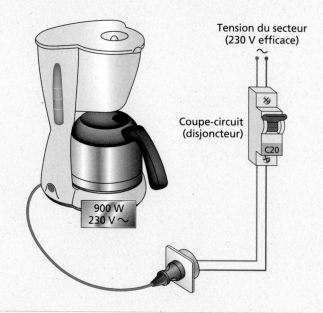

Tension du secteur
(230 V efficace)

Coupe-circuit
(disjoncteur)

C20

900 W
230 V ~

Samy réfléchit au circuit électrique schématisé ci-contre sur lequel est branchée sa cafetière.

1. Indique ce que signifie la valeur 900 W inscrite sur la plaque signalétique de la cafetière.

2. Cite l'ordre de grandeur de la puissance d'un appareil électrique chauffant puis d'une lampe à incandescence.

3. Commente les valeurs 4 600 W et 230 V indiquées sur l'emballage des fils conducteurs utilisés pour câbler le circuit de la cafetière.

4. À quoi correspond la valeur 16 A indiquée au dos de la prise de courant ?

5. Quel est le rôle du coupe-circuit placé dans l'installation ?

5 L'énergie électrique

◉ Chapitre 11. Revois ton cours p. 164 et 165

Les parents de Laeticia analysent la facture d'électricité qu'ils viennent de recevoir.

Facturation	Relevé ou estimation			Consom.
	Ancien	Nouveau	Différence	(en kWh)
Électricité tarif 014 puissance 6 kW				
abonnement				
4,40€ /mois du 09/11/06 au 09/09/07				
4,45€ /mois du 09/09/07 au 09/11/07				**Énergie facturée**
Consommation du 18/09/06 au 17/10/07	85145	89482	4337	**4337**
328 jours à 0,0778€ + 61 jours à 0,0787€			**Période de facturation**	
soit un prix moyen de 0,0779€				

1. Quels sont le nom et le symbole de l'unité légale de l'énergie ?

2. De quelle grandeur physique le kWh est-il l'unité ?

3. Convertis l'énergie électrique facturée en unité légale d'énergie. Utilise la notation scientifique.

4. Donne la formule permettant de calculer l'énergie E transférée pendant une durée t à un appareil de puissance P. Précise les deux unités que l'on peut utiliser.

5. Quelle est la durée de la période de facturation ? Convertis-la en heure puis calcule la puissance moyenne transformée par les appareils sur cette période.

6. Explique pour quelle raison on trouve une valeur bien inférieure à la puissance souscrite qui est de 6 kW.

Coup de pouce :

● La notation scientifique d'un nombre décimal est son écriture sous la forme $a \times 10^p$, où a est un nombre décimal qui a un seul chiffre non nul avant la virgule.
Exemples : $350 = 3,50 \times 10^2$ et $0,0015 = 1,5 \times 10^{-3}$

● 1 jour = 24 heures.

Partie *C*

De la gravitation ...

Nacelle de grand-huit à la fête foraine.

à l'énergie mécanique

Je vérifie mes connaissances de 4^e

Soleil, Terre et Lune

1 À quel système le Soleil, la Terre et la Lune appartiennent-ils ?

2 Nomme l'astre qui tourne autour de la Terre.

3 La Terre est-elle située à environ 10^8 m, 10^{11} m ou 10^{16} m du Soleil ?

La vitesse de la lumière

4 Donne la vitesse de la lumière dans le vide sans oublier d'indiquer son unité.

5 La distance parcourue par la lumière est-elle proportionnelle à la durée du parcours ?

6 Trouve la bonne formule reliant la vitesse v à la distance parcourue d pendant la durée t

a. $v = \dfrac{t}{d}$; **b.** $v = \dfrac{d}{t}$; **c.** $v = d \times t$.

12

Notion de gravitation

▶ Savoir présenter succinctement le système solaire

▶ Savoir définir la gravitation

▶ Comparer le mouvement d'une fronde à celui d'une planète

Situation 1

Notre planète, la Terre, gravite à une distance gigantesque de 150 millions de kilomètres autour du Soleil. La lumière du Soleil met 8 min 20 s pour parvenir jusqu'à nous.

Sais-tu combien de planètes tournent autour du Soleil ?

La Terre vue de l'espace.

La station spatiale internationale.

Situation 2

La station spatiale internationale est un satellite artificiel tournant autour de la Terre à une altitude d'environ 400 kilomètres.

Sais-tu pourquoi les satellites artificiels ne retombent pas sur Terre ou ne s'en éloignent pas ?

Je me documente pour répondre

Activité 1
Découvrir
le système solaire   p. 180

Activité 2
Comprendre
la gravitation   p. 181

Qu'est-ce que le système solaire ?

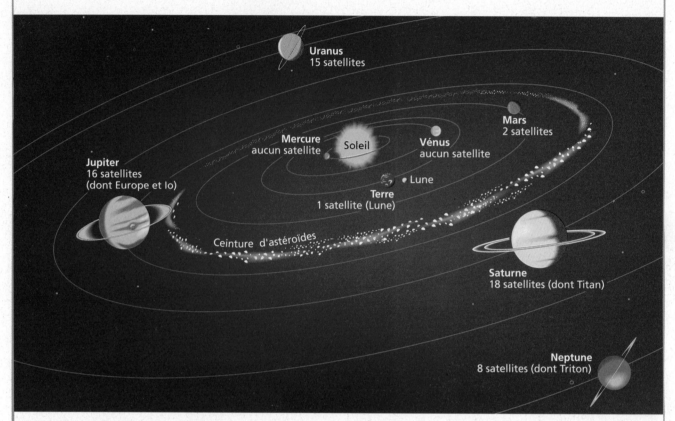

Le système solaire est constitué en son centre d'une **étoile**, le Soleil, et de huit **planètes** qui se déplacent autour de lui dans un plan nommé plan de l'écliptique. Les **trajectoires** des planètes sont pratiquement circulaires. Autour de certaines planètes tournent des **astres** plus petits : leurs satellites naturels. La Lune est l'unique satellite naturel de la Terre. Excepté les planètes les plus proches du Soleil (Mercure et Vénus), toutes les planètes ont des satellites naturels.

On a l'habitude de diviser les planètes du système solaire en deux groupes : les planètes telluriques (Mercure, Vénus, la Terre et Mars), de taille et de composition proches de celles de la Terre, et les planètes géantes (Jupiter, Saturne, Uranus et Neptune), bien plus grandes et lourdes que les planètes telluriques et de composition différente.

 1 Le système solaire.

Vocabulaire

▶ **Astre** : objet du ciel (planète, étoile, satellite, naturel, comète, etc.)

▶ **Étoile** : astre qui produit sa propre lumière.

▶ **Planète** : astre tournant autour du Soleil. Il diffuse la lumière du Soleil dans toutes les directions.

▶ **Trajectoire** : ensemble des positions occupées par un objet au cours du temps.

Guide de travail

1. Nomme l'étoile au centre du système solaire (doc 1).

2. Combien de planètes tournent autour de cette étoile ?

3. Quelle est la forme de la trajectoire des planètes autour de cette étoile ?

4. Comment s'appellent les astres qui tournent autour de certaines planètes ?

Conclusion   **Qu'est-ce que le système solaire ?**

Sois critique   Le 28 août 2006, l'Union astronomique internationale a décidé que Pluton n'était plus considérée comme une planète. Sais-tu pourquoi ?

Qu'est-ce que la gravitation ?

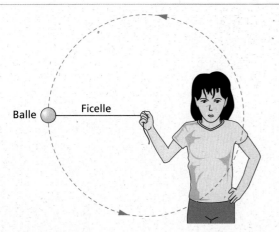

Une fronde est constituée d'une balle accrochée à une ficelle. Lorsque la main fait tourner très rapidement la ficelle, la balle décrit un cercle centré sur la main : le mouvement de la balle est dit circulaire. Ce mouvement circulaire de la balle est dû à une action de contact exercée par la ficelle sur la balle et dirigée vers la main. Si la ficelle casse ou si elle est lâchée, cette action cesse et le mouvement circulaire cesse aussitôt : la balle s'éloigne de la main.

 1 Le mouvement de la balle d'une fronde.

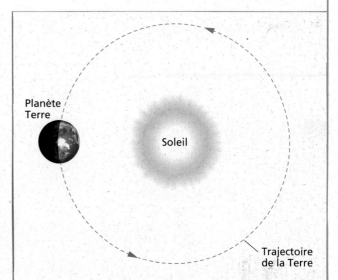

Le mouvement presque circulaire d'une planète autour du Soleil résulte d'une action à distance, attractive, exercée par le Soleil sur la planète. La planète exerce également une action attractive sur le Soleil. Il y a donc une interaction entre les deux astres, appelée la gravitation. C'est parce que ces deux astres ont chacun une masse que cette interaction existe. La valeur de cette interaction est d'autant plus grande que la distance entre les deux astres est petite et que leurs masses sont grandes.

 2 Le mouvement d'une planète autour du Soleil.

Vocabulaire

▶ **Action** : si un objet A exerce une action sur un objet B, alors l'objet B peut être déformé, ou mis en mouvement ou bien sa vitesse ou sa trajectoire peuvent être modifiées.

▶ **Gravitation** : interaction attractive entre deux objets possédant une masse.

▶ **Interaction** : action réciproque entre deux objets. Si un objet A agit sur un objet B, alors l'objet B agit sur l'objet A.

▶ **Action de contact** : action nécessitant un contact entre l'objet qui exerce l'action et celui qui la subit.

▶ **Action à distance** : action sans contact entre l'objet qui exerce l'action et celui qui la subit.

Guide de travail

1. À quoi est dû le mouvement circulaire de la balle d'une fronde (doc 1) ?

2. Indique les analogies entre le mouvement de la balle d'une fronde et celui d'une planète (doc 1 et 2).

3. Indique les différences entre le mouvement de la balle d'une fronde et celui d'une planète (doc 1 et 2).

Conclusion Qu'est-ce que la gravitation ?

Sois critique Lorsque tu sautes en l'air, tu retombes sur le sol car tu es attiré(e) par la Terre. Attires-tu aussi la Terre ?

1. Le système solaire Activité 1 p. 190

● La **trajectoire d'une planète** est l'ensemble des positions occupées par cette planète au cours du temps.

● Le **système solaire** est constitué en son centre d'une étoile, le **Soleil**, et de huit planètes qui se déplacent autour de lui selon des trajectoires pratiquement circulaires. Autour de certaines planètes tournent des astres plus petits : les **satellites naturels (doc 1).**

Mots importants

- Trajectoire
- Soleil, planète, satellite naturel
- Système solaire

➤ Voir Mini Dico p. 232

Neptune

Uranus

Saturne

Jupiter

Soleil

Mars

Lune

Terre

Vénus

Mercure

1 Le système solaire.

Conclusion

Pour t'entraîner ▶ Exercices 16 et 17 p. 187

■ Le **système solaire** comporte **huit planètes** qui tournent autour du **Soleil** selon des trajectoires pratiquement circulaires.

■ **Des satellites naturels** tournent autour de certaines planètes, comme la Lune autour de la Terre.

2 **Exemple.** La Lune est le satellite naturel de la Terre.

2. La gravitation   Activité 2 p. 181

● Un objet exerce une **action attractive**, à distance, sur un autre objet du fait de leurs **masses**. Réciproquement l'autre objet exerce sur le premier une action attractive opposée. Les deux objets sont en **interaction** attractive. Cette interaction est la **gravitation** (ou interaction gravitationnelle). L'action gravitationnelle attractive qu'exerce un objet sur un autre est dirigée vers l'objet attracteur.

● La gravitation gouverne tous les mouvements dans l'Univers. Par exemple, il y a interaction gravitationnelle entre le Soleil, toutes les planètes du système solaire et tous les satellites de ces planètes. Il y a aussi interaction gravitationnelle entre toutes les étoiles de l'Univers.

● Le mouvement d'une planète autour du Soleil présente des analogies mais aussi des différences avec le mouvement de la balle d'une fronde (une balle attachée à une ficelle) que l'on fait tourner rapidement (**doc 3**).

> **Mots importants**
> - Action attractive
> - Masse
> - Interaction, gravitation
> ➤ Voir Mini Dico p. 232

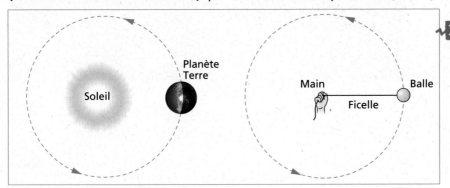

Soleil — Planète Terre — Main — Ficelle — Balle

3 **Comparaison entre le mouvement** d'une planète autour du Soleil et celui de la balle d'une fronde.

> Analogies. Le mouvement de la balle est circulaire. Ce mouvement circulaire est possible parce que la ficelle exerce sur la balle une action dirigée vers la main. De même, le Soleil exerce sur chaque planète une attraction gravitationnelle dirigée vers le Soleil. Cette action permet le mouvement presque circulaire de la planète.

> Différences. Il y a contact entre la ficelle et la balle : l'action de la ficelle est une action de contact. En revanche le Soleil attire une planète sans qu'il y ait contact : c'est une action à distance d'autant plus importante que la distance entre le Soleil et la planète est petite.

Conclusion

Pour t'entraîner ▶ **Exercices 19 et 23 p. 187**

■ La **gravitation** est une **interaction attractive** entre **deux objets qui ont une masse** ; elle **dépend de leur distance**. La gravitation gouverne les mouvements dans l'Univers.

■ Le mouvement circulaire de la balle d'une **fronde** est dû à une **action de contact** dirigée de la balle vers la main. Le mouvement presque circulaire d'une **planète** est dû à une **action à distance** attractive.

4 **Exemple.** Le mouvement des étoiles dans notre galaxie est gouverné par la gravitation.

B2i

Google Sky : un télescope virtuel de Google Earth

Le logiciel Google Earth propose gratuitement des images de la Terre à partir de photographies aériennes et d'images satellitaires. Depuis longtemps des satellites d'observation prennent des images à quelques centaines de kilomètres au-dessus de la Terre. Cette dernière les attire mais leur vitesse les empêche de tomber : ils tournent autour d'elle, en orbite. Depuis la version 4.2 de Google Earth, l'ajout d'images de télescopes terrestres et spatiaux nous permet d'explorer virtuellement non seulement la Terre et mais aussi l'espace.

✔ En mode Ciel, trouve les planètes qui seront peut-être visibles cette semaine.

✔ Quel astre tournant autour de la Terre verras-tu à coup sûr ?

✔ Repère la galaxie du Tourbillon. À l'aide du guide des galaxies, explique pourquoi cette imposante galaxie « vole » des étoiles à sa voisine NGC5195.

> internet
>
> ● **Télécharge la version française Google Earth 4.2**
>
> http://earth.google.fr/sky/skyedu.html
>
> ● **Passe du mode Terre au mode Ciel.**
> Démarre ton exploration en partant de ta région puis observe le ciel tel que tu pourras le voir à la nuit tombée.

Histoire des sciences

La découverte de Neptune par le calcul !

En août 1989 la sonde américaine Voyager 2 a survolé Neptune.

À l'aide des lois de la gravitation établies par Newton à la fin du XVIIᵉ siècle, on sait calculer la position précise des astres qui tournent autour du Soleil. On en déduit aisément leur trajectoire vue depuis la Terre pour construire de nouvelles cartes du ciel. Mais depuis sa découverte en 1781, Uranus n'était jamais exactement à la place attendue. En 1844, alors que certains scientifiques commençaient à mettre en doute la précision des lois de la gravitation, l'astronome français Urbain Le Verrier fut chargé de vérifier une hypothèse : « le mouvement d'Uranus serait perturbé par les effets gravitationnels (attractifs) provoqués par une autre planète proche d'elle. » Par le calcul uniquement, il prédit la masse et la trajectoire de cette planète hypothétique, puis il envoya ses coordonnées à plusieurs observatoires. Le 23 septembre 1846, un point lumineux apparut au milieu de la multitude des étoiles du ciel, à l'endroit exact prévu par Le Verrier : la 8ᵉ planète du système solaire, Neptune, était découverte !

Questions

1. Quel savant a exprimé les lois décrivant la gravitation ?

2. Pourquoi Neptune modifie-t-elle la trajectoire d'Uranus ?

3. La découverte de Neptune a-t-elle fragilisé ou confirmé les lois de la gravitation ?

4. Retrouve les étapes de la méthode scientifique utilisée par Le Verrier en précisant : l'observation de départ, l'hypothèse, l'origine des calculs théoriques, l'expérience et la conclusion.

Je révise ▸ La gravitation

Je dois connaître

▶ Le **système solaire** comporte **huit planètes** qui tournent autour du **Soleil** avec des trajectoires pratiquement circulaires. Des **satellites naturels** tournent aussi autour de certaines planètes.

▶ La **gravitation** est une **interaction attractive** entre **deux objets qui ont une masse** ; elle **dépend de leur distance**.

▶ Une **action gravitationnelle** attractive à distance est exercée par **le Soleil sur chaque planète**, par **une planète sur un objet** proche d'elle et par **tout objet sur un autre objet** parce qu'ils ont tous une masse.

Je dois être capable de

▶ **Comparer** le **mouvement d'une fronde** et le **mouvement d'une planète** autour du Soleil :

– le mouvement circulaire de la balle d'une fronde est dû à une **action de contact** exercée par la ficelle sur la balle et dirigée vers la main.

– le mouvement presque circulaire d'une planète est dû à une **interaction à distance** attractive exercée par le Soleil : la gravitation.

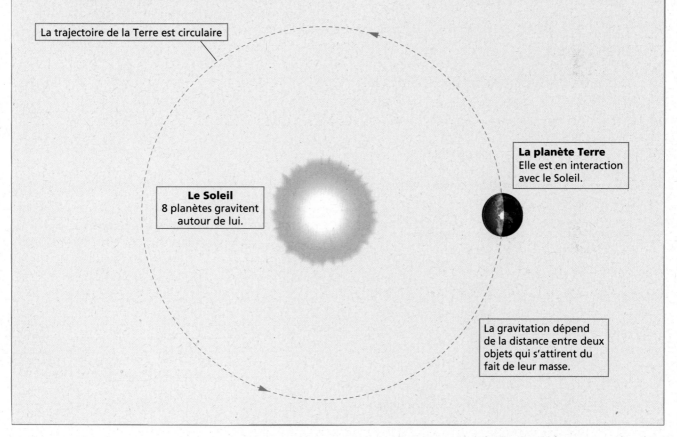

La trajectoire de la Terre est circulaire

Le Soleil
8 planètes gravitent autour de lui.

La planète Terre
Elle est en interaction avec le Soleil.

La gravitation dépend de la distance entre deux objets qui s'attirent du fait de leur masse.

Je m'évalue — Socle commun

1 Le système solaire comporte .... planètes qui tournent autour du ....

2 La gravitation est une .... entre deux objets qui ont une .... ; elle dépend de la .... entre les deux objets.

3 Le mouvement circulaire de la balle d'une fronde est dû à une action de ....

4 Le mouvement presque circulaire d'une planète est dû à une action à .... entre le .... et la planète.

▸ Réponses en fin de manuel, p. 236

Exercices

5 Connaître le système solaire

Retrouve les mots manquants dans le texte suivant :
Le centre du système solaire est le ..❶.. : c'est une ..❷... Les ..❸.. se déplacent autour du centre du système solaire. Elles sont au nombre de ..❹... Leurs trajectoires sont pratiquement ..❺... Des ..❻.. naturels tournent autour de certaines ..❼...

6 Connaître l'action exercée par le Soleil. QCM

Dans le système solaire, le Soleil exerce :
a. une action attractive, à distance, sur chaque planète ;
b. une action attractive, à distance, sur les planètes les plus proches de lui ;
c. une action attractive, à distance, sur les planètes les plus éloignées de lui.

7 Connaître l'action exercée par une planète. Vrai ou Faux ?

a. Une planète exerce une action attractive, à distance, sur un objet proche d'elle.
b. Une planète n'exerce pas d'action attractive, à distance, sur le Soleil.
c. Si elle possède un satellite, une planète n'exerce pas d'action attractive, à distance, sur lui.

8 Connaître l'action exercée entre deux objets. Vrai ou Faux ?

a. Les deux objets exercent l'un sur l'autre une action attractive à distance.
b. Les deux objets n'exercent pas l'un sur l'autre une action attractive à distance.
c. L'objet 1 exerce une action attractive à distance sur l'objet 2, mais l'objet 2 n'exerce pas d'action sur l'objet 1.

9 Analyser les analogies de mouvements

Recopie et complète les phrases suivantes :
a. Les trajectoires de la balle d'une fronde et d'une planète sont ....
b. Les mouvements de la balle d'une fronde et d'une planète sont dus à une ....

10 Analyser les différences de mouvements

a. Le mouvement de la balle d'une fronde est dû à une action *de contact / à distance*.
b. Le mouvement circulaire d'une planète est dû à une action *de contact / à distance*.

11 Définir la gravitation

Retrouve la définition de la gravitation en ordonnant les mots suivants :
« Entre gravitation ont attractive deux est la interaction masse qui une objets une ».

12 Connaître l'influence de la gravitation

Le mouvement de la Lune autour de la Terre est dû à l'action de gravitation d'une planète. De quelle planète s'agit-il ?

13 Trouver les mots-clés du chapitre

Recopie et complète la grille.

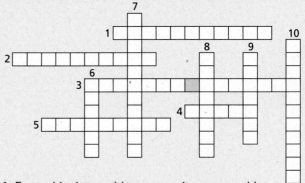

1. Ensemble des positions occupées par un objet au cours de son mouvement.
2. Adjectif qualifiant l'action gravitationnelle.
3. Constitué d'une étoile et de huit planètes.
4. Grandeur qui s'exprime en kilogramme.
5. Astre tournant autour d'une planète.
6. Centre du système solaire.
7. Interaction attractive entre deux objets qui ont une masse.
8. Action qui n'est pas de contact mais à ....
9. Astre tournant autour du Soleil.
10. Action réciproque entre deux objets.

14 Apprendre à rédiger un exercice

> **Énoncé**

Dans son mouvement autour du Soleil, la Terre décrit en 365,25 jours une orbite qui peut être représentée de la manière suivante :

Terre

Soleil

a. Décris l'orbite de la Terre.
b. Quelle action subie par la Terre lui permet de rester autour du Soleil ?
c. Décris cette action.

> **Rédaction de la solution**

a. L'orbite de la Terre est circulaire.
b. Le Soleil exerce une action de gravitation sur la Terre.
c. Cette action est attractive et à distance.

▶ Pour t'entraîner : exercice 15

15 Observer le mouvement de la Lune

La Lune décrit autour de la Terre en vingt-huit jours une trajectoire qui peut être représentée de la manière suivante :

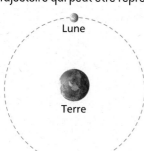

Lune

Terre

a. Décris l'orbite de la Lune.
b. Quelle action subie par la Lune lui permet de rester autour de la Terre ?
c. Décris cette action.

16 Retenir l'ordre des planètes

Dans l'ordre, en partant du Soleil, il y a Mercure, Vénus, Terre, Mars, Jupiter, Saturne, Uranus et Neptune…

Tu n'as qu'à retenir cette phrase : « Mon vieux, tu m'as jeté sur une navette. »

À quoi correspond chaque première lettre des mots de la phrase proposée par Christine ?

17 Utiliser un outil de simulation B2i

Avec le logiciel Celestia, tu peux simuler les mouvements des astres de l'Univers.

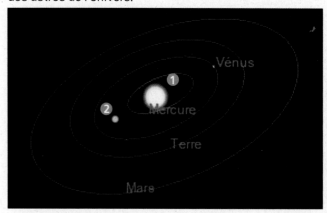

a. Télécharge Celestia, version française.
b. Sélectionne le Soleil et place-toi à une distance de 1 500 000 000 de km.
c. Affiche le nom des planètes et leur orbite.
d. Le Soleil se trouve-t-il en « 1 » ou en « 2 » ?

💡 Coup de pouce : pour sélectionner un astre, utilise le Menu Navigation, puis Aller à. Pour afficher le nom et les orbites des planètes, utilise le Menu Rendu puis Options.

18 Observer le satellite Hubble

Le satellite Hubble est un satellite artificiel de la Terre. Observe sa trajectoire tracée en rouge dans cette représentation.

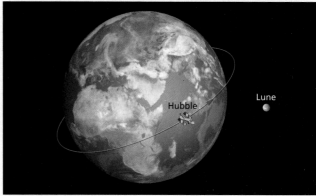

Hubble
Lune

a. Quelle est la forme de la trajectoire de Hubble ?
b. À quelle action est dû le mouvement de Hubble ?
c. Cite l'autre satellite vu dans cette représentation. Est-il lui aussi artificiel ?
d. Les trajectoires de ces deux satellites se ressemblent-elles ? Si oui, en quoi ?

19 ★ Évaluer une action de gravitation

Vénus et la Terre sont des planètes de masses assez proches. Sachant que Vénus est la plus proche du Soleil, quelle est celle qui subit l'action de gravitation du Soleil la plus importante ? Justifie ta réponse.

20 La démarche d'investigation

Comparer deux interactions

Le problème à résoudre

Martine se demande s'il y a une interaction entre deux aimants.

L'hypothèse proposée

Par analogie avec ce qu'elle sait de la gravitation, Martine pense qu'il y a interaction entre deux aimants.

L'expérience réalisée

Étape 1 : Martine approche le pôle nord de l'aimant A du pôle sud de l'aimant B

Étape 2 : Martine approche le pôle sud de l'aimant B du pôle nord de l'aimant A.

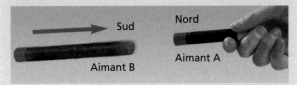

Résultats obtenus

Étape 1 : l'aimant B se déplace vers l'aimant A.

Étape 2 : l'aimant A se déplace vers l'aimant B.

Interprète les résultats :

a. Dans l'étape 1, quel objet exerce une action attractive sur l'aimant B ?

b. Dans l'étape 2, quel objet exerce une action attractive sur l'aimant A ?

c. L'hypothèse de Martine est-elle juste ?

21 Étudier le lancer de marteau `EPS`

Le lancer du marteau est une discipline de l'athlétisme qui consiste à lancer un boulet en acier le plus loin possible. Le boulet est fixé à une corde en acier reliée à une poignée. La poignée est tenue par l'athlète dont le geste a pour conséquence la mise en rotation du boulet.

a. Quel est l'objet qui agit sur le boulet ?

b. Exerce-t-il une action de contact ou une action à distance ?

c. Quelle est la trajectoire du boulet quand la corde est tendue ?

d. Cette trajectoire est-elle modifiée quand l'athlète lâche la poignée ? Justifie.

22 Ne pas oublier des actions

Deux billes identiques sont immobiles sur une table.

a. Explique pourquoi la bille 1 exerce une action attractive sur la bille 2.

b. De même, explique pourquoi la bille 2 exerce une action attractive sur la bille 1.

c. Pourquoi ces billes ne se déplacent-elles pas l'une vers l'autre ?

23 Étudier le mouvement d'une balle de fronde

L'arme ancienne, constituée d'une poche et de deux lanières, est appelée fronde. Dans la poche se place un projectile : la balle de fronde. L'utilisation de la fronde est représentée ci-dessous :

a. À quelle action est dû le mouvement circulaire de la balle de fronde ?

b. La balle de fronde subit-elle encore cette action quand le lanceur lâche une des deux lanières ?

c. Pourquoi la trajectoire de la balle de fronde n'est-elle plus circulaire quand la balle n'est plus en contact avec la fronde ?

24 Observer des trajectoires

Voici trois trajectoires possibles d'une balle qui peut être accrochée à une ficelle.

Quelle est sa (ou ses) trajectoires :

a. Quand la ficelle exerce une action sur la balle.

b. Quand la ficelle n'exerce plus d'action sur la balle.

25 Repérer une action de gravitation

Ninon pense que la Lune subit l'action de gravitation de la Terre mais pas celle du Soleil. Emma affirme que la Lune subit l'action de gravitation de la Terre et du Soleil seulement. Marie croit que la Lune subit l'action de gravitation de toutes les planètes et du Soleil. Qui a raison ? Justifie ta réponse.

Sciences et culture

26 Visite d'un Musée

Saint-Étienne

Au planétarium de Saint-Étienne, avec le film «Planètes en vue», prépare-toi à embarquer pour un voyage saisissant autour du Soleil, cette petite étoile perdue dans notre Galaxie. À bord de l'Astronef de Saint-Étienne, les escales ont pour noms Vénus la Brillante, Mars la Rouge ou Jupiter la Géante.

1. Où voyage-t-on dans «Planètes en vue»?

2. À ton avis, pourquoi Vénus est-elle surnommée la Brillante? Recherche l'autre nom donné à Vénus.

3. Recherche l'origine du nom Mars pour la planète rouge.

4. Recherche les autres planètes qui comme Jupiter sont surnommées géantes.

27 Expérience à la Maison

Quand un objet A agit sur un objet B, alors réciproquement l'objet B agit sur l'objet A, quelle que soit la nature de l'action : c'est l'interaction. Pour bien le comprendre, réalise l'expérience suivante : approche un aimant d'un objet en fer, puis, inversement, approche l'objet en fer de l'aimant.

1. L'aimant exerce-t-il une action sur l'objet en fer? Justifie.

2. L'objet en fer exerce-t-il une action sur l'aimant? Justifie.

3. Y a-t-il interaction entre l'aimant et l'objet en fer?

28 Problème de Société

Lors de l'assemblée générale de l'Union astronomique internationale, les astronomes ont décidé le 28 août 2006 de retirer à Pluton, découverte presque quatre-vingts ans plus tôt aux confins du système solaire, son statut de planète. En effet, la découverte d'un astre plus grand que Pluton a obligé les astronomes à redéfinir la notion de planète. Ils ont créé ainsi une nouvelle catégorie d'astres : les planètes naines dont fait partie maintenant Pluton.

1. De combien de planètes le système solaire se compose-t-il depuis 2006?

2. Les astronomes choisirent de nommer Eris le corps céleste dont la découverte eut comme conséquence le déclassement de Pluton de la famille des planètes. Recherche l'origine de ce nom et explique ce choix.

29 Ciencia en Español

El físico, matemático y astrónomo italiano Galileo Galilei llamado Galilea a secas (1564-1642) defiende las teorías de Copérnico y proclama que la Tierra gira alrededor del sol. Esta idea según la cual la Tierra no es inmóvil en el centro del Universo es contraria a la de aquella época y fue juzgada herética. Después de un proceso famoso Galileo debió abjurar.

1. Busca la definición de «geocéntrico» y «heliocéntrico».

2. ¿Es el sistema de Copérnico, defendido por Galileo, geocéntrico o heliocéntrico?

3. ¿Es la Tierra, el único astro que gira alrededor del Sol?

La physique au quotidien

Un objet

Le satellite de communication

Après leur lancement par une fusée spatiale, les satellites tournent autour de la Terre. Un satellite géostationnaire de communication semble fixe à un observateur immobile à la surface de la Terre. Sa trajectoire est un cercle dont le centre coïncide avec le centre de la Terre, à l'altitude de 36 000 km. Pourquoi un satellite de communication ne retombe-t-il pas sur Terre ?

Capacité

✓ La gravitation est une interaction attractive entre deux objets qui ont une masse

Les panneaux solaires.
Ils apportent l'énergie nécessaire au fonctionnement du satellite.

L'antenne du satellite.
Elle reçoit les signaux émis par des émetteurs terrestres de télécommunication et les réémet sur une large zone de la Terre.

Un peu d'histoire

Le premier satellite de communication géostationnaire, Anik 1, lancé le 9 novembre 1972 était canadien.

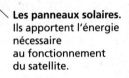

Mène ton enquête

1. Comment est lancé un satellite de communication ?

2. À quelle altitude se trouve un satellite géostationnaire de communication ?

3. Pourquoi le satellite reste-t-il sur sa trajectoire circulaire ?

4. À quoi servent les panneaux solaires du satellite ?

5. Quel est le rôle de l'antenne du satellite ?

💡 Coup de pouce

Tout objet au voisinage de la Terre est en interaction gravitationnelle avec la planète.

Enseignant chercheur

Un enseignant chercheur dans une université ou une grande école a un rôle qui est double : tout d'abord enseigner aux étudiants (tu en as déjà une idée en regardant tes professeurs de collège), élaborer les programmes et organiser les examens. Mais il enrichit aussi sa discipline en tant que chercheur. Ses recherches peuvent être fondamentales pour créer de nouvelles théories, ou appliquées en lien avec des laboratoires pour des projets concrets.

Conseils : le goût du contact et de l'échange avec les autres est la base de la pédagogie et de la dynamique d'un groupe de recherche.

Quelle orientation après la 3e ?

▶ Des études très longues sont nécessaires : il faut compter 8 ans d'études après le bac pour obtenir un doctorat. En fait, l'enseignant-chercheur ne quittera jamais l'école !

En **lycée général et technologique**, puis à l'université ou en grande école, il faudra choisir la filière qui te passionne.

Comment en savoir plus sur ce métier ?

ONISEP

www.onisep.fr/belin-pc-3e

La Terre et le système solaire

Interprète une analogie

Le professeur de physique-chimie, M. Comète, aime expliquer l'interaction gravitationnelle en montrant deux aimants qui s'attirent à distance. En comparant deux phénomènes qui se ressemblent, il fait une analogie.
Grâce à un dessin, il en fait une autre dans son cours sur le système solaire.

**Quel peut être le rapport entre le système solaire, la Terre et le dessin de M. Comète ?
Que sont censés représenter l'âne, le piquet, la corde et le chemin de terre ?**

Poids et chute d'un objet

Objectifs

▶ Savoir définir le poids

▶ Connaître la relation
   entre poids et masse

▶ Vérifier la relation
   entre poids et masse

▶ Interpréter l'énergie
   de mouvement acquise
   par de l'eau lors de sa chute

Situation **1**

Le record du saut en hauteur féminin (2,09 m) est détenu par la Bulgare Stefka Kostadinova depuis 1987.

Sais-tu pourquoi on finit toujours par retomber au sol après un saut ?

Stefka Kostadinova aux championnats du monde d'athlétisme en 1993 (Stuttgart, Allemagne)

Barrage hydraulique de Grandval (Cantal).

Situation **2**

Les centrales hydrauliques produisent 11 % de l'énergie électrique en France. Stockée dans des lacs grâce à des barrages, l'eau possède une certaine forme d'énergie.

Selon toi, quelle forme d'énergie possède l'eau stockée par un barrage ?

Je me documente, j'expérimente pour répondre

Activité 1

Mesurer le poids d'objets de masses différentes   p. 194

Activité 2

Découvrir l'énergie mécanique   p. 195

Quelle est la relation entre le poids d'un objet et sa masse ?

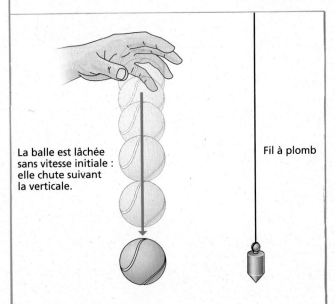

La balle est lâchée sans vitesse initiale : elle chute suivant la verticale.

Fil à plomb

Lorsque la balle est lâchée sans vitesse initiale, son poids l'entraîne vers le bas et sa chute est verticale : la direction **verticale**, indiquée par le fil à plomb, est celle du poids.

Le poids de la balle sur la Terre est la manifestation de la gravitation au voisinage de la Terre.

Cette balle est attirée par la Terre du fait qu'elle possède une masse.

 La chute d'une balle de tennis.

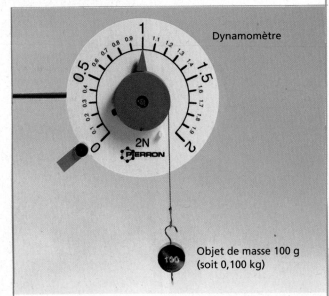

Dynamomètre

Objet de masse 100 g (soit 0,100 kg)

• La valeur du poids se mesure avec un dynamomètre et son unité est le newton, de symbole N.

• La masse d'un objet correspond à sa quantité de matière : c'est la somme des masses de chaque atome constituant cet objet. La masse se mesure avec une balance. Son unité est le kilogramme, de symbole kg.

Masse m de l'objet (en kg)	0,020	0,050	0,100	0,150	0,200
Valeur P du poids de l'objet (en N)	0,20	0,50	1,0	1,5	2,0

 Mesure de la valeur du poids d'un objet de masse connue.

Vocabulaire

▶ **Verticale (en un lieu donné)** : la verticale est la direction indiquée par un fil à plomb placé en ce lieu.

▶ **Proportionnalité** Maths : dans un tableau de proportionnalité, tous les nombres d'une ligne s'obtiennent en multipliant ceux de l'autre ligne par un même nombre, le coefficient de proportionnalité.

▶ **Intensité de la pesanteur (en un lieu donné)** : c'est le coefficient de proportionnalité entre la valeur P du poids d'un objet et sa masse m. Il est noté g. Son unité est le newton par kilogramme (N/kg).

Guide de travail

1. Pour quelle raison un objet tombe-t-il quand il est lâché (doc 1) ?

2. Indique la direction et le sens du poids d'un objet (doc 1).

3. Le poids et la masse d'un objet sont-ils des grandeurs identiques (doc 2) ?

4. En quoi le tableau de mesures montre-t-il que la valeur du poids d'un objet est proportionnelle à sa masse (doc 2) ?
Calcule alors l'intensité de la pesanteur g sur Terre.

Conclusion **Quelle est la relation entre le poids d'un objet et sa masse ?**

Sois critique Les astronautes qui ont marché sur la Lune ont constaté que leur poids y était plus faible que sur Terre. Propose une explication.

Pourquoi l'eau acquiert-elle de la vitesse lors de sa chute ?

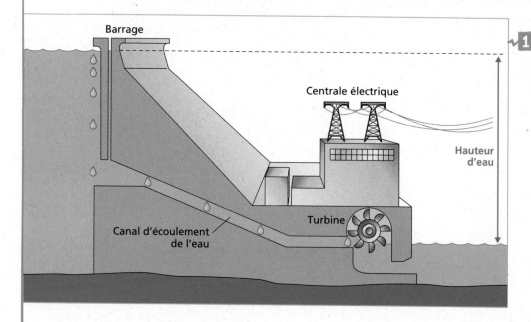

1 **Un barrage hydraulique.** L'eau est retenue à une certaine hauteur au-dessus de la centrale électrique. L'ouverture du barrage entraîne l'écoulement de l'eau dans un canal jusqu'à la turbine de la centrale. S'il n'y avait pas de différence de hauteur entre la turbine de la centrale et le barrage, alors l'eau ne coulerait pas et la centrale électrique ne fonctionnerait pas.

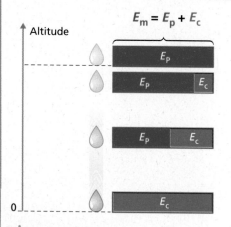

$$E_m = E_p + E_c$$

2 **L'énergie mécanique d'une goutte d'eau.**

Un objet au voisinage de la Terre, comme une goutte d'eau, possède une **énergie de position** E_p due à l'interaction de gravitation entre la Terre et cet objet. L'énergie de position de l'objet diminue quand son altitude diminue.

Un objet en mouvement, comme une goutte d'une chute d'eau, possède une énergie de mouvement : l'**énergie cinétique** E_c. Cette énergie cinétique augmente quand la vitesse de l'objet augmente.

On appelle **énergie mécanique** E_m d'un objet la somme de l'énergie de position et de l'énergie cinétique de cet objet.

Guide de travail

1. Comment varie l'altitude d'une goutte d'eau lors de l'ouverture du barrage (doc 1) ?

2. Déduis-en comment varie l'énergie de position d'une goutte d'eau lors de sa chute (doc 2).

3. On admet que l'énergie mécanique de la goutte d'eau reste constante au cours de la chute. En quelle forme d'énergie se transforme l'énergie de position de la goutte d'eau lors de sa chute ?

4. Déduis-en comment varie la vitesse d'une goutte d'eau lors de sa chute.

Conclusion **Pourquoi l'eau acquiert-elle de la vitesse lors de sa chute ?**

Sois critique Comment faire pour que l'eau d'un barrage transfère davantage d'énergie à la turbine de la centrale hydraulique ?

1. Poids d'un objet

Le **poids** d'un objet sur Terre est l'attraction à distance exercée par la Terre sur cet objet. Le poids est une action qui s'exerce verticalement vers le bas : c'est pour cette raison qu'un objet lâché tombe verticalement. La verticale en un lieu est la direction d'un fil à plomb placé en ce lieu.

Expérience Activité 1 p. 194

On mesure, à l'aide d'un **dynamomètre**, la valeur P (en **newton**, de symbole N) du poids d'un objet de **masse** m (en kilogramme, de symbole kg) connue (**doc 1**). Puis on recommence avec d'autres objets de masses différentes.

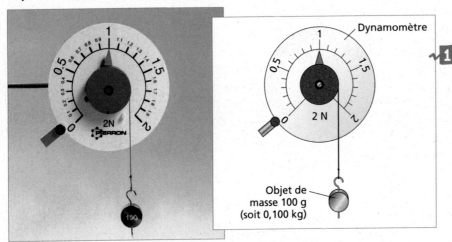

1 Mesure de la valeur P du poids d'un objet de masse m.

Observation et interprétation

m (en kg)	0,020	0,050	0,100	0,150	0,200
P (en N)	0,20	0,50	1,0	1,5	2,0

(× 10)

La valeur P du poids d'un objet est proportionnelle à sa masse m : $P = m \times g$. Le facteur de proportionnalité g est appelé l'intensité de la pesanteur. Sur Terre, $g \approx 10$ N/kg.

Conclusion

Pour t'entraîner ▶ **Exercices 16 et 18 p. 201**

■ Le **poids d'un objet** sur Terre est l'**attraction à distance** exercée verticalement et vers le bas par la Terre sur cet objet.

■ La valeur P du **poids** et la **masse** m d'un objet sont **proportionnelles** :

$$P = m \times g$$

P : valeur du poids d'un objet en newton (N)

m : masse de l'objet en kilogramme (kg)

g : valeur de l'intensité de la pesanteur, en newton par kilogramme (N/kg). Sur Terre, $g \approx 10$ N/kg.

2 **Exemple.** Pour soulever cette barre de 263,5 kg, l'haltérophile doit lutter contre le poids de la barre de valeur 263,5 × 10 = 2 635 soit 2 635 N.

2. La chute d'un objet Activité 2 p. 195

● Un objet au voisinage de la Terre possède une **énergie de position** E_p proportionnelle à l'altitude de cet objet par rapport au sol.

Un objet en mouvement possède une énergie de mouvement, l'**énergie cinétique** E_c, proportionnelle au carré de sa vitesse.

La somme des énergies de position et cinétique d'un objet constitue son **énergie mécanique** E_m.

● Lors de la chute d'un objet, on peut souvent admettre que son énergie mécanique garde la même valeur : on dit qu'elle « se conserve ». Quand l'objet perd de l'altitude, son énergie de position diminue donc son énergie cinétique augmente : sa vitesse augmente. La conservation de l'énergie mécanique explique pourquoi l'énergie cinétique de l'eau d'un barrage hydraulique augmente lors de sa chute tandis que son énergie de position diminue **(doc 3)**.

> **Mots importants**
> — Énergie de position
> — Énergie cinétique
> — Énergie mécanique
>
> ➤ Voir Mini Dico p. 232

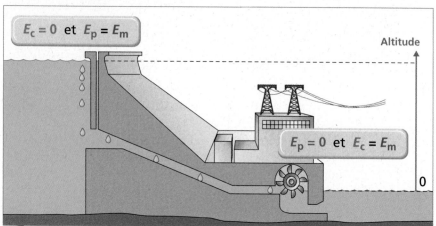

$E_c = 0$ et $E_p = E_m$

Altitude

$E_p = 0$ et $E_c = E_m$

0

3 **L'énergie mécanique E_m de l'eau pendant sa chute se conserve** : son énergie de position E_p diminue tandis que son énergie cinétique E_c augmente.

Conclusion

Pour t'entraîner ▶ Exercices 21 et 22 p. 202

■ Un **objet en mouvement** au voisinage de la Terre possède une **énergie mécanique**, somme de son **énergie cinétique** et de son **énergie de position**.

■ L'**énergie** mécanique **se conserve** : au cours de la chute de l'eau, l'énergie de position de l'eau diminue tandis que son énergie cinétique augmente.

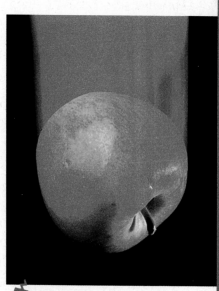

4 **Exemple.** Lorsqu'on lâche une pomme, son énergie cinétique augmente.

Documents

B2i

Histoire des sciences

Informe-toi sur Isaac Newton au CDI

Sir Isaac Newton est un immense savant dont les découvertes sont encore enseignées aujourd'hui et qui ont permis de mieux comprendre le monde qui nous entoure. Il a réussi à expliquer les interactions entre les astres du système solaire. Son œuvre est tellement riche que des centaines de biographes ont cherché à raconter l'histoire de sa vie. Faisons le point sur ses contributions en physique.

✔ Rédige une biographie de Newton en quelques lignes seulement.

✔ Quelle autre découverte de Newton as-tu découvert au collège en cours de physique ?

✔ Qu'est-ce que *Philosophiæ Naturalis Principia Mathematica* ?

✔ Comment Newton aurait-il eu l'idée de la gravitation ?

● **Utilise le moteur de recherche du CDI.**

● **Lance ta recherche sur Newton.** Le logiciel BCDI indique les références des documents trouvés, un résumé et leur disponibilité au prêt.

● **Précise ta recherche.** Si c'est nécessaire utilise astucieusement les lignes ET, OU et SAUF

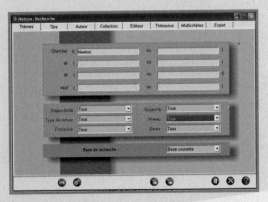

Le logiciel BCDI.

Histoire

Le poids sur la Lune

L'entraînement en piscine simule une faible intensité de pesanteur.

Sur les images rapportées de la Lune, les astronautes américains des missions Apollo semblaient s'envoler à chaque pas. Pourtant, leur scaphandre avait une masse de plus de 100 kg ! Ils n'étaient pas en apesanteur puisqu'ils finissaient par retomber, mais leurs muscles développaient, par habitude, une énergie bien supérieure à celle nécessaire : le poids des objets sur la Lune est en effet 6 fois moins élevé que sur Terre. Ainsi, la valeur de l'intensité de la pesanteur sur la Lune, g_{Lune} est égale à 1,6 N/kg. Cela s'explique par la masse peu élevée de la Lune comparée à celle de la Terre : le poids d'un objet dépend de la masse de l'astre qui l'attire.

Les futurs astronautes doivent s'habituer à la faible intensité de pesanteur qui bouleverse le fonctionnement du corps comme le mouvement des bras et des jambes, la circulation du sang ou les battements du cœur. Leur entraînement se fait en piscine : en les faisant flotter, l'eau compense une partie de leur « poids terrestre » ce qui simule les sensations qu'ils connaîtront dans l'espace.

Questions

1. Un objet lancé depuis la Lune retombera-t-il ? Explique pourquoi.

2. Pourquoi l'intensité de la pesanteur est-elle plus faible sur la Lune que sur Terre ?

3. Calcule la valeur du poids d'un astronaute dont la masse est 80 kg équipé de son scaphandre sur la Lune puis sur la Terre. Compare ces deux résultats.

Je révise — Poids et chute d'un objet

Je dois connaître

▶ Le **poids d'un objet** sur Terre est l'**attraction à distance** exercée verticalement vers le bas par la **Terre** sur cet objet.

▶ La valeur *P* du **poids** (en N) et la **masse** *m* (en kg) d'un objet sont **proportionnelles** : $P = m \times g$.

▶ Un **objet en mouvement** au voisinage de la Terre possède une **énergie mécanique**, somme de son **énergie cinétique** et de son **énergie de position**.

▶ L'**énergie mécanique** se **conserve** au cours d'une **chute**.

Je dois être capable de

▶ **Vérifier expérimentalement** la relation entre la valeur du poids et la masse.

▶ **Interpréter** le **transfert d'énergie de position** en **énergie cinétique** lors de la chute d'eau par la **conservation** de l'énergie mécanique.

Poids d'un objet

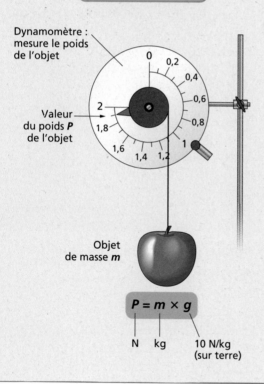

Dynamomètre : mesure le poids de l'objet

Valeur du poids *P* de l'objet

Objet de masse *m*

$P = m \times g$

N   kg   10 N/kg (sur terre)

L'énergie se conserve

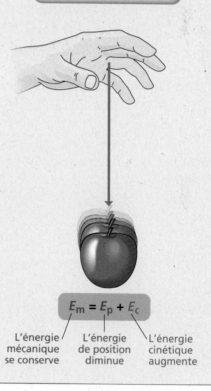

$E_m = E_p + E_c$

L'énergie mécanique se conserve   L'énergie de position diminue   L'énergie cinétique augmente

---

Je m'évalue   **Socle commun**

1 Le poids d'un objet sur Terre résulte de l'attraction à distance de la ………… sur …………．

2 La valeur *P* du poids a pour unité le ………… de symbole …………．

3 La valeur du poids et la masse d'un objet sont …………．

4 L'énergie ………… est la somme de l'énergie ………… et de l'énergie ………… : elle se conserve au cours d'une chute.

▶ Réponses en fin de manuel, p. 236

Connais-tu le cours ?

5 Connaître le poids d'un corps

Recopie les phrases suivantes en choisissant la bonne proposition.
Le poids d'un objet sur Terre est une action :
a. *attractive / répulsive* ;
b. *à distance / de contact* ;
c. exercée par *le Soleil / la Terre* ;
d. exercée *horizontalement / verticalement* ;
e. exercée vers *le bas / le haut*.

6 Ne pas confondre poids et masse

Recopie et relie chaque grandeur physique à ses caractéristiques :

Masse •
Valeur du poids •

• s'exprime en newton.
• se mesure avec une balance.
• se mesure avec un dynamomètre.
• s'exprime en kilogramme.

7 Connaître l'unité du poids

a. Quelle est l'unité de la valeur du poids ?
b. Quel est le symbole de cette unité ?

8 Savoir écrire la relation entre le poids et la masse. QCM

La relation mathématique existant entre la valeur P du poids et la masse m d'un objet peut s'écrire :

a. $m = P \times g$
b. $P = m \times g$
c. $g = \dfrac{m}{P}$
d. $g = \dfrac{P}{m}$
e. $P = g \times m$
f. $g = m \times P$

9 Vérifier la relation entre le poids et la masse. Vrai ou Faux ?

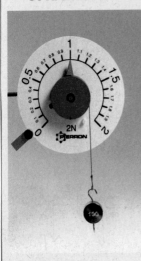

Pour vérifier la relation existant entre le poids et la masse, il faut :
a. mesurer la masse et la valeur du poids d'objets de masses identiques ;
b. mesurer uniquement la masse d'objets de masses différentes ;
c. mesurer la masse et la valeur du poids d'objets de masses différentes ;
d. mesurer uniquement la valeur du poids d'objets de masses différentes.

10 Connaître les énergies d'un objet

Recopie et complète les phrases suivantes :
a. Un objet au voisinage de la Terre possède une énergie de .... et une énergie de ....
b. L'énergie de ...., ou énergie .... est proportionnelle au carré de la vitesse de l'objet.
c. L'énergie de .... est proportionnelle à l'altitude de l'objet par rapport au sol.

11 Définir l'énergie mécanique d'un objet. Vrai ou Faux ?

L'énergie mécanique d'un objet :
a. est la somme de ses énergies de position et cinétique ;
b. ne se conserve pas au cours de sa chute.

12 Connaître les conversions d'énergie

En quelle autre forme l'énergie de position de l'eau est-elle convertie au cours de sa chute ?

13 Trouver les mots-clés du chapitre

Recopie et complète la grille.

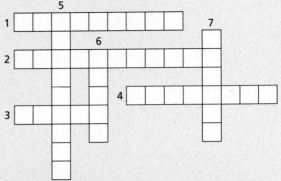

1. Énergie se conservant au cours d'une chute.
2. Instrument mesurant la valeur du poids d'un objet.
3. Action résultant de l'attraction de la Terre.
4. Énergie liée à l'altitude.
5. Énergie liée à la vitesse.
6. Grandeur s'exprimant en kilogramme.
7. Unité de la valeur du poids.

14 Apprendre à rédiger un exercice

> **Énoncé**

Une pomme est suspendue à un dynamomètre.
a. Donne le nom et le symbole de l'unité de la valeur du poids.
b. Quelle est la valeur du poids de la pomme ?
c. Déduis-en la masse de la pomme.

💡 **Coup de pouce :**
pesanteur sur Terre : g = 10 N/kg.

> **Rédaction de la solution**

a. L'unité de valeur du poids est le newton, symbole N.
b. La valeur du poids de la pomme est lue directement sur le dynamomètre : elle vaut 1,9 N.
c. La valeur du poids P d'un objet est proportionnelle à la masse m de cet objet :

$$P = m \times g \quad \text{donc} \quad m = \frac{P}{g} = \frac{1,9}{10} = 0,19 \quad \text{soit} \quad m = 190 \text{ g.}$$

▶ Pour t'entraîner : exercice 15

15 Déterminer une masse

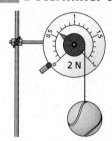

Une balle de tennis est suspendue à un dynamomètre.
a. Donne le nom et le symbole de l'unité de la valeur du poids.
b. Quelle est la valeur du poids de la balle de tennis ?
c. Déduis-en la masse de la balle de tennis.

16 ★ Déterminer la masse d'1 L d'eau `Maths`

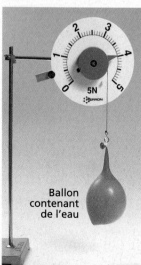

Ballon contenant de l'eau

Pour déterminer la masse d'1 L d'eau, Marc mesure la valeur du poids de 400 mL d'eau contenue dans un ballon de masse négligeable.
a. Quelle est la valeur du poids des 400 mL d'eau ?
b. Rappelle la relation existant entre la valeur du poids et la masse d'un objet.
c. Déduis-en la masse des 400 mL d'eau.
d. Détermine alors la masse d'1 L d'eau.

17 Utiliser un fil à plomb `Technologie`

Objet

Le fil à plomb est un outil constitué d'un fil auquel est accroché un petit objet assez lourd. Lorsque l'objet est immobile, le fil matérialise une direction particulière.
a. Quelle est cette direction particulière ?
b. Quelle action à distance s'exerce sur l'objet selon cette direction ?
c. Recherche quel métier du bâtiment utilise le fil à plomb.

18 Observer la chute d'un objet

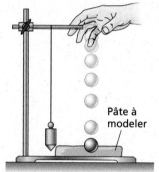

Pâte à modeler

Karim laisse tomber une bille sur de la pâte à modeler.
a. Quelle action s'exerce sur la bille et la fait tomber ?
b. Quel objet exerce cette action sur la bille ?
c. Dans quelle direction et dans quel sens s'exerce cette action ?
Justifie ta réponse.

19 Utiliser un pèse-personne

a. Quelle question le médecin, très surpris par la réponse de Denis, aurait-il dû lui poser ?
b. Quelle valeur le pèse-personne affiche-t-il ?

20 Repérer une confusion

Poids Net 500g

Quelle erreur a été commise dans l'indication figurant sur l'étiquette ? Corrige-la.

21 La démarche d'investigation

Vérifier la conservation de l'énergie mécanique

Le problème à résoudre

Sylvie se demande si l'énergie mécanique de l'eau se conserve au cours de sa chute.

L'hypothèse proposée

Comme l'eau acquiert de l'énergie de mouvement dans sa chute, Sylvie pense que l'énergie mécanique de l'eau augmente.

L'expérience réalisée

Sylvie utilise le dispositif ci-contre qui permet de lâcher une bille sans vitesse initiale et de mesurer son énergie cinétique et son énergie de position.

Bille

Les résultats obtenus

Énergie de position (en J)	0,204	0,196	0,171	0,131	0,074	0,000
Énergie cinétique (en J)	0,000	0,008	0,033	0,074	0,131	0,204
Énergie mécanique (en J)	......	......	......	......	......	......

Interprète les résultats

a. Recopie le tableau et complète la ligne de l'énergie mécanique.

b. Que constates-tu ?

c. L'hypothèse de Sylvie est-elle correcte ?

22 Produire de l'électricité

De l'eau chutant sur une turbine couplée à un alternateur permet de faire briller une lampe branchée aux bornes de cet alternateur.

a. Quelle forme d'énergie l'alternateur fournit-il à la lampe ?

b. Quelle forme d'énergie l'alternateur reçoit-t-il ?

c. D'où provient l'énergie reçue par l'alternateur ?

d. Explique pourquoi l'énergie reçue par l'alternateur est plus grande si la hauteur de la chute d'eau augmente.

23 Analyser des mesures B2i

Julie analyse le tableau que Sophie a rempli sur tableur-grapheur.

	A	B	C	D	E	F
1						
2	Masse m (en kg)	0,02	0,05	0,1	0,1	0,2
3	Poids P (en N)	0,2	0,5	1	1,5	2
4	P/m	10	10	10	15	10

a. Trouve l'erreur de saisie commise par Sophie.

b. Corrige cette erreur.

c. Ajoute l'unité manquante du tableau.

24 Déterminer le poids sur la Lune

Le 21 juillet 1969, Neil Armstrong est le premier homme à fouler le sol lunaire. Il subit alors l'action attractive à distance exercée par la Lune, appelée poids : sa valeur est 240 N.

a. La relation existant entre le poids et la masse d'un objet sur Terre est applicable sur la Lune. Écris cette relation.

b. Déduis-en la masse de l'astronaute et de son équipement.

c. Calcule la valeur du poids de l'astronaute sur Terre.

d. Est-il plus facile pour l'astronaute de se déplacer sur la Lune ou sur la Terre ? Justifie.

⚙ Coup de pouce : g_{Lune} ≈ 1,6 N/kg et g_{Terre} ≈ 10 N/kg

25 ★ Calculer des énergies Maths

La puissance électrique de la centrale électrique du barrage de Tignes, en Isère, est égale à 450 kW. Le barrage retient l'eau qui forme un lac. La hauteur de l'eau entre la surface du lac et les turbines de la centrale est égale à 180 m.

a. Quelle est l'énergie électrique, en joule, produite chaque seconde par ce barrage ?

b. Si on considère que cette énergie électrique correspond à 80 % de l'énergie mécanique de l'eau, calcule l'énergie mécanique de l'eau.

c. Sous quelle forme se trouve l'énergie de l'eau avant sa chute ? Et à la fin de sa chute ?

⚙ Coup de pouce : $E = P \times t$ avec E en J, P en W et t en s.

26 ★ Énergie Sécurité

À proximité d'un barrage hydraulique, tu peux voir ce panneau :

Lorsque la centrale hydraulique se met à fonctionner :

a. L'eau monte-t-elle brusquement en amont ou en aval du barrage ?

b. De quoi dépend la vitesse de montée de l'eau ?

Sciences et culture

27 Lecture d'un Magazine

Dans le magazine *Pour la Science* d'avril 2007, tu peux lire l'article «Les limites des voyages habités vers Mars». Les difficultés techniques et humaines à surmonter y sont présentées. En particulier, on évoque les effets de l'apesanteur sur l'organisme humain.

1. Recherche ce qu'est l'apesanteur.

2. Que vaut l'intensité de la pesanteur *g* en apesanteur?

3. Un objet en apesanteur, lâché sans vitesse initiale, tombe-t-il? Pourquoi?

28 Expérience à la Maison

Place une bouteille remplie d'eau à une hauteur plus élevée qu'une seconde bouteille vide. Introduis l'extrémité d'un tuyau parfaitement propre dans l'eau. Amorce l'écoulement de l'eau en aspirant à l'autre extrémité du tuyau. Place alors cette extrémité du tuyau dans la bouteille vide.

Fais varier l'altitude du premier récipient et observe le débit de l'eau.

1. Avant l'écoulement, sous quelle forme l'énergie mécanique de l'eau se trouve-t-elle?

2. Comment varie le débit de l'eau quand l'altitude de la première bouteille augmente? Propose une explication.

3. Alors que la première bouteille contient encore de l'eau, comment faire pour que l'eau ne s'écoule plus?

29 Problème de Société

La consommation d'énergie électrique est très variable au cours d'une journée. Une STEP (Station de Transfert d'Énergie par Pompage) permet de compenser ces variations. En période de forte consommation, elle produit de l'électricité grâce à de l'eau stockée dans un bassin supérieur. En période de faible consommation, elle remonte l'eau du bassin inférieur pour remplir le bassin supérieur.

Comment varie l'énergie de position de l'eau:

1. En période de forte consommation?

2. En période de faible consommation?

30 Science in English

As legend has it, Isaac Newton, one of the most famous scientists, understood gravitation when an apple fell on his head: the moon in its orbit and the falling apple are both attracted by the Earth.

1. What object did Newton compare the falling apple to?

2. What are both objects subject to?

3. Why does the apple fall?

Un objet

Le pèse-personne

La Terre exerce sur toi une action, ton poids. Tu as vu que l'unité de la valeur du poids est le newton (N). Cependant, quand tu te pèses, la balance affiche ta masse en kg et non pas la valeur de ton poids. Pourquoi dis-tu alors que tu pèses 55 kg ?

Capacité

✓ La valeur du poids P et la masse m d'un objet sont deux grandeurs de natures différentes, mais elles sont proportionnelles

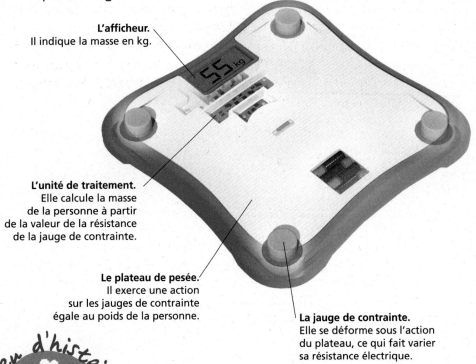

L'afficheur.
Il indique la masse en kg.

L'unité de traitement.
Elle calcule la masse de la personne à partir de la valeur de la résistance de la jauge de contrainte.

Le plateau de pesée.
Il exerce une action sur les jauges de contrainte égale au poids de la personne.

La jauge de contrainte.
Elle se déforme sous l'action du plateau, ce qui fait varier sa résistance électrique.

Un peu d'histoire

Les premières balances ont été inventées par les Égyptiens. Elles comparaient des masses entre elles.

Mène ton enquête

Matériel :

✓ Un pèse-personne électronique

1. Monte sur le pèse-personne. Note la valeur affichée.

2. Cette valeur est-elle vraiment celle de ton poids ? Si tu penses que non, de quelle grandeur est-ce la valeur ?

3. Descend du pèse-personne puis appuie sur le plateau avec tes mains. Que constates-tu ?

4. Le pèse-personne est-il sensible à une action ?

5. Calcule (en N) la valeur de l'action appliquée par tes mains sur le plateau.

💡 Coup de pouce

La relation de proportionnalité entre la masse m et la valeur P du poids est sur Terre $P = m \times g$, avec $g = 10$ N/kg.

Moniteur(trice) de parachutisme

Le moniteur de parachutisme adore les sports extrêmes et les sensations fortes. La chute libre due à l'inévitable attraction de la Terre le fascine. Mais le moniteur de parachutisme est avant tout un éducateur. Il doit préparer et encadrer les adeptes de ce sport : il faut donner confiance aux débutants, leur créer l'envie, les faire progresser et tout cela dans le plus strict respect des règles de sécurité. Il connaît les limites du corps humain et de son matériel, car, malgré tout, les risques sont toujours présents. Cette responsabilité est parfois dure à porter au quotidien. Son image décontractée est trompeuse : dans le stress et la fatigue, il est toujours capable d'animer un groupe.

Conseils : le moniteur sportif travaille en club, dans une association ou dans un centre de vacances.

Comment en savoir plus sur ce métier?

www.onisep.fr/belin-pc-3e

Quelle orientation après la **?**

▶ Pour passer le **Brevet d'État d'Éducateur Sportif (BEES)**, il faut être âgé d'au moins 18 ans et avoir une bonne formation générale de niveau bac. Une pratique sportive d'excellent niveau est exigée.

Ton raisonnement fera-t-il le poids?

2047. La classe de M. Proton part sur la Lune pour faire une expérience : comparer la masse m et la valeur du poids P de Cyril sur deux astres différents. Ils emportent un pèse-personne à aiguille (quand on monte sur le plateau, un ressort se déforme et déplace l'aiguille sur un disque gradué en kg), un dynamomètre et un ordinateur pour noter les résultats. Comme prévu, les élèves se sentent légers sur la Lune, malgré leur scaphandre. Mais curieusement, une des mesures ne correspond pas à celle qu'ils avaient proposée en classe.

Lequel de ces résultats peut paraître étonnant? Pourquoi cette balance n'est-elle pas adaptée pour une utilisation sur la Lune?

	Sur la Terre	Sur la Lune
Affichage balance	65 kg	10,6 kg
Affichage dynamomètre	637 N	104 N
Calcul P/m	9,8	9,8

Énergie cinétique et sécurité routière

Objectifs

▶ Connaître et exploiter la formule de l'énergie cinétique

▶ Savoir que la distance de freinage croît plus rapidement que la vitesse

▶ Exploiter les documents relatifs à la sécurité routière

Situation 1

Les crash-tests sont des expériences qui permettent d'étudier les effets d'une collision sur une automobile et ses occupants.

Selon toi, quels paramètres influent sur la violence d'une collision ?

Un véhicule avant un crash-test.

Un enfant traversant imprudemment la route.

Situation 2

Lorsqu'un obstacle surgit soudainement, l'automobiliste doit freiner brusquement. La distance de freinage dépend de la vitesse de l'automobile.

Sais-tu par quel facteur est multipliée la distance de freinage lorsque la vitesse est doublée ?

J'expérimente pour répondre

Activité 1

De quoi dépend l'énergie cinétique d'un véhicule ?

Un véhicule en mouvement possède une énergie cinétique notée E_c. Cette énergie est proportionnelle à la masse m du véhicule et au carré de sa vitesse v. Ainsi, si la vitesse du véhicule est multipliée par 2, alors son énergie cinétique est multipliée par 4.

$$E_c = \frac{1}{2} m \times v^2$$

joule (J) — kilogramme (kg) — mètre par seconde (m/s)

1 L'énergie cinétique d'un véhicule.

Les crash-tests permettent d'améliorer les systèmes de protection équipant les véhicules, comme les ceintures de sécurité, les airbags, les pare-chocs, etc. Lors de ces tests, un véhicule est lancé à une vitesse de 56 km/h environ contre un mur. Au moment de l'impact, le véhicule s'arrête brutalement : sa vitesse, et donc son énergie cinétique, s'annulent quasi instantanément. Le véhicule subit alors d'importantes déformations mesurées avec précision. C'est grâce aux résultats du crash-test que les ingénieurs parviennent à trouver un compromis entre un habitacle trop rigide qui engendre des chocs très violents voire mortels pour les passagers et une structure trop déformable qui risque d'écraser les passagers.

Résultat d'un crash-test.

2 Collision entre un véhicule en mouvement et un obstacle immobile.

Vocabulaire

▶ Vitesse : Maths

$v = \dfrac{d}{t}$
- v : vitesse en m/s
- d : distance parcourue en m
- t : durée du parcours en s

Guide de travail

1. L'énergie cinétique d'un véhicule est-elle proportionnelle à sa vitesse (doc 1) ?

2. Calcule l'énergie cinétique d'un véhicule de masse 1 560 kg avant et après le crash-test (doc 1 et 2).

3. Quelle est la conséquence de l'annulation quasi instantanée de l'énergie cinétique d'un véhicule lors d'une collision (doc 2) ?

Conclusion Quelle est l'expression de l'énergie cinétique d'un véhicule ?

Sois critique La vitesse est-elle un facteur important lors d'une collision ?

La distance de freinage croît-elle plus vite que la vitesse ?

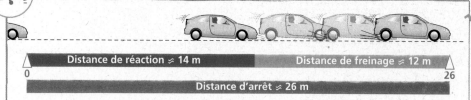

1 **La distance d'arrêt d'un véhicule** lancé à 50 km et rencontrant un obstacle.

Distance de réaction ≈ 14 m | Distance de freinage ≈ 12 m
0 | 26
Distance d'arrêt ≈ 26 m

La **distance de réaction** est la distance parcourue entre l'instant où le conducteur voit un obstacle et l'instant où il commence à freiner, ce qui correspond à environ 1 seconde pour un conducteur attentif.

La **distance de freinage** est la distance parcourue entre l'instant où le conducteur commence à freiner et l'instant où le véhicule s'immobilise.

La **distance d'arrêt** d'un véhicule est la distance parcourue entre l'instant où un conducteur voit un obstacle et l'instant où le véhicule s'arrête.

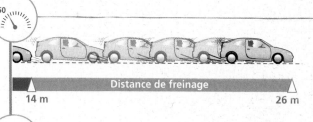

Distance de freinage
14 m | 26 m

La distance de freinage dépend de la vitesse du véhicule et d'autres paramètres : conditions climatiques, état des pneumatiques, état de la route (sèche ou mouillée), état des freins, etc.

Distance de freinage
28 m | 76 m

2 **Comparaison de la distance de freinage d'un véhicule roulant à 50 km/h et à 100 km/h.** Les distances de réaction sont respectivement de 14 m et 28 m, les distances d'arrêt sont respectivement de 26 m et 76 m.

Guide de travail

1. Quelle est la relation entre la distance d'arrêt, la distance de réaction et la distance de freinage (doc 1).

2. Indique les distances de freinage d'un véhicule roulant à 50 km/h et à 100 km/h (doc 2).

3. Déduis-en par quel facteur est multipliée la distance de freinage d'un véhicule lorsque sa vitesse est doublée.

4. La distance de freinage est-elle proportionnelle à la vitesse ou au carré de la vitesse ?

5. Déduis-en à quelle forme d'énergie est liée la distance de freinage.

Conclusion **La distance de freinage croît-elle plus vite que la vitesse ?**

Sois critique Lors du freinage, les freins d'un véhicule s'échauffent. En quelle forme d'énergie l'énergie cinétique est-elle transformée lors du freinage ?

1. L'énergie cinétique `Activité 1 p. 208`

● Dessinons deux points quelconques sur un objet. L'objet est un solide si la distance entre les deux points ne varie jamais. Ce solide est en **translation** si la droite qui passe par ces deux points reste parallèle à une direction fixe au cours du mouvement de l'objet. La carrosserie d'un véhicule peut être considérée comme un solide en translation (**doc1**).

● Un objet de masse m en mouvement possède une **énergie cinétique,** notée E_c. L'unité d'énergie cinétique est le **joule** (J). Si cet objet est un solide en translation, son énergie cinétique est proportionnelle à la **masse** m de l'objet et au carré de sa **vitesse** v :

$$E_c = \frac{1}{2} m \times v^2$$

● Lors d'une collision entre un véhicule et un obstacle fixe, l'annulation quasi instantanée de l'énergie cinétique du véhicule engendre une violente déformation du véhicule (**doc 2**) et des objets heurtés. La collision peut causer des blessures aux passagers voire leur mort.

La voiture se déplace

$A_1B_1 = A_2B_2$ donc c'est un solide.
$(A_1B_1) // (A_2B_2)$ donc le solide est en translation.

1 Un solide en translation.

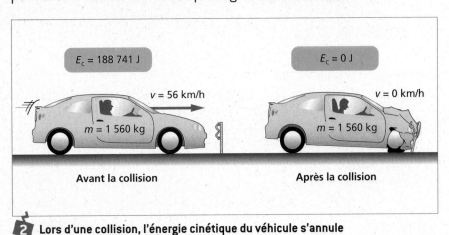

E_c = 188 741 J E_c = 0 J

v = 56 km/h v = 0 km/h

m = 1 560 kg m = 1 560 kg

Avant la collision   Après la collision

2 Lors d'une collision, l'énergie cinétique du véhicule s'annule et sa carrosserie se déforme.

Conclusion

Pour t'entraîner ▶ Exercices 16 et 18 p. 215

L'énergie cinétique E_c d'un solide en translation **est proportionnelle** à la **masse** m de l'objet et au **carré de sa vitesse** v :

$$E_c = \frac{1}{2} m \times v^2$$

E_c : énergie cinétique en joule (J)
m : masse en kilogramme (kg)
v : vitesse en mètre par seconde (m/s)

3 **Exemple.** Cette voiture de formule 1, de masse 605 kg, roulant à 360 km/h, soit 100 m/s, possède l'énergie cinétique
$E_c = 0,5 \times 605 \times (100)^2$
$E_c = 3\,025\,000$ J.

2. Énergie cinétique et distance de freinage Activité 2 p. 209

● La **distance de freinage** notée D_F d'un véhicule est la distance parcourue entre l'instant où le conducteur freine et celui où le véhicule est immobilisé. Pendant le freinage, le véhicule ralentit, sa **vitesse** diminue jusqu'à devenir nulle : c'est l'arrêt. Le véhicule a perdu l'**énergie cinétique** qu'il possédait avant le freinage.

Au cours du freinage, l'énergie cinétique du véhicule est essentiellement transformée en énergie thermique au niveau des freins du véhicule qui s'échauffent.

● La distance de freinage est multipliée par 4 quand la vitesse est doublée car cette distance est liée à l'énergie cinétique $\left(E_c = \dfrac{1}{2}\, m \times v^2\right)$ du véhicule avant le freinage (**doc 4**).

Mots importants

— Distance de freinage
— Vitesse, énergie cinétique

➤ Voir Mini Dico p. 232

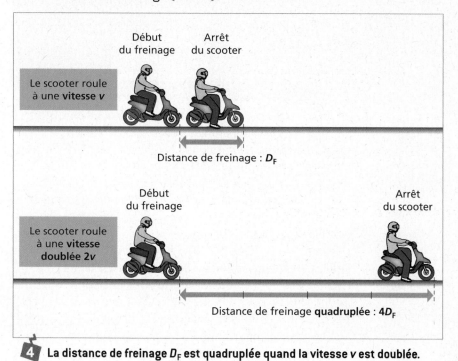

Début du freinage   Arrêt du scooter

Le scooter roule à une **vitesse v**

Distance de freinage : D_F

Début du freinage   Arrêt du scooter

Le scooter roule à une **vitesse doublée 2v**

Distance de freinage **quadruplée : $4D_F$**

4   **La distance de freinage D_F est quadruplée quand la vitesse v est doublée.**

Conclusion

Pour t'entraîner ▶ **Exercices 20 et 23 p. 216**

La **distance de freinage** d'un véhicule **croît plus rapidement que la vitesse** car elle est liée **à l'énergie cinétique** du véhicule.

5   **Exemple.** Les traces de pneus d'un véhicule freinant pour s'arrêter permettent d'estimer sa distance de freinage, liée à son énergie cinétique.

Documents

L'attestation scolaire de sécurité routière

L'ASSR est la partie théorique du Brevet de sécurité routière qui donne le droit de conduire un cyclomoteur à partir de 14 ans. Il faut connaître le code de la route et comprendre les risques encourus par manque de sérieux ou de vigilance. Sur la route, la vitesse excessive intervient dans un accident mortel sur trois. Elle modifie la perception qu'a le conducteur de la circulation et augmente la distance d'arrêt du véhicule. En cas de choc, l'énergie cinétique emmagasinée par le véhicule et ses passagers est transformée : les os se cassent, la peau est brûlée, les organes détruits. Plus de 200 adolescents meurent chaque année sur la route !

✔ Quelle est la vitesse maximale autorisée en cyclomoteur ?

✔ Quel dispositif de sécurité obligatoire permet d'absorber une partie de l'énergie cinétique du corps en cas de choc en cyclomoteur ? En voiture ?

✔ Quelle est la distance d'arrêt si on roule à 30 km/h ?

● Révise le code de la route

Une série de tests te familiarisant à l'épreuve de l'ASSR sont disponibles sur http://eduscol.education.fr /D0187/accueil.htm.

● Prends conscience des risques

Télécharge les animations de la prévention routière :

http://www.preventionroutiere.asso.fr/ outil_interactif.aspx.

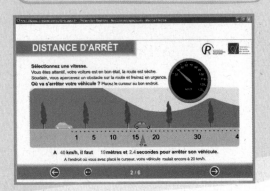

DISTANCE D'ARRÊT
Sélectionnez une vitesse.
Vous êtes attentif, votre voiture est en bon état, la route est sèche. Soudain, vous apercevez un obstacle sur la route et freinez en urgence. Où va s'arrêter votre véhicule ? Placez le curseur au bon endroit.

À 40 km/h, il faut 19 mètres et 2,4 secondes pour arrêter son véhicule.
À l'endroit où vous avez placé le curseur, votre véhicule roulait encore à 20 km/h.

L'aérodynamisme

L'aérodynamique des carrosseries est testée en soufflerie.

Les constructeurs automobiles dessinent des voitures avec des formes profilées pour des raisons esthétiques, mais pas uniquement. Ils cherchent aussi à faciliter l'écoulement de l'air autour du véhicule pour éviter de perdre trop d'énergie : c'est l'objet de la science appelée aérodynamique. Le véhicule acquiert de la vitesse grâce au moteur, qui transforme l'énergie chimique du carburant (essence ou gasoil) en énergie cinétique. Tu as sûrement remarqué que le moteur continue à fournir de l'énergie à la voiture même lorsque la vitesse voulue est atteinte. En effet, une partie de l'énergie cinétique se perd en se transformant en chaleur à cause des frottements de la voiture sur l'air, sur la route et entre les pièces mécaniques. Or la résistance de l'air croît plus rapidement que la vitesse : pour un même trajet, passer de 80 km/h à 90 km/h sur route fait consommer 4 % de carburant en plus, contre 14 % en plus pour passer de 120 km/h à 130 km/h sur autoroute ! C'est pourquoi lors d'un pic de pollution, les pouvoirs publics abaissent les vitesses maximales autorisées.

Questions

1. Quel est le but de l'aérodynamisme ?

2. D'un point de vue énergétique, à quoi sert le moteur ?

3. Que devient l'énergie cinétique de la voiture perdue à cause des frottements ?

4. La résistance de l'air est-elle proportionnelle à la vitesse du véhicule ? Explique l'intérêt écologique d'abaisser la vitesse des voitures.

Je révise — Énergie cinétique et sécurité routière

Je dois connaître

▶ L'énergie cinétique E_c d'un solide en translation est proportionnelle à la **masse** m du solide et **au carré de sa vitesse** v :

$$E_c = \frac{1}{2} m \times v^2$$

E_c : énergie cinétique en joule (J)
m : masse en kilogramme (kg)
v : vitesse en mètre par seconde (m/s)

▶ La **distance de freinage** d'un véhicule **croît plus rapidement que la vitesse** car elle est liée à l'**énergie cinétique** du véhicule.

Je dois être capable de

▶ Utiliser la relation :
$$E_c = \frac{1}{2} m \times v^2$$

▶ **Exploiter les documents** relatifs à la **sécurité routière**.

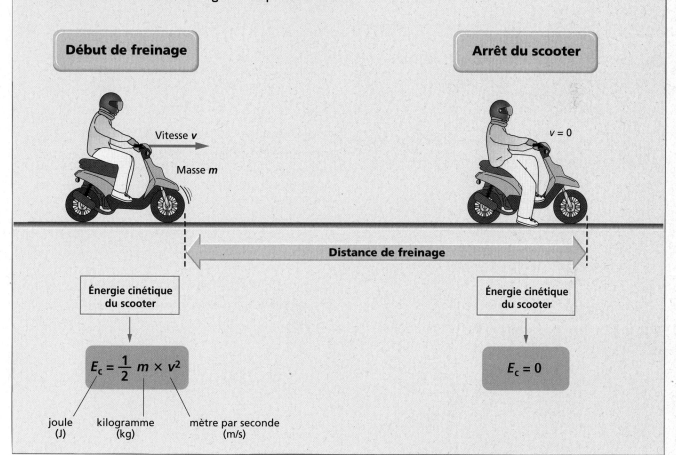

Début de freinage

Vitesse v

Masse m

Arrêt du scooter

$v = 0$

Distance de freinage

Énergie cinétique du scooter

$$E_c = \frac{1}{2} m \times v^2$$

joule (J)   kilogramme (kg)   mètre par seconde (m/s)

Énergie cinétique du scooter

$$E_c = 0$$

Je m'évalue — Socle commun

1 La distance de freinage croît .... que la vitesse.

2 La distance de freinage est proportionnelle à ....

3 Lors d'une collision, plus le véhicule est rigide, plus le choc est violent pour les .... (aide-toi du doc 2 p. 208).

4 La distance de freinage dépend de la vitesse du véhicule avant le freinage et de .... (aide-toi du doc 2 p. 209).

▶ Réponses en fin de manuel, p. 236

Connais-tu le cours ?

5 Connaître la relation entre *m*, *v* et E_c. **QCM**

La relation donnant l'énergie cinétique d'un véhicule est :

a. $E_c = \dfrac{1}{2} m^2 \times v$; **b.** $E_c = \dfrac{1}{2} m^2 \times v^2$; **c.** $E_c = \dfrac{1}{2} m \times v^2$.

6 Interpréter la relation entre *m*, *v* et E_c

Recopie les phrases suivantes en choisissant les bonnes propositions :

a. L'énergie cinétique d'un véhicule *dépend / ne dépend pas* de la masse du véhicule.

b. L'énergie cinétique d'un véhicule *dépend / ne dépend pas* de la vitesse du véhicule.

c. L'énergie cinétique d'un véhicule *est / n'est pas* proportionnelle à la masse du véhicule.

d. L'énergie cinétique d'un véhicule *est / n'est pas* proportionnelle à la vitesse du véhicule.

7 Exploiter la relation entre *m*, *v* et E_c. **QCM**

L'énergie cinétique d'un scooter de masse *m* = 100 kg avec une vitesse *v* = 10 m/s est égale à :

a. 5 000 J ; **b.** 1 000 J ; **c.** 500 J.

8 Connaître l'unité de l'énergie cinétique

Parmi les symboles suivants, trouve celui de l'unité de l'énergie cinétique et donne son nom.

m/s ; kg ; A ; m ; J ; V ; s ; m² ; W ; L.

9 Exploiter un document

Cet accident de la route est dû à une vitesse excessive. Le conducteur n'a pas eu le temps d'immobiliser son véhicule qui a donc percuté l'obstacle. Le véhicule s'est alors déformé au contact de l'obstacle.

a. D'où provient l'énergie qui a engendré les déformations de ces véhicules lors de l'accident ?

b. Quels sont les risques encourus par les passagers ?

10 Exploiter un document sur la sécurité routière

Quelle est la relation existant entre la distance d'arrêt D_A, la distance de réaction D_{TR} et la distance de freinage D_F ?

11 Comparer la distance de freinage et la vitesse. **Vrai ou Faux ?**

a. La distance de freinage ne dépend pas de la vitesse.

b. La vitesse croît plus rapidement que la distance de freinage.

c. La distance de freinage croît plus rapidement que la vitesse.

12 Trouver les mots-clés du chapitre

Recopie et complète la grille.

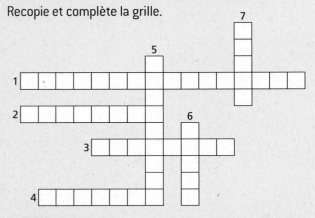

1. Relation mathématique entre l'énergie cinétique et la masse.

2. Elle devrait être le souci de tous les conducteurs.

3. Cette distance est multipliée par 4 quand la vitesse est doublée.

4. Elle est égale au rapport d'une distance sur une durée.

5. Cette énergie est liée à la vitesse.

6. Elle se mesure en kilogramme.

7. L'énergie s'exprime dans cette unité de mesure.

13 Apprendre à rédiger un exercice

> **Énoncé**

Considérons une voiture et un camion en mouvement de translation et supposons qu'ils possèdent la même énergie cinétique, égale à 250 000 J.

a. Rappelle la relation existant entre l'énergie cinétique E_c, la masse m et la vitesse v.

b. Le camion roule à 40 km/h : calcule sa masse.

c. La masse de la voiture est égale à 800 kg, calcule sa vitesse.

> **Rédaction de la solution**

a. $E_c = \dfrac{1}{2}\, m \times v^2$.

b. Conversion de la vitesse du camion :

1 km = 1 000 m   et   1 h = 3 600 s

donc 1 km/h = $\dfrac{1\,000}{3\,600}$ m/s = $\dfrac{1}{3,6}$ m/s.

$v = 40$ km/h = $\dfrac{40}{3,6}$ m/s = 11 m/s.

Calcul de la masse : $m = \dfrac{2E_c}{v^2} = \dfrac{2 \times 250\,000}{11^2}$.

Soit $m = 4\,132$ kg.

c. Calcul de la vitesse de la voiture :

$v = \sqrt{\dfrac{2E_c}{m}} = \sqrt{\dfrac{2 \times 250\,000}{800}} = 25$

soit $v = 25$ m/s = $25 \times 3,6$ km/h = 90 km/h

▶ Pour t'entraîner : exercice 14

14 Exploiter une relation mathématique

Considérons un scooter et une voiture en mouvement de translation et supposons qu'ils possèdent la même énergie cinétique, égale à 10 800 J.

a. Rappelle la relation existant entre l'énergie cinétique E_c, la masse m et la vitesse v.

b. Sachant que la voiture roule à 15 km/h, calcule sa masse.

c. Sachant que la masse du scooter est égale à 150 kg, calcule sa vitesse.

15 Traduire une interdiction

Tu as vu, il est interdit que mon énergie cinétique dépasse 3 906 joules.

Quelle est la masse de Luc ?

16 Vitesse et énergie cinétique Maths

Cette petite voiture de 30 grammes, qui avance à vitesse constante, met 3 secondes pour parcourir une distance égale à 50 cm.

a. Calcule la vitesse de la voiture en cm/s puis en m/s.

b. Écris la relation existant entre l'énergie cinétique E_c, la masse m et la vitesse v de la voiture.

c. Précise les unités légales de chaque terme de la relation.

d. Calcule l'énergie cinétique de la voiture.

17 ★ Grandeur produit Maths

a. Rappelle la relation existant entre l'énergie cinétique d'un véhicule, sa masse et sa vitesse.

b. Recopie et complète le tableau ci-dessous en appliquant la relation précédente.

Énergie cinétique	Masse	Vitesse
....	1,5 t	25 m/s
350 kJ	....	110 km/h
12 345 J	200 kg	....

18 Proportionnalité Maths

Les graphiques ci-dessous représentent l'évolution de l'énergie cinétique d'un véhicule en fonction de sa masse (1) et en fonction de sa vitesse (2).

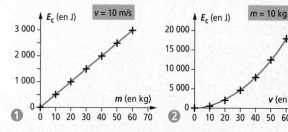

Existe-t-il une relation de proportionnalité :

a. entre l'énergie cinétique et la vitesse ? Justifie.

b. entre l'énergie cinétique et la masse ? Justifie.

19 Énergie Sécurité

Un automobiliste freine brusquement sur une voie rapide. Son véhicule ralentit mais finit tout de même par percuter la glissière de sécurité.

a. En quelle forme l'énergie cinétique du véhicule est-elle transformée au cours du freinage ?

b. La déformation de la glissière est-elle plus importante si le véhicule la percute sans avoir freiné ? Pourquoi ?

20 La démarche d'investigation

Étudier la distance de freinage

Le problème à résoudre

Benjamin se demande quelle est la relation entre la distance de freinage d'un véhicule et sa vitesse.

L'hypothèse proposée

Benjamin pense que la distance de freinage est proportionnelle à la vitesse.

L'expérience réalisée

Benjamin utilise une voiture miniature munie d'un système de freinage. Il mesure la distance de freinage de la voiture pour différentes vitesses de la voiture.

Résultats obtenus

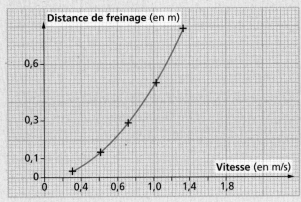

Interprète les résultats

a. Le graphique met-il en évidence une situation de proportionnalité ? Justifie.

b. Déduis-en si l'hypothèse de Benjamin est juste.

c. La distance de freinage croît-elle plus rapidement que la vitesse ?

21 S'informer, se documenter B2i

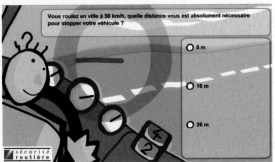

a. Qu'appelle-t-on distance de freinage ?

b. La distance de freinage croît-elle plus vite que la vitesse ? Pourquoi ?

c. Si tu veux t'entraîner pour l'ASSR, saisis l'adresse suivante dans la barre d'adresse de ton navigateur et réponds aux multiples questions du Quizz.

http://www.securiteroutiere.equipement.gouv.fr/data
/quizz/quizzacc.htm

22 ★ Calculer une distance de freinage

La formule donnant approximativement la distance de freinage d'une voiture est :

$$D_F = 0,05 \, \frac{v^2}{f}$$

v : vitesse de la voiture au début du freinage (en m/s),
f : coefficient de frottement d'adhérence des pneus sur le sol.

Ce coefficient dépend de l'état du sol et de l'état des pneus : par exemple sur sol sec et avec des pneus à structures apparentes : $0,6 < f < 0,9$.

a. Pourquoi la formule montre-t-elle que la distance de freinage est proportionnelle à l'énergie cinétique de la voiture avant le freinage ?

b. Calcule les distances de freinage minimale et maximale d'une voiture roulant à 60 km/h sur route sèche.

23 Exploiter un document de sécurité routière

Observe le tableau ci-dessous indiquant la distance de freinage d'une voiture en fonction de sa vitesse.

Vitesse du véhicule (en km/h)	40	50	70	80	90	100	110
Distance de freinage sur route sèche (en m)	10,3	16,1	31,4	41,0	52,0	64,6	78,1

a. À partir du tableau, détermine la distance de freinage pour les vitesses de 50 km/h et 100 km/h.

b. Déduis-en si la distance de freinage est doublée ou plus que doublée quand la vitesse est doublée.

c. Par quel facteur la distance de freinage est multipliée quand la vitesse est doublée ? Justifie. En déduire à quelle grandeur physique est liée la distance de freinage.

24 Les transports Technologie

Le freinage ABS est un système qui permet, lors d'un freinage d'urgence, de ne pas bloquer les roues du véhicule. Le véhicule ne peut alors pas glisser : il reste contrôlable. Mais ce système ne réduit pas les distances de freinage.

a. L'ABS permet-il au conducteur de continuer à diriger le véhicule tout en pressant fortement les freins ?

b. La distance de freinage est-elle plus courte pour une voiture ayant l'ABS ?

c. Sous quelle forme l'énergie cinétique est-elle transformée au cours du freinage ?

25 Séisme et énergie SVT

Le lent déplacement des plaques lithosphériques à la surface de la terre entraîne la déformation des roches dans la lithosphère, qui accumulent alors de l'énergie. Lorsque ces roches ne peuvent plus se déformer, une fracture se produit dans les roches et libère l'énergie accumulée : c'est le séisme.

a. Recherche un synonyme du mot séisme.

b. Sous quelle forme se trouve l'énergie des plaques lithosphériques ?

c. Qu'engendre l'énergie des plaques lithosphériques ?

26 Visite d'une Auto-école

Rends-toi dans l'auto-école de ton quartier et informe-toi sur la sécurité routière, en particulier sur les vitesses limites à ne pas dépasser et les distances de sécurité à respecter.

1. Recherche les vitesses limites en agglomération, sur une voie rapide et sur une autoroute.

2. Recherche la distance de sécurité à respecter sur une autoroute.

3. À ton avis, cette distance de sécurité dépend-elle de la vitesse ?

27 Expérience à la Maison

Soulève la roue arrière d'une bicyclette et fais tourner cette roue très rapidement. Serre les freins arrière jusqu'à ce que la roue s'immobilise. Touche les freins aussitôt.

1. Que constates-tu ?

2. Quelle forme d'énergie ont reçu les freins ?

3. Quelle est l'origine de l'énergie ainsi mise en évidence ?

28 Problème de Société

Lors d'un accident de voiture, s'ils n'ont pas attaché leur ceinture de sécurité, le conducteur et les passagers sont projetés violemment à l'intérieur du véhicule ou éjectés. Aussi, dès 20 km/h, un choc subi sans ceinture peut être mortel. En France, le non port de la ceinture de sécurité est le troisième facteur de mortalité sur les routes.

1. Recherche les deux autres facteurs de mortalité sur les routes.

2. Calcule l'énergie cinétique d'un passager de 50 kg dans une voiture roulant à 20 km/h.

3. Que vaut cette énergie juste après un choc immobilisant la voiture si le passager a attaché sa ceinture ? Et s'il ne l'a pas attachée ?

29 Science in English

In 1807, the British physicist Thomas Young was the first to use the word *energy*, which corresponded to the product of mass by the square of velocity, mv^2.

1. What is the energy of movement called today ?

2. What is the relation between that energy, mass and velocity ?

Les bandes blanches de sécurité

Pour que le nombre d'accidents sur les routes diminue et pour qu'ils soient moins dangereux, il faut réduire sa vitesse. Il est aussi crucial de respecter la distance de sécurité avec le véhicule qui nous précède. Sur l'autoroute les bandes blanches de sécurité aident à repérer cette distance : comment sont-elles disposées ?

La distance de sécurité.
C'est la distance minimale que doit respecter le conducteur entre son véhicule et celui qui le précède pour éviter la collision en cas de freinage brusque. Pour un véhicule roulant à 130 km/h, la distance de sécurité est de 90 mètres.

Les bandes blanches de sécurité.
Elles sont marquées au sol sur la chaussée de l'autoroute. Leur longueur est égale à 38 m et la distance entre deux bandes consécutives est de 14 mètres.

Protège la planète
Réduire sa vitesse permet d'économiser du carburant et de limiter les émissions de CO_2, gaz à effet de serre.

Mène ton enquête

1. À ton avis, la distance de sécurité à respecter entre deux véhicules qui se suivent augmente-t-elle avec la vitesse ?

2. Quelle est la vitesse maximale permise sur autoroute dans des conditions normales de circulation ?

3. À cette vitesse, quelle est la distance de sécurité ? À combien de bandes de sécurité correspond-t-elle ?

4. Sur les panneaux de signalisation est écrit : « Un trait danger, deux traits sécurité » : commente ce conseil.

Technicien(ne) de la police scientifique

Le technicien de la police scientifique doit apporter ou valider scientifiquement des preuves lors d'enquêtes de la police judiciaire : il n'a pas droit à l'erreur ! Il fait des recherches sur le lieu du crime, mais l'essentiel de son travail se déroule en laboratoire pour examiner et analyser les indices. À chacun sa spécialité (biologie, physique, chimie, informatique, médecine, etc.). L'expert en balistique, lui, est incollable sur les armes, les balles, leur trajectoire, leur énergie cinétique.

Conseils : au cours de ta carrière de scientifique ou de policier, une chance d'intégrer ce service peut se produire. Mais ne fais pas de ce métier ton seul objectif professionnel car ce service recrute très peu de personnel. Tes connaissances techniques et scientifiques, tes qualités de réflexion et tes motivations seront décisives.

Quelle orientation après la 3e ?

▶ Pour devenir technicien, il faut le niveau bac + 2 dans la spécialité scientifique recherchée : le **lycée** **général et technologique** est le passage obligé.

Comment en savoir plus sur ce métier ?

ONISEP

www.onisep.fr/belin-pc-3e

Prouve l'innocence d'un suspect

Meurtre à Flingueville : un homme a été tué par balle, et une arme est rapidement retrouvée dans un fossé. Des témoins ont vu la victime se battre avec Monsieur Lagneau. Pour savoir si ce dernier est le coupable, les enquêteurs font feu à bout portant sur un mannequin avec l'arme retrouvée, ils en extraient la balle qu'ils comparent à celle du corps de la victime. Ils étudient en particulier les rayures sur les balles, caractéristiques de l'arme qui les a tirées. Ils savent en outre que plus une balle parcourt de distance dans l'air, plus sa vitesse lors de l'impact est faible et moins elle est écrasée quand elle s'immobilise.

De quoi les enquêteurs peuvent-ils être certains d'après leurs analyses ?
Sont-ils sur la bonne piste ?

AVIS DE RECHERCHE

JULiE

Balle retrouvée

Balle de la reconstitution

1 Notion de gravitation

▶ Chapitre 12. **Revois ton cours p. 182 et 183**

Malika veut expliquer le mouvement d'une planète autour du Soleil dans le système solaire. Elle utilise alors une fronde : une balle attachée à une ficelle qu'elle fait tourner rapidement.

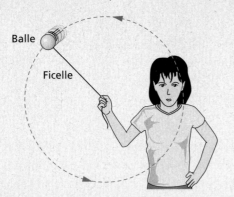

Balle

Ficelle

1. Décris en quelques mots le système solaire.

2. Décris la trajectoire de la balle. Ressemble-t-elle à celle d'une planète ?

3. En quoi l'action de la ficelle sur la balle est-elle analogue à l'action du Soleil sur une planète ?

4. En quoi l'action de la ficelle sur la balle est-elle différente de l'action du Soleil sur une planète ?

5. Définis la gravitation. De quels facteurs dépend-elle ?

💡 **Coup de pouce : la trajectoire est l'ensemble des positions occupées par un objet au cours du temps.**

2 Poids et chute d'un objet

▶ Chapitre 13. **Revois ton cours p. 196 et 197**

Ismaël mesure la masse m et la valeur P du poids d'un morceau de pâte à modeler.

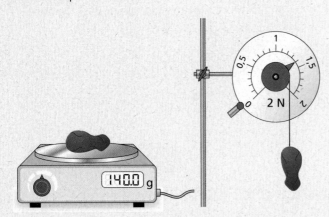

1. Définis ce que l'on appelle le poids d'un objet sur Terre.

2. Nomme les appareils servant respectivement à mesurer la masse et la valeur du poids d'un objet.

3. Indique les unités légales à côté des valeurs mesurées par Ismaël.

4. Ismaël réalise des mesures avec des morceaux de pâte à modeler de plus en plus petits. Il obtient les résultats suivants :

m (en unité légale)	0,100	0,080	0,060	0,020
P (en unité légale)	1,0	0,8	0,6	0,2

À partir des mesures du tableau, établis la relation entre la valeur du poids P de l'objet et sa masse m.

3 Énergie cinétique et sécurité routière

▶ Chapitre 14. **Revois ton cours p. 210 et 211**

Nathalie étudie le document suivant de la sécurité routière pour un véhicule roulant à 50 km/h.

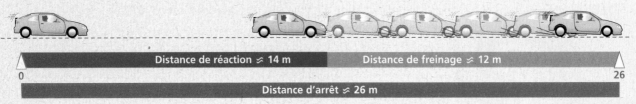

Distance de réaction ⪝ 14 m   Distance de freinage ⪝ 12 m

0   26

Distance d'arrêt ⪝ 26 m

1. Quelle est la relation entre la distance d'arrêt, la distance de réaction et la distance de freinage ?

2. Qu'est-ce que la distance de freinage ?

3. Si la vitesse du véhicule est doublée, par quel facteur est multipliée la distance de freinage ? Justifie en donnant l'expression de l'énergie cinétique d'un véhicule.

Des outils
pour vous aider

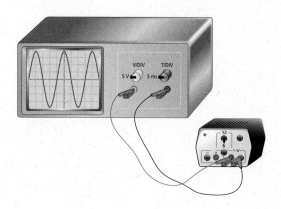

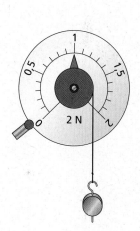

Comment interpréter un pictogramme de sécurité?

On désire connaître le danger que présente un produit d'entretien.

1 Repère le **pictogramme de sécurité** sur l'étiquette de ce produit d'entretien.

2 Identifie, sur la page suivante, la phrase de risque qui accompagne ce pictogramme de sécurité. Elle t'informe sur le **danger** présenté par ce produit.

3 Puis repère la phrase de mesure de sécurité qui accompagne ce pictogramme. Elle t'informe sur les **précautions à prendre** lors de l'utilisation du produit.

Fiche technique 1

Produit corrosif, C

Risque : Il attaque les tissus vivants ainsi que les matériaux.

Sécurité : Éviter tout contact avec les yeux, la peau et les vêtements.

> je ronge !

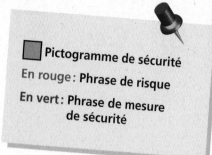

■ Pictogramme de sécurité

En rouge : Phrase de risque

En vert : Phrase de mesure de sécurité

Produit inflammable, F

Risque : Il brûle facilement.

Sécurité : À utiliser loin d'une flamme ou d'une source de chaleur.

> je m'enflamme !

Produit explosif, E

Risque : Il explose lors d'un choc ou s'il est exposé à une source de chaleur.

> j'explose !

Produit dangereux pour l'environnement, N

Risque : Il nuit à l'environnement.

Sécurité : Ne pas le rejeter dans la nature.

> je pollue !

Produit comburant, O

Risque : Il facilite la combustion.

Sécurité : À utiliser loin d'une flamme ou d'une source de chaleur.

> je fais brûler !

Produit toxique, T

Risque : Il peut donner la mort en faibles doses.

Sécurité : À manipuler avec les protections adéquates.

> je tue !

Produits irritant ou nocif : Xi et Xn

Risque : Il irrite ou nuit à la santé.

Sécurité : À manipuler avec les protections adéquates.

> j'irrite ou
> j'empoisonne !

Est-ce que j'ai compris ?

1. Le produit d'entretien ci-contre est un produit *nocif / inflammable / corrosif*.

2. À son contact, les .... sont détruits.

3. Lorsqu'on utilise ce produit, il faut protéger sa peau, ses vêtements et ses ....

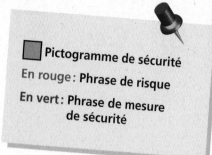

2 Comment identifier les ions Cl⁻, Cu²⁺, Fe²⁺ et Fe³⁺ ?

On souhaite réaliser les tests d'identification des ions chlorure Cl^-, des ions métalliques cuivre (II) Cu^{2+}, fer (II) Fe^{2+} et fer (III) Fe^{3+}.

1. L'ion Cl⁻ : test au nitrate d'argent

● Verse un peu de solution contenant des ions Cl^- dans un tube à essai.

● Ajoute, dans le tube, quelques gouttes d'une solution incolore de nitrate d'argent : il apparaît un précipité blanc. Ce dernier noircit à la lumière après un certain temps.

2. Les ions métalliques Cu²⁺, Fe²⁺, Fe³⁺ : test à la soude

● Verse respectivement dans trois tubes à essai :
– un peu de solution contenant des ions Cu^{2+} ;
– un peu de solution contenant des ions Fe^{2+} ;
– un peu de solution contenant des ions Fe^{3+}.

● Ajoute, dans chaque tube, quelques gouttes de soude : il apparaît un précipité bleu avec les ions Cu^{2+}, verdâtre avec les ions Fe^{2+} et brun rouille avec les ions Fe^{3+}.

Attention : porte des gants et des lunettes de protection.

Avec l'ion Cl^-

on obtient
un précipité blanc .

Avec l'ion Cu^{2+}

on obtient
un précipité bleu .

Avec l'ion Fe^{2+}

on obtient
un précipité verdâtre .

Avec l'ion Fe^{3+}

on obtient un
précipité brun rouille .

Est-ce que j'ai compris ?

1. Si le test au nitrate d'argent est négatif, alors la solution testée *contient / ne contient* pas d'ions Cl^-.

2. Si un test à la soude donne un précipité bleu, alors la solution testée contient des ions ....

Comment mesurer le pH d'une solution?

On souhaite déterminer le pH d'une solution de limonade.

1. Estimation avec du papier pH

- Place, dans une coupelle propre et sèche, une bande de papier pH.

- Dépose, à l'aide d'une baguette en verre propre et sèche, quelques gouttes de la solution sur une bande de papier pH.

- Compare la couleur de la bande à celles sur la boîte de papier pH.

Estime ainsi la valeur du pH.

Attention : porte des gants et des lunettes de protection si la solution t'est inconnue ou si elle est corrosive.

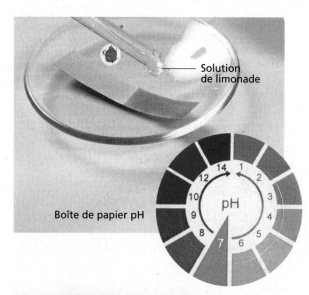

Solution de limonade

Boîte de papier pH

2. Mesure à la sonde de pH

- Rince la sonde à l'eau distillée et essuie-la avec précaution, car elle est fragile.

- Plonge la sonde dans la solution.

- Relève la valeur indiquée.

Attention : porte des gants et des lunettes de protection si la solution est corrosive ou si elle t'est inconnue.

Sonde

Solution de limonade

Est-ce que j'ai compris ?

1. Avec le papier pH, le pH de la solution de limonade est estimé à ....

2. Avec la sonde de pH, le pH de la solution de limonade est égal à ....

3. La méthode de mesure la plus précise utilise *le papier pH/ la sonde de pH*.

Fiche technique 3

Comment tracer un graphique avec un tableur-grapheur ? B2i

On souhaite tracer, à l'aide d'un tableur-grapheur, la représentation graphique d'une tension en fonction du temps à partir d'une série de mesures.

1 Ouvre le logiciel tableur-grapheur.

2 Remplis une ligne avec les temps mesurés et une autre avec les valeurs de tension correspondantes.

3 Sélectionne les cellules contenant les données que tu veux voir représentées sur le graphique.

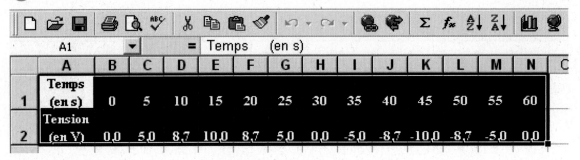

4 Clique sur l'assistant graphique [graphique]. Choisis le graphique « Nuage de points ».

5 Suis les instructions fournies par l'assistant graphique.

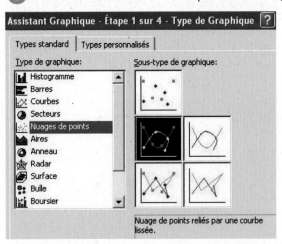

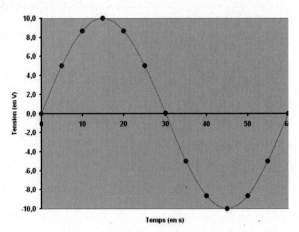

Est-ce que j'ai compris ?

1. Pour modifier les paramètres du graphique (couleur, police, type de graphique, etc.), il faut .... deux fois sur le graphique.

2. Si on modifie une donnée du tableau, le graphique est *modifié automatiquement / n'est pas modifié*.

Comment exploiter le graphique obtenu avec une interface d'acquisition ? B2i

On souhaite utiliser une interface d'acquisition afin de visualiser la tension délivrée par un générateur alternatif. La courbe est obtenue sur l'écran d'un ordinateur muni d'un logiciel adapté.

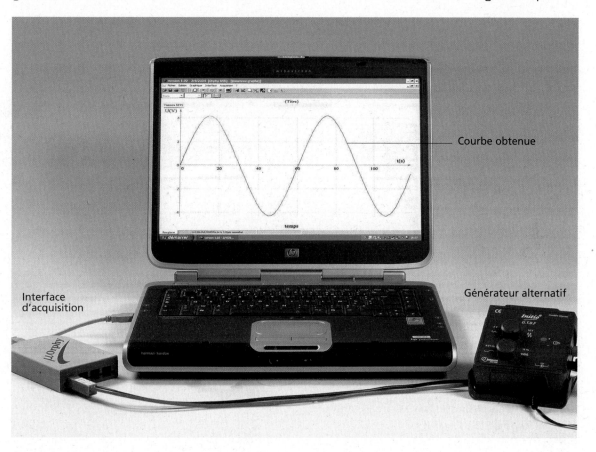

Courbe obtenue

Interface d'acquisition

Générateur alternatif

1 Repère la grandeur représentée sur l'axe des abscisses : c'est le temps.

2 Repère la grandeur représentée sur l'axe des ordonnées : c'est la tension.

3 Observe l'allure de la courbe.

Est-ce que j'ai compris ?

La courbe obtenue représente une tension *continue/variable/alternative/sinusoïdale.*

6 Comment exploiter un oscillogramme?

On souhaite exploiter un oscillogramme afin de déterminer les caractéristiques de la tension délivrée par un générateur alternatif.

1. Obtention de l'oscillogramme

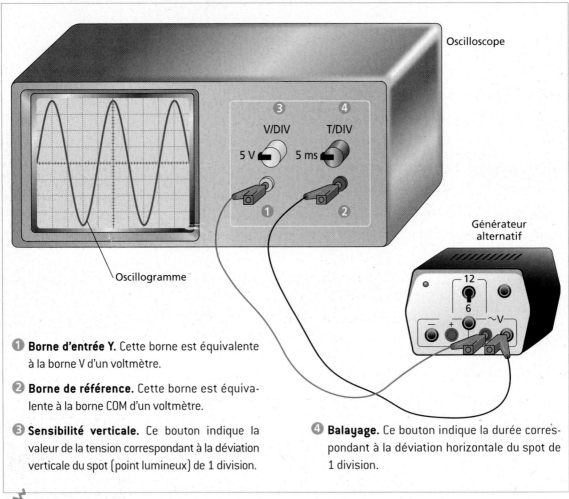

Oscilloscope

Oscillogramme

Générateur alternatif

❶ **Borne d'entrée Y.** Cette borne est équivalente à la borne V d'un voltmètre.

❷ **Borne de référence.** Cette borne est équivalente à la borne COM d'un voltmètre.

❸ **Sensibilité verticale.** Ce bouton indique la valeur de la tension correspondant à la déviation verticale du spot (point lumineux) de 1 division.

❹ **Balayage.** Ce bouton indique la durée correspondant à la déviation horizontale du spot de 1 division.

🔒 **L'oscilloscope permet de visualiser la tension délivrée par le générateur alternatif.**
Un spot dessine sur l'écran une courbe appelée oscillogramme.

❶ Branche le générateur entre la borne d'entrée Y ❶ et la borne référence ❷ de l'oscilloscope.

❷ Règle la sensibilité verticale ❸ afin que la courbe occupe tout l'écran.

❸ Règle le balayage ❹ de façon à obtenir un ou deux motifs élémentaires sur l'écran.

2. Exploitation de l'oscillogramme

Interprétation de l'oscillogramme

Observe l'oscillogramme (doc. 2) : c'est la représentation de la valeur de la tension délivrée par le générateur alternatif en fonction du temps.
La valeur de la tension se lit sur l'axe vertical de l'écran.
La valeur du temps se lit sur l'axe horizontal de l'écran.

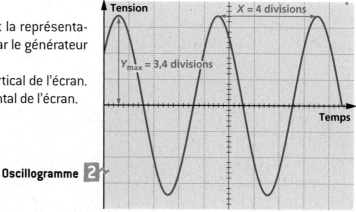

Oscillogramme 2

Détermination de la valeur maximale U_{max}

- Sur l'axe vertical, compte le nombre de divisions correspondant à la déviation maximale Y_{max}.
  Ici Y_{max} = 3,4 divisions (doc 2).

- Sur le bouton de sensibilité verticale ❸, lis la valeur de la sensibilité S.
  Ici, S = 5 V/DIV.

- Multiplie Y_{max} par la valeur de la sensibilité verticale S.
  Tu obtiens la valeur maximale de la tension U_{max} donnée par la relation :

$$U_{max} = Y_{max} \times S$$

U_{max} : valeur maximale en volt (V)
Y_{max} : déviation maximale du spot en nombre de divisions (DIV)
S : sensibilité en volt par division (en V/DIV)

Détermination de la période T

- Sur l'axe horizontal, compte le nombre de divisions correspondant à un motif élémentaire X.
  Ici, X = 4 divisions (doc 2).

- Sur le bouton de balayage ❹, lis la valeur du balayage B.
  Ici, B = 5 ms/DIV.

- Multiplie X par la valeur du balayage B. Tu obtiens la période T donnée par la relation :

$$T = X \times B$$

T : période en seconde (s)
X : nombre de divisions horizontales du motif élémentaire en nombre de divisions (DIV)
B : balayage en seconde par division (s/DIV).

Est-ce que j'ai compris ?

1. Indique la valeur maximale de la tension aux bornes du générateur alternatif : U_{max} = ...

2. Indique la période de la tension aux bornes du générateur alternatif : T = ...

Fiche technique 6

Comment utiliser un multimètre en mode alternatif?

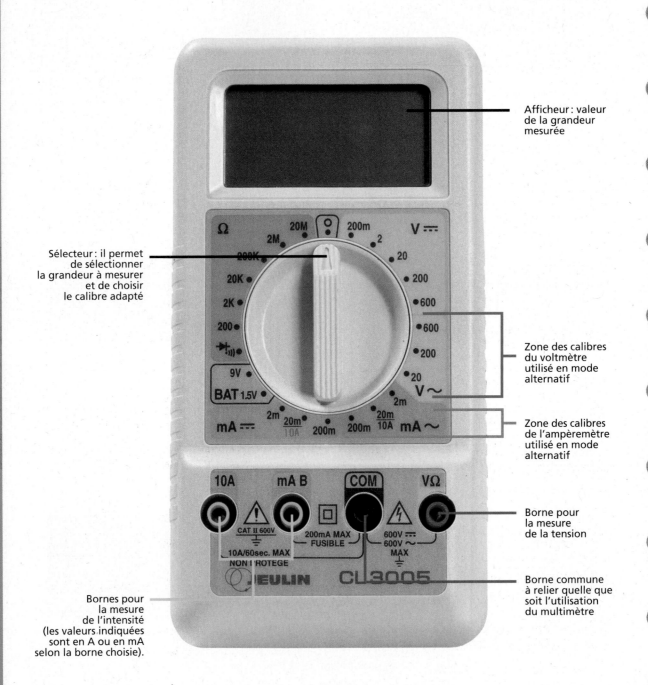

Afficheur : valeur de la grandeur mesurée

Sélecteur : il permet de sélectionner la grandeur à mesurer et de choisir le calibre adapté

Zone des calibres du voltmètre utilisé en mode alternatif

Zone des calibres de l'ampèremètre utilisé en mode alternatif

Borne pour la mesure de la tension

Borne commune à relier quelle que soit l'utilisation du multimètre

Bornes pour la mesure de l'intensité (les valeurs indiquées sont en A ou en mA selon la borne choisie).

- Un multimètre s'utilise en mode alternatif quand la tension ou l'intensité à mesurer sont alternatives sinusoïdales.

1. Utilisation en voltmètre en mode alternatif

On souhaite mesurer la valeur efficace de la tension aux bornes d'une lampe alimentée par un générateur alternatif sinusoïdal.

1 Place le sélecteur sur le plus grand calibre de tension en mode alternatif (ici 600 V).

2 Branche le multimètre **en dérivation** aux bornes de la lampe : relie la borne V du multimètre à une borne de la lampe et la borne COM à l'autre borne de la lampe.

3 Lis sur l'afficheur la valeur de la tension en volt.

4 Pour augmenter la précision de la mesure, choisis le calibre immédiatement supérieur à la tension mesurée.

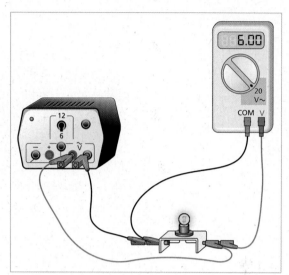

<u>Attention</u> : Si le chiffre 1 s'affiche, change de calibre ! Cela signifie que le calibre choisi est inférieur à la tension mesurée : tu risques alors d'endommager l'appareil.

2. Utilisation en ampèremètre en mode alternatif

On souhaite mesurer la valeur efficace de l'intensité du courant électrique qui traverse une lampe branchée aux bornes d'un générateur alternatif.

1 Place le sélecteur sur le plus grand calibre d'intensité en mode alternatif (ici 10 A).

2 Branche le multimètre **en série** avec la lampe en utilisant les bornes 10 A et COM.

3 Lis sur l'afficheur la valeur de l'intensité en ampère.

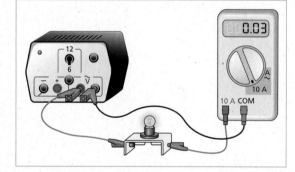

4 Pour augmenter la précision de la mesure, choisis le calibre immédiatement supérieur à l'intensité mesurée. Si nécessaire, utilise la borne mA au lieu de la borne 10 A.

<u>Attention</u> : Si le chiffre 1 s'affiche, change de calibre ! Cela signifie que le calibre choisi est inférieur à l'intensité mesurée : tu risques alors d'endommager l'appareil.

Est-ce que j'ai compris ?

1. Indique la valeur efficace de la tension U aux bornes de la lampe, sans oublier l'unité : U = ...

2. Indique la valeur efficace de l'intensité I du courant qui traverse la lampe, sans oublier l'unité : I = ...

Mini Dico - Index

A

Acétate d'isoamyle : molécule à odeur de banane. Elle peut être naturelle ou synthétique. ▶ **P. 88**

Acide : propriété d'une solution dont le pH est inférieur à 7. ▶ **P. 47**

Acide acétique : liquide incolore dont la solution aqueuse est acide. Il est l'un des réactifs de la synthèse de l'acétate d'isoamyle, un arôme de banane. ▶ **P. 88**

Acide chlorhydrique : solution incolore acide qui réagit avec le métal fer. ▶ **P. 60 et 61**

Action attractive : action dirigée vers l'objet qui exerce l'action. Ici, la ficelle exerce une action attractive sur la balle qui a alors un mouvement circulaire. ▶ **P. 183**

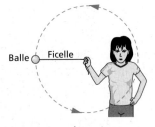

Adipoyle dichlorure : liquide incolore corrosif. Il est l'un des réactifs de la synthèse du nylon. ▶ **P. 89**

Aimant : matériau ou dispositif qui attire le fer et ses alliages. Il entre dans la constitution d'un alternateur ▶ **P. 17 et 109**

Alcool isoamylique : liquide incolore. Il est l'un des réactifs de la synthèse de l'acétate d'isoamyle, un arôme de banane. ▶ **P. 88**

Alternateur : générateur de tensions alternatives. Il est constitué d'une ou plusieurs bobines et d'un ou plusieurs aimants. ▶ **P. 108 et 109**

Aluminium : métal blanc, résistant à la corrosion dans l'air humide. ▶ **P. 16**

Argent : métal blanc, précieux, noircissant dans l'air humide. ▶ **P. 16**

Atome : particule électriquement neutre constituée d'un noyau et d'un ou plusieurs électrons. ▶ **P. 33**

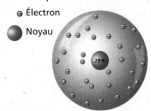

● Électron
● Noyau

Attraction par un aimant : action magnétique utilisée pour identifier le métal fer et ses alliages. ▶ **P. 17**

B

Basique : propriété d'une solution dont le pH est supérieur à 7. ▶ **P. 47**

Bobine : fil conducteur enroulé autour d'un cylindre. Elle entre dans la constitution d'un alternateur. ▶ **P. 109**

C

Centrale électrique : usine génératrice d'énergie électrique. ▶ **P. 108**

Centrale éolienne : centrale électrique utilisant le vent comme source d'énergie. ▶ **P. 108**

Centrale hydraulique : centrale électrique utilisant l'eau comme source d'énergie. ▶ **P. 108**

Corrosif : qui attaque les tissus vivants ainsi que les matériaux. ▶ **P. 47**

Corrosion (dans l'air) : altération du métal due à une réaction chimique avec le dioxygène de l'air. ▶ **P. 17**

Couleur d'un métal : permet d'identifier certains métaux. Par exemple, l'or est jaune, le cuivre est rouge-brun. ▶ **P. 17**

Coupe-circuit : dispositif ouvrant un circuit électrique en cas de surintensité. Il en existe deux types : les fusibles et les disjoncteurs. ▶ **P. 151**

Courant électrique : déplacement de particules électriquement chargées. ▶ **P. 32**

Cuivre : métal rouge-brun, résistant à la corrosion dans l'air humide. ▶ **P. 16**

D

Densité (d'un métal) : rapport de la masse d'un certain volume du métal sur celle du même volume d'eau. ▶ **P. 17**

Déplacement : action de déplacer, de se déplacer. ▶ **P. 109**

Distance de freinage : distance parcourue entre l'instant où le conducteur commence à freiner et l'instant où le véhicule est arrêté. ▶ **P. 211**

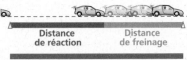

Distance de réaction | Distance de freinage
Distance d'arrêt

Durée : intervalle de temps. Son unité légale est la seconde (s). ▷ P. 165

Dynamomètre : instrument de mesure de la valeur du poids d'un objet. ▷ P. 196

Électriquement neutre : non chargé électriquement. ▷ P. 33

Électron : particule chargée négativement qui entre dans la constitution des atomes. ▷ P. 32 et 33

Énergie : grandeur physique qui ne se crée pas, qui ne disparaît pas mais qui se transforme d'une forme à une autre. Son unité légale est le joule (J). ▷ P. 74 et 164

Énergie chimique : forme d'énergie contenue, par exemple, dans les réactifs d'une transformation chimique. ▷ P. 74 et 75

Énergie cinétique : un objet en mouvement possède une énergie de mouvement, l'énergie cinétique, proportionnelle au carré de sa vitesse. ▷ P. 197, 210 et 211

Énergie de position : un objet au voisinage de la Terre possède une énergie de position proportionnelle à l'altitude de cet objet par rapport au sol. ▷ P. 197

Énergie électrique : forme d'énergie qui permet, par exemple, de faire briller une lampe. ▷ P. 75, 108, 164 et 165

Énergie mécanique : somme des énergies de position et cinétique d'un objet. ▷ P. 197

Énergie mécanique : forme d'énergie susceptible d'être transférée par un objet en mouvement. ▷ P. 198

Énergie thermique : forme d'énergie qui permet, par exemple, de chauffer. ▷ P. 74

Espèce chimique artificielle : espèce chimique qui n'existe pas dans la nature. ▷ P. 89

Espèce chimique naturelle : espèce chimique qui existe dans la nature. ▷ P. 88

Fer : métal blanc gris, magnétique, qui se corrode dans l'air humide. ▷ P. 16 et 61

Fil conducteur : fil laissant passer le courant électrique. ▷ P. 151

Fréquence : nombre de motifs élémentaires d'une grandeur périodique par seconde. Elle se note f et s'exprime en hertz, symbole Hz. ▷ P. 136

Gravitation : interaction attractive entre deux objets possédant une masse. ▷ P. 183

Hertz : unité légale de fréquence de symbole Hz du nom du physicien allemand Heinrich Hertz (1857 – 1894). ▷ P. 136

Hexaméthylène diamine : liquide incolore nocif. Il est l'un des réactifs de la synthèse du nylon. ▷ P. 89

Intensité efficace : intensité mesurée par un ampèremètre utilisé en mode alternatif. ▷ P. 150

Intensité efficace limite : intensité efficace à ne pas dépasser. ▷ P. 150

Interaction : action réciproque entre deux objets : si un objet A attire un objet B alors l'objet B attire l'objet A. Une action n'est pas forcément attractive. ▷ P. 183

Ion : espèce chimique chargée électriquement. *Exemple :* les ions sodium Na^+, chlorure Cl^-, fer (II) Fe^{2+}, fer (III) Fe^{3+}, hydrogène H^+, hydroxyde HO^-. ▷ P. 32, 33 et 46

Joule : unité légale d'énergie de symbole J du nom du physicien britannique, James Prescott Joule (1818 – 1889). ▷ P. 164, 197 et 210

Kilowattheure : unité de l'énergie électrique couramment utilisée. $1\ kWh = 3,6.10^6\ J$. ▷ P. 164

Macromolécule : très grande molécule, comme par exemple le nylon. ▷ P. 89

Masse : grandeur physique qui se mesure avec une balance. Son unité légale est le kilogramme (kg). ▷ P. 183, 196 et 210

Matière plastique : matière constituée de macromolécules artificielles. ▷ P. 89

Métal : matériau brillant lorsqu'il est bien décapé, bon conducteur de l'électricité et de la chaleur. ▷ P. 16 et 32

Molécule : groupement d'atomes semblables ou différents reliés entre eux. ▷ P. 33

Neutre : propriété d'une solution dont le pH est égal à 7. ▷ **P. 47**

Newton : unité légale de mesure du poids de symbole N, du nom du savant anglais, Isaac Newton (1642-1727). ▷ **P. 47**

Nitrate d'argent : solution incolore qui permet d'identifier les ions Cl⁻. ▷ **P. 46**

Noyau : partie centrale d'un atome, chargée positivement et représentant presque toute la masse de l'atome. ▷ **P. 33**

Nylon : matière plastique. ▷ **P. 89**

Or : métal jaune, très précieux, non oxydé dans l'air. ▷ **P. 16**

Oscillogramme : figure affichée sur l'écran d'un oscilloscope. ▷ **P. 136**

Oscilloscope : appareil permettant de visualiser une tension électrique. ▷ **P. 136**

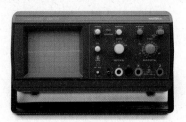

pH : grandeur qui caractérise l'acidité d'une solution. Une solution est acide si son pH est inférieur à 7, neutre s'il est égal à 7 et basique s'il est supérieur à 7. ▷ **P. 47**

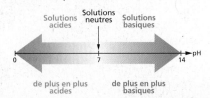

Période : durée du motif élémentaire. On la note *T* et elle s'exprime en seconde, s. ▷ **P. 123 et 136**

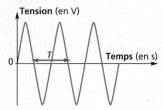

Pile électrochimique : appareil qui transforme une partie de l'énergie chimique des réactifs en énergie électrique lors d'une réaction chimique. ▷ **P. 75**

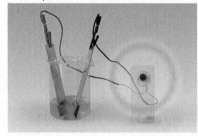

Planète : astre tournant autour du Soleil. Il diffuse la lumière du Soleil dans toutes les directions de l'espace. ▷ **P. 182**

Poids : le poids d'un objet sur Terre est l'attraction à distance exercée par la Terre sur cet objet. ▷ **P. 196**

Précipité : particules solides en suspension dans un liquide. ▷ **P. 46**

Produit : corps formé au cours d'une transformation chimique. ▷ **P. 46**

Proportionnalité : dans un tableau de proportionnalité, tous les nombres d'une ligne s'obtiennent en multipliant ceux de l'autre ligne par un même nombre : le coefficient de proportionnalité. ▷ **P. 137 et 196**

Protocole : ensemble des consignes à respecter pour mener à bien une expérience, comme une synthèse chimique. ▷ **P. 88**

Puissance : grandeur physique ayant pour unité légale le watt (W). Elle est égale au produit de la tension efficace par l'intensité efficace. ▷ **P. 150 et 165**

Puissance limite : puissance à ne pas dépasser. ▷ **P. 151**

Puissance nominale : puissance transformée par un appareil dans ses conditions normales d'utilisation. Elle est inscrite sur l'appareil. ▷ **P. 150**

Réactif : espèce chimique consommée au cours d'une transformation chimique. ▷ **P. 61, 74 et 75**

Réaction chimique : transformation chimique au cours de laquelle des réactifs sont consommés et des produits sont formés. ▷ **P. 61, 74 et 75**

Représentation graphique : courbe dans un repère. ▷ **P. 123**

Satellite naturel : astre tournant autour d'une planète, comme la Lune autour de la Terre. ▷ **P. 182**

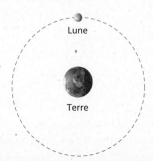

Sécurité : situation dans laquelle quelqu'un ou quelque chose n'est exposé à aucun danger. ▷ P. 151

Sens conventionnel (du courant) : sens du courant choisi par l'ensemble des physiciens. Le courant sort par la borne positive du générateur et entre par sa borne négative. ▷ P. 33

Soleil : étoile qui constitue le centre du système solaire. ▷ P. 182

Solution ionique : solution aqueuse contenant des ions dissous. ▷ P. 32

Soude : solution incolore qui permet d'identifier les ions Cu^{2+}, Fe^{2+}, Fe^{3+}. ▷ P. 46

Source d'énergie non renouvelable : source d'énergie qui s'épuise car elle se renouvelle très lentement sur des millions d'années, comme par exemple le pétrole, le charbon et le gaz naturel. ▷ P. 108

Source d'énergie renouvelable : source d'énergie qui se renouvelle rapidement sur la durée d'une vie humaine, comme par exemple l'eau et le vent. ▷ P. 108

Sulfate de cuivre : poudre bleue contenant des ions cuivre (II) et des ions sulfate. ▷ P. 74

Surintensité : intensité d'un courant dépassant la plus grande valeur supportée par un dipôle ou un circuit électrique. ▷ P. 151

Synthétiser : effectuer une synthèse chimique. ▷ P. 88

Système solaire : système comprenant le Soleil au centre, huit planètes, des milliers d'astéroïdes, des comètes, des météorites et des poussières interplanétaires. ▷ P. 182

Tension alternative périodique : tension variable, périodique, qui prend des valeurs tantôt positives, tantôt négatives. ▷ P. 122

Tension continue : tension dont la valeur est constante au cours du temps. ▷ P. 122

Tension du secteur : tension disponible aux bornes d'une prise de courant. ▷ P. 136

Tension efficace : tension mesurée par un voltmètre utilisé en mode alternatif. ▷ P. 150

Tension nominale : tension qu'il faut appliquer aux bornes d'un dipôle pour que celui-ci fonctionne normalement. ▷ P. 151

Tension sinusoïdale : tension alternative périodique dont la représentation graphique est une sinusoïde. ▷ P. 123 et 136

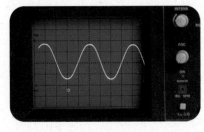

Tension variable : tension dont la valeur change au cours du temps. ▷ P. 109 et 122

Trajectoire : ensemble des positions occupées par un objet au cours du temps. ▷ P. 182

Translation : un solide a un mouvement de translation si la droite qui passe par deux de ses points reste parallèle à une direction fixe au cours de son mouvement. ▷ P. 210

Usure (d'une pile électrochimique) : consommation totale des réactifs d'une pile électrochimique qui ne peut alors plus fournir d'énergie. ▷ P. 75

Valeur efficace : valeur affichée par un voltmètre utilisé en mode alternatif. ▷ P. 137

Valeur maximale : valeur la plus grande atteinte par une tension alternative. ▷ P. 123, 136 et 137

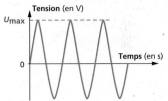

Vitesse : rapport de la distance d parcourue par la durée t du parcours : ▷ P. 210 et 211

$$v = \frac{d}{t} \quad \begin{vmatrix} v : \text{vitesse en m/s} \\ d : \text{distance parcourue en m} \\ t : \text{durée du parcours en s} \end{vmatrix}$$

Voltmètre alternatif : voltmètre utilisé en mode alternatif. ▷ P. 137

Watt : unité légale de puissance, de symbole W, du nom de l'ingénieur britannique, James Watt (1736 – 1819) ▷ P. 150

Zinc : métal blanc bleuâtre, résistant à la corrosion dans l'air humide. ▷ P. 16 et 74

Corrigés des exercices « je m'évalue »

Chapitre 1 p. 19

1. Le fer, le zinc, l'aluminium, le cuivre, l'argent et l'or.

2. Or – cuivre.

3. Moins dense.

4. Est attiré.

Chapitre 2 p. 35

1. Les métaux.

2. Ions. Ions – sens – courant.

3. Le noyau – électrons.

4. Neutres. Chargés.

5. Circuit électrique.

6. 100 000 fois.

Chapitre 3 p. 49

1. Na^+, Cl^-, Cu^{2+}, Fe^{2+}, Fe^{3+}, H^+, HO^-.

2. Test au nitrate d'argent. Test à la soude.

3. a. Acide ; **b.** Neutre ; **c.** Basique.

4. Concentrées.

Chapitre 4 p. 63

1. $H^+ - Cl^-$.

2. pH.

3. Nitrate d'argent.

4. fer + acide chlorhydrique
→ dihydrogène + chlorure d'hydrogène.

5. D'une flamme. La soude.

Chapitre 5 p. 77

1. Chimique – thermique.

2. Chimique – formes.

3. Chimique – l'usure.

Chapitre 6 p. 91

1. De les obtenir plus facilement, pour moins cher et en plus grande quantité.

2. Réactifs.

3. Protocole.

4. D'améliorer les conditions de vie.

Chapitre 7 p. 111

1. L'alternateur.

2. En énergie électrique.

3. L'eau – renouvelable.

4. En mouvement.

Chapitre 8 p. 125

1. Continue.

2. Alternative.

3. La période.

4. Le volt – la seconde.

Chapitre 9 p. 139

1. Le hertz – Hz.

2. Alternative.

3. 50 Hz.

4. La valeur efficace.

5. Des tensions efficaces.

Chapitre 10 p. 155

1. En watt – puissance nominale. 100 W – 1 000 W.

2. Danger d'incendie.

3. Le coupe-circuit. Il ouvre le circuit.

4. La tension nominale. Des valeurs à ne pas dépasser.

Chapitre 11 p. 167

1. $E = P \times t$.

2. Le joule.

3. La seconde.

4. Le watt.

5. N'est pas.

Chapitre 12 p. 185

1. Huit planètes – du Soleil.

2. Une interaction attractive – une masse – la distance.

3. Une action de contact.

4. Une action à distance – le Soleil.

Chapitre 13 p. 201

1. De la Terre sur l'objet.

2. Le newton – N.

3. Proportionnels.

4. L'énergie mécanique – l'énergie potentielle de position – l'énergie cinétique.

Chapitre 14 p. 213

1. Plus rapidement.

2. Au carré de la vitesse.

3. Les passagers.

4. Des conditions climatiques, de l'état des pneumatiques, de l'état de la route, de l'état des freins.

Corrigés des exercices de synthèse

Partie A p. 98 et 99

1 Les métaux de la vie quotidienne

1. Les boules de pétanque sont fabriquées en fer.

2. Le fer est utilisé pour les constructions métalliques : rails, ponts, tôle de carrosserie automobile, etc.

3. Les métaux aluminium, zinc et argent sont couramment utilisés.

2 Courant électrique et structure de la matière

1. Oui, tous les métaux conduisent le courant électrique.

2. Le courant électrique dans le métal cuivre est dû à un déplacement d'électrons de ce métal.

3. L'eau minérale contient des molécules d'eau mais aussi des ions car elle conduit le courant électrique.

4. Les molécules d'eau sont électriquement neutres, les ions sont électriquement chargés.

5. Un atome est constitué d'un noyau et d'électrons.

6. Le rayon du noyau est 100 000 fois plus petit que celui de l'atome.

3 Tests de quelques ions. pH d'une solution

1. On observe un précipité blanc car l'acide chlorhydrique contient des ions chlorure Cl^-.

2. On n'observe aucun changement car l'acide chlorhydrique ne contient pas d'ions métalliques. Les ions testés sont les ions cuivre (II) Cu^{2+}, les ions fer (II) Fe^{2+} et les ions fer (III) Fe^{3+}.

3. Le pH de l'acide chlorhydrique est égal à 1 donc cette solution est acide.

4. L'acide chlorhydrique testé présente un danger : il est corrosif.

4 Réaction entre l'acide chlorhydrique et le fer

1. L'effervescence observée prouve qu'une réaction chimique a lieu.

2. Le gaz mis en évidence par le test (1) est le dihydrogène.

3. Le test (2) met en évidence les ions chlorure Cl^-. Le test (3) met en évidence les ions fer (II) Fe^{2+}.

4. Le métal fer constitue la canette.

5. fer + acide chlorhydrique ⟶ dihydrogène + chlorure de fer.

5 La pile électrochimique

1. Le métal zinc et la solution aqueuse de sulfate de cuivre contiennent de l'énergie chimique.

2. L'énergie est transférée à la lampe sous forme d'énergie électrique.

3. L'énergie des espèces chimiques est transformée au cours d'une réaction chimique.

4. La pile finit par s'user car au moins un des réactifs est entièrement consommé.

5.
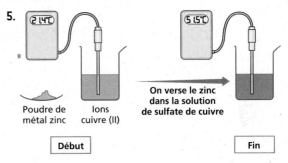

Poudre de métal zinc	Ions cuivre (II)

On verse le zinc dans la solution de sulfate de cuivre

Début — Fin

6 Synthèse d'espèces chimiques

1. Les réactifs sont l'alcool isoamylique et l'acide acétique et le produit obtenu est l'acétate d'isoamyle.

2. Synthétiser l'acétate d'isoamyle permet d'en obtenir une grande quantité pour un coût moins important et sans surexploiter la nature.

3. Synthétiser des espèces chimiques n'existant pas dans la nature, comme le nylon, permet d'améliorer nos conditions de vie.

Partie B p. 174 et 175

7 La production d'électricité

1. Toute centrale électrique contient un alternateur.

2. Anaïs doit faire tomber de l'eau sur la turbine afin de la faire tourner.

3. L'alternateur est constitué d'un aimant et d'une bobine. L'aimant doit se déplacer au voisinage de la bobine pour créer une tension variable.

4. L'alternateur convertit de l'énergie mécanique en énergie électrique.

5. L'eau est une source d'énergie renouvelable.

6. Le pétrole, le charbon, et le gaz naturel sont des sources d'énergie non renouvelables.

8 Les tensions alternatives

1. La tension est variable car ses valeurs changent au cours du temps.

2. La tension est périodique car sa représentation possède un motif élémentaire.

3. La tension n'est pas alternative car ses valeurs ne changent pas de signe.

4. La valeur 4,4 V correspond à la valeur maximale de la tension étudiée.

9 Visualisation et mesure des tensions alternatives

1. Le secteur est une tension alternative.

2. L'indication du voltmètre est une valeur efficace.

3. Oui, la valeur efficace est celle qui a été effacée sur le générateur.

4. L'unité de fréquence est le hertz de symbole Hz.

5. La fréquence du secteur est 50 Hz en France.

10 La puissance électrique

1. La valeur 900 W est la valeur de la puissance nominale de la cafetière.

2. La puissance d'un appareil électrique chauffant est environ de 1 000 W et celle d'une lampe à incandescence d'environ 100 W.

3. La puissance efficace limite à ne pas dépasser pour le fil est égale à 4 600 W et sa tension efficace d'utilisation est égale à 230 V.

4. L'intensité efficace limite à ne pas dépasser pour la prise de courant est égale à 16 A.

5. Le coupe-circuit ouvre le circuit en cas de surintensité.

11 L'énergie électrique

1. L'unité légale d'énergie est le joule de symbole J.

2. Le symbole kWh est celui de l'unité couramment utilisé de l'énergie électrique : le kilowattheure.

3. $4\,337 \times 3,6 \times 10^6 = 1,561 \times 10^{10}$ J

4. $E = P \times t$ avec E en J, P en W et t en s ou E en kWh, P en kW et t en h.

5. Période de facturation : $(328 + 61) \times 24 = 9\,336$. Soit 9 336 h.
Puissance moyenne : $\dfrac{4\,337}{9\,336} = 0,4645$.

Soit 0,4645 kW = 464,5 W.

6. La puissance calculée est une puissance moyenne alors que la puissance souscrite est une puissance limite.

Partie C p. 220

12 Notion de gravitation

1. Le système solaire comporte huit planètes qui tournent autour du Soleil. Des satellites naturels tournent autour de certaines planètes, comme la Lune autour de la Terre.

2. La trajectoire de la balle est un cercle semblable à la trajectoire quasi-circulaire d'une planète autour du Soleil.

3. L'action de la ficelle sur la balle est une action dirigée vers la main. De même, l'action du Soleil sur une planète est une action dirigée vers le Soleil.

4. L'action de la ficelle sur la balle est une action de contact tandis que l'action du Soleil sur une planète est une action à distance.

5. La gravitation est une interaction attractive entre deux objets qui dépend des masses des deux objets et de leur distance.

13 Poids et chute d'un objet

1. Le poids d'un objet sur Terre est l'attraction à distance exercée verticalement et vers le bas par la Terre sur cet objet.

2. La balance permet de mesurer la masse. Le dynamomètre permet de mesurer la valeur du poids.

3. $m = 140,0$ g soit $m = 0,1400$ kg et $P = 1,4$ N.

4. Toutes les valeurs de P s'obtiennent en multipliant les valeurs de m par un même nombre égal à 10. Il y a donc proportionnalité entre la valeur du poids d'un objet et sa masse. La valeur du coefficient de proportionnalité est égale à 10.

14 Énergie cinétique et sécurité routière

1. D'après le dessin, la relation entre la distance d'arrêt, la distance de réaction et la distance de freinage est la suivante : distance d'arrêt = distance de réaction + distance de freinage.

2. La distance de freinage d'un véhicule est la distance parcourue entre l'instant où le conducteur freine et celui où le véhicule est immobilisé.

3. La distance de freinage est multipliée par quatre quand la vitesse est doublée car cette distance est liée à l'énergie cinétique $E_c = \frac{1}{2} m \times v^2$ du véhicule avant le freinage.

Corrigés

Crédits photographiques

Couverture ▶ chutes libres © Fred Thomas/Hoa-Qui/Eyedea ■ piles © Photo12.com/Alamy ■ éoliennes © David Reede/All Canada Photos/Getty Images
Gardes avant ▶ plusieurs objets © Jeulin et d'autres © Pierron
Sommaire ▶ p. 2hg : © Lanier/REA ■ p. 2hd : © euroluftbild.de/Andia ■ p. 3h : © Lester Lefkowitz/Corbis (reprises des p. 8-9, 100-101 et 176-177)
Partie A ▶ p. 8-9 : © Lanier/REA
Chapitre 1 ▶ p. 10 : © Benoît Decout/REA ■ p. 11 : © Raphaël Gaillarde/Gamma/Eyedea ■ p. 12(1) et reprise p. 16 : © Owen Franken/Corbis ■ p. 12(2) et reprise p. 16 : © Jean-Bernard Vernier/Corbis Sygma ■ p. 12(3) et reprise p. 16 : © Chrolophylle/Fotolia.com ■ p. 13(4) et reprise p. 16 : © Simon Lewis/SPL/Cosmos ■ p. 13(5) et reprise p. 16 : © Stepan Jezek/Fotolia.com ■ p. 13(6) et reprise p. 16 : © Marek Kosmal/Fotolia.com ■ p. 16(2) : © Charles O'Rear/Corbis ■ p. 17(4) : © TIPS/Photononstop ■ p. 18h : © Harald Sund/Photographer's Choice/Getty Images ■ p. 18b : © Cybèle Productions (www.memo.fr) ■ p. 20(6) : © Benoît Decout/REA ■ p. 20(9) : © Alain Léonard ■ p. 20(10-1) : © Philippe Renault/Hemis/Corbis ■ p. 20(10-2) : © Tony Arruza/Corbis ■ p. 20(10-3) : © Jack Ambrose/The Image Bank/Getty Images ■ p. 21(14-1) : © Ian Sanderson/Photographer's Choice/Getty Images ■ p. 21(14-2) : © Krause Johansen/Archivo Iconografico SA/Corbis ■ p. 21(15-1) : © Owen Franken/Corbis ■ p. 21(15-2) : © Chris Collins/Corbis ■ p. 21(18) : © Ron Watts/Corbis ■ p. 22(22) : © Google 2008 ■ p. 22(25) : source www.ciemra.com ■ p. 23(27) : © musée du fer de Reichshoffen ■ p. 23(28) : © Jonathan Kitchen/The Image Bank/Getty Images ■ p. 23(29) : © Xavier Saba-Lavolo/Naturimages ■ p. 23(30) : © Sheffield Industrial Museums ■ p. 25h et m : © Gérard Guittot/REA ■ p. 25b : © mm/Fotolia.com
Chapitre 2 ▶ p. 26 : © Dennis Galante/Corbis ■ p. 27 : © Jean-Pierre Amet/Corbis Sygma ■ p. 27(insert) : © Graham J. Hills/SPL/Cosmos ■ p. 32(2) : © Robert Y. Ono/Corbis ■ p. 33(4) : © Colin Cuthbert/SPL/Cosmos ■ p. 34h : © American Institute of Physics/SPL/Cosmos ■ p. 36(8) : © Aqua Press/M.-P. et C. Piednoir ■ p. 39(27) : © Sébastien Ortola/REA ■ p. 39(29) : © Pierre Bessard/REA ■ p. 39(30) : © Bettmann/Corbis ■ p. 41h : © Jérôme Chatin/Expansion-REA ■ p. 41b : © Martine Coquilleau/Fotolia.com
Chapitre 3 ▶ p. 42 : © Benoît Decout/REA ■ p. 43 : © Aqua Press/M.-P. et C. Piednoir ■ p. 48h : © Maximilian Stock Ltd/StockFood/StudioX ■ p. 51(18) : © Alix/Phanie ■ p. 52(21) : © Hervé Lenain/Biosphoto ■ p. 53(26) : © Heiko Meyer/LAIF-REA ■ p. 53(28) : © Gérard Fritz/ImageState/Eyedea ■ p. 53(29) : © 1999-2003 by Lars Röglin (www.pse-online.de) ■ p. 55h et m : © Brigitte Gilles de la Londe/ONISEP
Chapitre 4 ▶ p. 57(fond et insert) : © Gamma/Eyedea ■ p. 60(3) : © Bruno Morandi/Age/Hemis.fr ■ p. 61(5) : © Lee, Joff/StockFood/StudioX ■ p. 62h : © Raphaël Demaret/REA ■ p. 66(27) : © BSIP/BOL/Begsteiger ■ p. 67(28) : Mondadori France © 2007 avec l'aimable autorisation de la rédaction ■ p. 67(30) : © Michel Gaillard/REA ■ p. 67(31) : © Sheila Terry/SPL/Cosmos ■ p. 69h : © Didier Maillac/REA
Chapitre 5 ▶ p. 70 : © Michel Gaillard/REA ■ p. 71 : © Dujardin/Iconos/Oredia ■ p. 74(2) : © Denis Bringard/Sunset ■ p. 76h : © Pascal Sittler/REA ■ p. 80(18) : © Bagnos/PhotoCuisine/Corbis ■ p. 80(21) : © Tango Group Limited ■ p. 81(24) : © Hamilton/REA ■ p. 81(25) : Mondadori France © 2007 avec l'aimable autorisation de la rédaction ■ p. 81(26g) : © Roger-Viollet ■ p. 81(26d) : © Dagli-Orti ■ p. 83h : © Pierre Bessard/REA
Partie B ▶ p. 100-101 : © euroluftbild.de/Andia
Chapitre 6 ▶ p. 84 : © Muriel Hazan ■ p. 85 : © Hulton-Deutsch coll./Corbis ■ p. 88(2) : © Kurt Henseler/LAIF-REA ■ p. 89(4) : © F. Hammond/PhotoCuisine/Corbis ■ p. 90h : © Claudius Thiriet/Biosphoto ■ p. 92(11) : © Gregor Schuster/zefa/Corbis ■ p. 93(15) : © Catherine Martin ■ p. 93(19) : © Elf Atochem ■ p. 95(26) : © Jean-François Lepage/Musée du savon de Marseille (www.marius-fabre.fr) ■ p. 95(28) : © Emmanuel Vialet/Biosphoto ■ p. 95(29) : © Science Museum/Science & Society Picture Library ■ p. 97h : © Richard Damoret/REA
Chapitre 7 ▶ p. 102 : © Paul Langrock/Zenit-LAIF-REA ■ p. 103 : © G. Bowater/Corbis ■ p. 106(1 et 3g) : © Pascal Sittler/REA ■ p. 109(4) : © Bosch ■ p. 110h : © Pierre Gleizes/REA ■ p. 112(8) : © BSIP/K. Wernicke/ARCO ■ p. 114(21) : © J.-M. Brunet/Colibri ■ p. 114(24) : © Schlaich/Sipa ■ p. 115(25) : © Denis Bringard/Biosphoto ■ p. 115(27) : © Paul Langrock/Zenit-LAIF-REA ■ p. 115(28) : © Heritage Images/Leemage ■ p. 117h et m : © Gilles Rolle/REA
Chapitre 8 ▶ p. 118 : © Evy Raes/Reporters-REA ■ p. 122(2) : © Nina Wetzel ■ p. 124h : © Henri Roger/Roger-Viollet ■ p. 127(16) : © Stonelmages/Age/Hemis ■ p. 129(26) : Mondadori France © 2008 avec l'aimable autorisation de la rédaction ■ p. 129(27) : © Photo12.com/Alamy ■ p. 129(28) : © Nicolas Tavernier/REA ■ p. 129(29) : © MP/Leemage ■ p. 131h et m : © Lucas Schifres/ONISEP
Chapitre 9 ▶ p. 132 : © Alix/Phanie ■ p. 133 : © Garel/REA ■ p. 141(19) : © Patrick Darby/Corbis ■ p. 143(28) : texte d'A. Saillard, illustré par S. Jacopin et N. Hunerblaes, extrait du magazine Wapiti © Milan Presse ■ p. 143(29) : © Alix/Phanie ■ p. 143(30) : © BSIP/Lemoine ■ p. 143(31) : © Bettmann/Corbis ■ p. 145h : © Hamilton/REA
Chapitre 10 ▶ p. 146 : © Ian Hanning/REA ■ p. 147 : © Michel Gaillard/REA ■ p. 150(2) : © David Michael Zimmerman/Corbis ■ p. 152h : © Laurent Martinat/BEP-Nice Matin/Maxppp ■ p. 152b : © Réseau de transport d'électricité (RTE) ■ p. 157(28) : © Musée des arts et métiers-CNAM/photo P. Faligot/Seventh Square ■ p. 157(29) : © Hamilton/REA ■ p. 157(30) : © Y. Noto Campanella/Biosphoto ■ p. 157(31) : © akg-images ■ p. 159h : © Jérôme Pallé
Chapitre 11 ▶ p. 160 : © Pierre Gleizes/REA ■ p. 161 : © Vincent Leblic/Photononstop ■ p. 163(1) : © Noirot ■ p. 165(4) et 166h : © Richard Damoret/REA ■ p. 166b : écran de recherche BCDI-CRDP de Poitou-Charentes ■ p. 168(2) : © Unclesam/Fotolia.com ■ p. 171(27) : © Syndicat intercommunal d'énergie du Calvados – www.sdec-energie.fr, rubrique Maison de l'énergie ■ p. 171(28) : © Rainer Holz/zefa/Corbis ■ p. 171(30) : © akg-images ■ p. 173h : © Jérôme Pallé/ONISEP
Partie C ▶ p. 176-177 : © Lester Lefkowitz/Corbis
Chapitre 12 ▶ p. 178 : © Nasa ■ p. 179 : © Nasa ■ p. 182(2) : © Nasa ■ p. 183(4) : © Miloslav Druckmüller/Novapix ■ p. 184hg et hd : © Nasa/JPL ■ p. 186(8) : © Daniel Sainthorant/Fotolia.com ■ p. 186(12) : © Nasa ■ p. 188(21) : © Nicolas Gouhier/Cameleon/abacapress.com ■ p. 189(26) : © Astronef, planétarium de Saint-Étienne ■ p. 189(27) : © Andy Crawford/Dorling Kindersley/Getty Images ■ p. 189(28) : © Nasa/JPL-Caltech/R. Hurt (SSC-Caltech) ■ p. 189(29) : © akg-images/Orsi Battaglini (portrait J. Sustersmans, 1636, Florence) ■ p. 191h : © CERN Genève/Patrice Loïez
Chapitre 13 ▶ p. 192 : © Dimitri Iundt/TempSport/Corbis ■ p. 193 : © Ph. Guignard/air-images.net ■ p. 196(2) : © Bolcina/DPPI-Sipa ■ p. 197(4) : © Antoine Derouard/REA ■ p. 198h : © Nasa ■ p. 198b : écran de recherche BCDI-CRDP de Poitou-Charentes ■ p. 200(12) : © Mark A. Johnson/Corbis ■ p. 202(24) : © Nasa ■ p. 202(26) : © Hervé Vincent/AVECC-REA ■ p. 203(27) : © Pour la Science 2007 ■ p. 203(29) : © Y. Noto Campanella/Francedias.com ■ p. 203(30) : © akg-images ■ p. 205h et m : © Sylvain de Gorter/DPPI
Chapitre 14 ▶ p. 206 : © Gilles Rolle/REA ■ p. 207 : © Altrendo/Getty Images ■ p. 208(2) : © Gilles Rolle/REA ■ p. 210(3) : © Gilles Lenvent/DPPI ■ p. 211(5) : © ATP/UMA/Arthur Thill ■ p. 212h : © Didier Maillac/REA ■ p. 212b : Moduloroute : le labo interactif de la Prévention routière © La Prévention routière-FFSA (www.preventionroutiere.asso.fr) ■ p. 214(9) : © Richard Damoret/REA ■ p. 217(26) : © Gilles Rolle/« 6OM »/REA ■ p. 217(27) : © Jacobson Jodi/Peter Arnold/Biosphoto ■ p. 217(28) : © BSIP/TETRA ■ p. 217(28) : © Roger-Viollet ■ p. 219h : © AFP Photo/Philippe Huguen
Lexique ▶ p. 232hm : reprise de p. 106 © Sittler/REA ■ p. 233b : reprise de p. 143 © Bettmann/Corbis ■ p. 233md : reprise de p. 171 © akg-images ■ p. 235bd : reprise de p. 157 © akg-images ■

Photos non référencées :
Christophe Michel/Paxal Image

Schémas : Corédoc

Illustrations :
Clod, Camille Ladousse, Audrey Partimbene

Les Éditions Belin et les auteurs remercient M. Christian Kirch, principal du collège Théodore-Monod de Villerupt pour son accueil, ainsi que Mlle Marie Arias, M. Alain Courcelle, Mme Ingrid Delon et M. Gabriel Schneider pour leur précieuse collaboration lors de la réalisation des photos d'expériences.

Nous remercions également Mmes C. Louis, B. Nevado et M. Thiebault pour leur collaboration.

Nous tenons à remercier les sociétés Jeulin et Pierron pour l'aide matérielle qu'elles nous ont apportée.

Cet ouvrage est imprimé sur papier mince 100% recyclé.

Imprimé en France par Maury - 45330 Malesherbes
N° d'imprimeur : 139728 - N° d'édition : 004730-02
Dépôt légal : août 2008

Les atomes

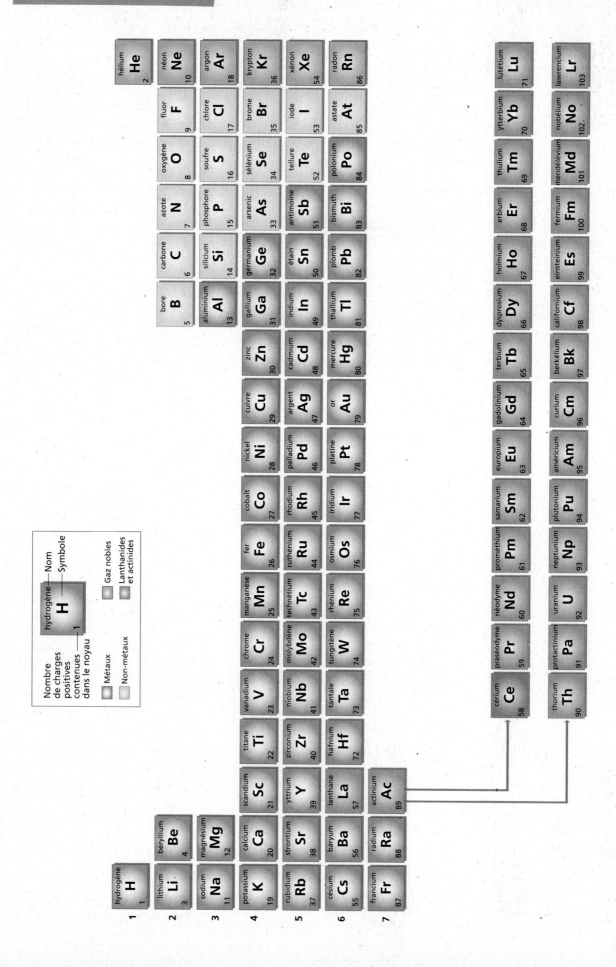

Les symboles électriques

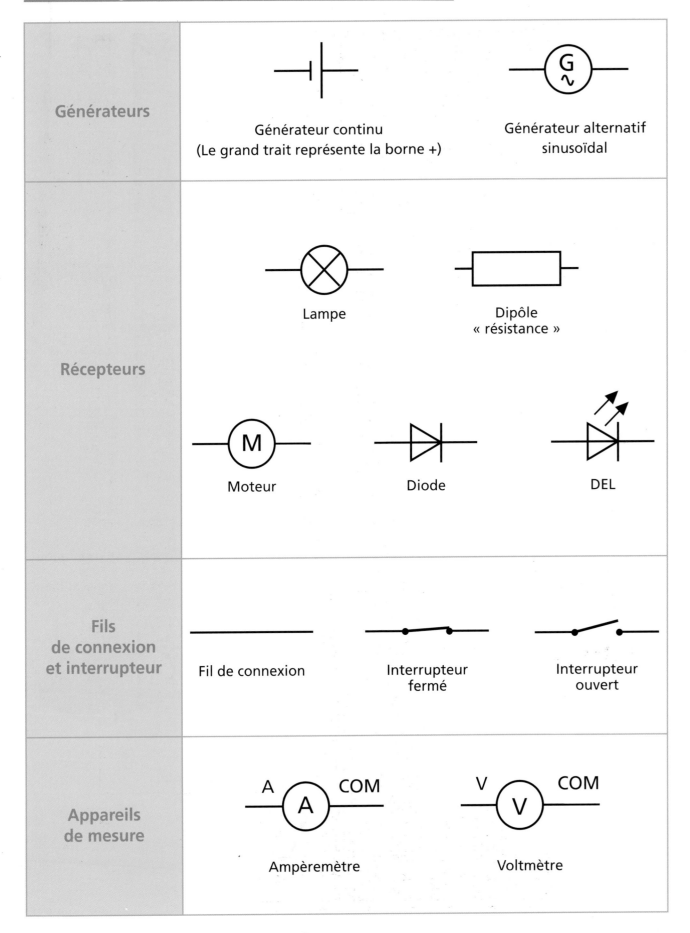

Générateurs	**Générateur continu** (Le grand trait représente la borne +) — **Générateur alternatif sinusoïdal**
Récepteurs	**Lampe** — **Dipôle « résistance »** **Moteur** — **Diode** — **DEL**
Fils de connexion et interrupteur	**Fil de connexion** — **Interrupteur fermé** — **Interrupteur ouvert**
Appareils de mesure	**Ampèremètre** — **Voltmètre**

Les transformations de l'énergie

Énergie de position de l'eau
↓
Énergie cinétique de l'eau

Alternateur

Turbine

Énergie mécanique de la turbine
↓
Énergie électrique

Énergie cinétique du véhicule
↓
Énergie thermique dans les freins

Énergie chimique de la batterie
↓
Énergie électrique du téléphone